D1550398

ВИКТОРИЯ ПЛАТОВА

ДЕТЕКТИВ

ВИКТОРИЯ ПЛАТОВА

ЛЮБОВНИКИ В ЗАСНЕЖЕННОМ САДУ

РОМАН

КНИГА 1

МОСКВА

«ИЗДАТЕЛЬСТВО АСТРЕЛЬ»

АСТ

2002

УДК 821.161.1-312.4
ББК 84 (2Рос=Рус)6-44
П37

Серийное оформление
Ирины Сальниковой

Платова В.

П37   Любовники в заснеженном саду: Роман: В 2 кн. Кн. 1 /
В. Платова. — М.: ООО «Издательство Астрель»: ООО
«Издательство АСТ», 2002. — 331 с.

    ISBN 5-17-014341-9 (кн. 1)
    ISBN 5-17-013259-X (ООО «Издательство АСТ»)
    ISBN 5-271-04193-X (кн. 1)
    ISBN 5-271-04195-6 (ООО «Издательство Астрель»)

...Ему не повезло: все попытки уйти из жизни вслед за погибшим
сыном не увенчались успехом. А должны были увенчаться, — только
так можно было избавиться от чувства вины.

Им повезло больше: пройдя кастинг, они становятся популярным
попсовым дуэтом. Плата за славу не так уж велика: скандальный
имидж и смена сексуальной ориентации. Но они так юны и еще не
знают, что слава и успех проходят слишком быстро, оставляя за собой выжженную и почти мертвую душу.

И когда, потеряв все, они остаются на обочине, — тогда и возникает вопрос: сможет ли выжженная душа противостоять чужой жестокой игре или, умерев сама, начнет убивать других?..

УДК 821.161.1-312.4
ББК 84 (2Рос=Рус)6-44

Подписано в печать с готовых диапозитивов 20.02.2002.
Формат 84×108^1/$_{32}$. Печать высокая с ФПФ.
Усл. печ. л. 17,64. Гарнитура Журнальная.
Бумага типографская. Тираж 20 000 экз. Заказ 2959.

Общероссийский классификатор продукции
ОК-005-93, том 2; 953000 — книги, брошюры
Санитарно-эпидемиологическое заключение
№ 77.99.11.953.П.002870.10.01 от 25.10.2001 г.

ISBN 5-17-014341-9 (кн. 1)
ISBN 5-17-013259-X (ООО «Издательство АСТ»)
ISBN 5-271-04193-X (кн. 1)
ISBN 5-271-04195-6 (ООО «Издательство Астрель»)

ЧАСТЬ ПЕРВАЯ
НИКИТА

Сентябрь 200... года

«А ведь она похожа на Ингу, — тупо подумал Никита. — Странно, что я заметил это только сейчас...»

Чертовски похожа. Надо же, дерьмо какое!

Похожа определенно. До смуглой, убитой временем родинки на предплечье. До хрипатого томвейтсовского «Blue Valentine» — Инга с ума сходила от этой вещи. Есть от чего, по зрелому размышлению. Особенно когда пальцы гитариста рассеянно задевают гриф в проигрышах. Проигрыши похожи на ущелья, в которых так легко разбиться. Проигрыши похожи на ущелья, а Она — на Ингу.

Похожа, похожа, похожа...

Она похожа на Ингу, которую Никита не знает. И никогда не знал. Никита появился потом, и с ним Инга прожила другую жизнь. Восемь лет —

5

тоже жизнь, кусок жизни, осколок, огрызок, съёжившаяся змеиная шкурка. Ничего от этой жизни не осталось, ровным счетом ничего. И только гибель Никиты-младшего — как жирная точка в конце. Никите так и не удалось перевести ее в робкое многоточие, даже почти эфемерного «Forse che si, forse che no» не получилось.

«Forse che si, forse che no».

«Возможно — да, возможно — нет». Дурацкое выражение, восемь лет назад привезенное ими из свадебного путешествия, из итальянской Мантуи, где они зачали Никиту-младшего. Никите хотелось думать, что в Мантуе, хотя сразу же после Италии, в коротком, дышащем в затылок промежутке, были Испания и Португалия, но... «Возможно — да, возможно — нет» — дурацкое выражение, украшающее эмблемы княжеского дома Гонзага. Никиты-младшего больше нет, а лабиринты остались. Они до сих пор скитаются в этих лабиринтах — Инга и Никита — до сих пор.

Боясь наткнуться друг на друга.

И все равно натыкаются.

Еще чаще они натыкаются на вещи Никиты-младшего, на его игрушки — целое стадо гоночных машинок со счастливым номером Шумахера, кирпичики «Лего», роботов-трансформеров, безвольную мягкую фауну, набитую синтепоном... Автоматы, пистолеты, недоукомплектованные подразделения солдатиков, паззлы, книжки...

Инга до сих пор читает эти книжки — вслух, в гулкой пустой детской, — и тогда Никите начинает казаться, что она помешалась. «Возможно —

да, возможно — нет», говорит в таких случаях Инга. Это те немногие слова, которые она все еще говорит ему.

А Она и вправду похожа на Ингу.

Должно быть, Инга такой и была — до встречи с Никитой. Длинноволосая ухоженная блондинка двадцати трех лет, никаких мыслей о родах, после которых так разносит бедра. Аккуратно вырезанные ноздри, аккуратно вырезанные губы, надменная тень капитолийской волчицы в глазах — сестры-близнецы, да и только! Вот только Инга выскочила замуж за первого же встреченного брюнетистого симпатягу без роду-племени, наплевав на другого, совсем не такого симпатичного лошка-мужа… А Она, не будь дурой, взнуздала самого перспективного жеребца в бизнес-табуне — пусть немолодого, но под завязку упакованного. Его, Никиты, нынешнего хозяина.

Вдовца.

Теперь уже — вдовца.

Но он об этом еще не знает. И никто не знает. Никто, кроме Никиты.

Надо же, дерьмо какое! Хозяйская жена в хозяйской ванной — с аккуратной дыркой во лбу. И он, Никита, на пороге. Его не должно быть здесь, в этой ванной, отделанной под мрамор и такой стерильной, что даже кокетливое биде кажется выпаренным в автоклаве. Его не должно быть здесь, — и он здесь.

Дерьмо, дерьмо, дерьмо!…

Все так же не отрывая взгляда от розовой от крови воды, в которой парило Ее тело, Никита сбросил кроссовки и на цыпочках двинулся к джакузи. Носки сразу же промокли — от почти незаметных крошечных лужиц на мраморном патрицианском полу.

Вода была еще теплой. Парное молоко, сказала бы Инга. Но она давно не говорит об этом. Табу. У них много слов-табу: парное молоко, вода, озеро, кувшинки, песок, дети, мальчик, август, воскресенье, мой малыш, смеяться, крошка Вилли-Винки потерял ботинки, я люблю тебя... Никто больше не говорит Никите: «Я люблю тебя». Ему говорят: «Ты — убийца собственного сына».

Ему говорят об этом, даже когда молчат.

Ему говорят об этом, даже не произнося имени вслух: ведь его собственное проклятое имя — это благословенное имя Никиты-младшего. Имя — табу. Больше года Инга не произносила его имени вслух — с того самого августовского воскресенья, когда их сына не стало.

Вода, которая убила Никиту-младшего, тоже напоминала парное молоко. Но Никита этого не помнит: только холод. Прозрачный холод, застывшая мелкая рябь озерного песка и тельце шестилетнего сына, над которым сомкнулся тяжелый штиль. Никита нашел Никиту-младшего не сразу, он даже не сразу сообразил, что произошло. Еще совсем недавно голова сына горделиво возвышалась над поверхностью: смотри, пап, как я умею плавать, это ведь ты меня научил!.. Все, все было бы сейчас по-другому, если бы Никите не пришла в голову адская мысль выскочить на берег за маской и трубкой. Вернее, она пришла в голову Никите-младшему: «Ты обещал научить меня плавать с трубкой, пап, а еще — акваланг, а правда, что с аквалангом можно увидеть рыбок у самого дна?..» Все, все было бы сейчас по-другому, и Никита-младший уже ходил бы в школу, и на каникулы они обязательно поехали бы куда-нибудь все вместе, — скорее всего, в Мантую, Инге всегда нравилась Италия.

«Forse che si, forse che no».

No, no, no...

Нет. А «да» — уже никогда не будет.

Никита выскочил на берег, чтобы взять маску, перетряхнул джинсы, зачем-то вытащил часы — было без двадцати четыре: лучшее время для ленивого позднего лета, с ленивым солнцем и робкой, уже осенней паутиной на траве. Какой-то добродушный толстяк попросил у него закурить, и еще несколько минут ушло на поиски сигарет и необязательный разговор. Несколько минут, в которые можно было спасти Никиту-младшего... И в эти несколько минут сын не кричал, не звал на помощь — очевидно, он просто побоялся выглядеть в глазах отца слабаком. «Не будь слабаком!» — это был их девиз. Ничуть не хуже девиза княжеского дома Гонзага. «Не будь слабаком!» — очень по-мужски. А толстяк, попросивший у Никиты сигарету, смахивал на бабу: застенчивый, плохо обозначенный подбородок, покатые плечи, грудь, нависающая на живот... Он-то и забеспокоился первым, очень по-женски: «Ваш сынишка — просто молодчина, так уверенно держится на воде... Это ведь ваш сын? Я наблюдал за вами... Правда, сейчас его не вижу»... Но даже и эта, вскользь оброненная фраза, не заставила Никиту забеспокоиться. Позднее лето, ленивое солнце, ленивая

9

медовая вода — какое уж тут беспокойство! Только когда он обернулся и не увидел упрямого шелковистого затылка Никиты-младшего — только тогда его кольнуло в сердце. Кажется, он крикнул «Никитка!» и бросился в воду. Толстяк последовал за ним — Никита услышал только, как охнуло озеро за его спиной: должно быть, именно так резвятся киты на мелководье... Почему он подумал тогда об этом, почему?! Не о Никите-младшем, а о китах и мелководье...

Они нашли Никиту-младшего минут через десять. Так, во всяком случае, утверждал толстяк, который давал показания милиции, приехавшей одновременно со «скорой». Для самого Никиты время остановилось и перестало существовать. Нет, метастазы времени, его короткие сполохи все еще давали о себе знать, когда он пытался вдохнуть жизнь в посиневшие губы сына, когда, положив его невесомое тело на колено, все жал и жал на узенькую детскую спину. Чуда не произошло — только песок и вода, выходящая из легких. Только песок и вода...

Никита почти не помнил похорон. Зато хорошо запомнил Ингу — в тот вечер, когда они впервые остались одни, без Никиты-младшего. Без живого Никиты-младшего, без мертвого Никиты-младшего. В тот вечер и во все последующие. До этого он, как мог, пытался поддержать жену, Инга тоже цеплялась за него — чтобы не сойти с ума в водовороте последнего ритуального кошмара. «Нужно перетерпеть, нужно перетерпеть, милый», — бессвязно шептала она Никите даже на кладбище. Она была единственной, кто не плакал, — и это не выглядело кощунственным: горе было слишком велико, чтобы пытаться умилостивить его, заглушить слезами.

До девятого дня Инга была спокойна, удивительно спокойна — так спокойна, что Никита несколько раз снимал телефонную трубку, чтобы позвонить в психушку. Она почти не выходила из детской, а если и выходила, то только для того, чтобы заглянуть в шкаф, под кровать и за портьеры в спальне — излюбленные места Никиты-младшего в их до одури беспорядочной семейной игре в прятки... Кого она искала? Никиту-младшего, себя саму, безвозвратно утерянное счастье последних шести лет? «Forse che si, forse che no».

Нужно перетерпеть, нужно перетерпеть, милый...

Все эти девять дней она была нежна с Никитой — рассеянно, потусторонне нежна. Такой нежности не было даже в их медовый месяц в Мантуе. Впрочем, о нежности говорить тогда не приходилось — страсть, дикая, необузданная, страсть — вот что там было. И Никита-младший родился смуглым, с длинными черными прядками на темени, с неровными, как будто подпаленными ресницами, — он был выжжен этой страстью. Он родился от огня, а умер — от воды...

Все кончилось на десятый день. Инга н а ш л а. Но не сына, спрятавшегося в спальне, нет. Она нашла то, чего не искала, не хотела найти ни при каких обстоятельствах, — она нашла правду о том, что Никиты-младшего больше не будет. Никогда. Роботы-трансформеры, книжки, фотки, пожухлые видеопленки с дня рождения будут, а его — не будет. Правда слишком долго стояла за портьерой, лежала под кроватью, сгибалась в три погибели в шкафу — и ей надоело хорониться! Она выползла из своих многочисленных укрытий и коснулась нежных тонких волос Инги шершавой безжалостной ладонью, а потом, примерившись, ударила наотмашь: Никиты-младшего не будет никогда.

Никита не видел, как это произошло: он сидел на кухне и вливал в себя водку. С тем же успехом можно было пить спирт, мазут, дистиллированную воду — никакого эффекта. Инга вошла как раз в недолгом перерыве между двумя очередными стопками, прикрыла за собой дверь и тяжело облокотилась на нее.

— Ты убил моего сына, — безразличным треснувшим голосом сказала она.

Это была вторая правда, открывшаяся Инге вслед за первой.

— Ты убил моего сына. Гореть тебе в аду.

Никита даже не нашелся, что ответить. Да и что было отвечать? «Ты права»? «Ты сошла с ума»? «Побойся Бога»? «Нужно перетерпеть, милая»?..

— Инга... — пролепетал Никита. Но так ничего и не сказал.

— Я обещаю тебе ад. Ты слышишь? Обещаю...

И она сдержала слово. Его неистовая жена. Она не ушла от Никиты, потому что уйти от Никиты — означало увести ад с собой. И больше не видеть, как мучается невинный убийца невинного сына. А ей нужно было видеть, нужно! Дважды Никита пытался покончить с собой — и дважды Инга спасала его: от петли и от жалкой кучки

12

бритвенных лезвий. В последний раз она успела как раз вовремя — Никита всего лишь дважды полоснул себя по венам, на большее не хватило времени: она вынесла дверь в ванную — и откуда только силы взялись?...

— Ты не отделаешься так легко, — сказала Инга, зажимая губами хлещущую с запястий кровь. — Не отделаешься. Ты будешь жить. Смерть не для тебя, слышишь!...

И Никита смирился. Смерть не для него. Смерть — рай, а он приговорен к аду. И его светловолосый палач всегда будет рядом с ним. Они оба состарятся в этом аду, а Никита-младший так и останется шестилетним мальчишкой, который больше всего боялся оказаться слабаком.

После смерти Никиты-младшего они ни разу не были близки. Они даже спали в разных комнатах: Инга — в детской, а Никита — в их когда-то общей спальне. Но оставаться там тоже было невыносимо: спальня была пропитана их ласками, их безумными ночами, ее приглушенными (чтобы не разбудить сына) стонами и его шепотом: «Ты нимфоманка, девочка, нимфоманка... Боже мой, я женат на нимфоманке...» За годы супружества — до самой смерти Никиты-младшего — их страсть не потускнела, скорее наоборот — что только не приходило им в голову! А слабо заняться любовью в подсобке мебельного магазина, куда они завернули, чтобы выбрать стол для Никиты-младшего? Не слабо, не слабо... А слабо заняться любовью в лифте — в доме Никитиного приятеля Левитаса, к которому они были приглашены на день рождения? Не слабо, не слабо, совсем не слабо, даром что шампанское разбито, цветы помяты и от макияжа ничего не осталось — как же ты хороша… Как же ты хороша, девочка моя… А невинные шалости на последнем ряду с гарниром из затрапезного американского кинца — в «Баррикаде» или «Колизее»! Инга предпочитала «Колизей» — кресла в «Колизее» ей нравились больше. Она обожала целоваться на эскалаторе в метро — и они иногда, оставив Никиту-младшего с приходящей няней, посвящали метрошке целые вечера. Смешно, ведь у Никиты уже давно была машина — «жигуленок» девятой модели. Конечно же, они проделывали это и в машине, как проделывали это везде, но с «целоваться на эскалаторе» ничто не могло сравниться. Целоваться на эскалаторе, залезать друг другу под одежду в переполненном вагоне — и чем больше одежды, тем лучше, тем дольше и упоительнее один и тот же, но всегда новый путь к телу… К напряженным соскам, к взмокшей спине, к колом вставшему паху… В этот момент шальные глаза Инги меняли цвет — Никита даже не мог подобрать определения этому цвету, пока — совершенно случайно — не нашел его: цвет крылышек ночной бабочки, утонувшей в бокале с коньяком…

Дерьмо, дерьмо, дерьмо…

Больше он ни разу не видел у нее таких глаз, и «утонуть» — тоже стало словом-табу. Самым страшным словом, возглавлявшим список всех страшных слов.

Он не смог оставаться в спальне и перебрался на кухню, на маленький вытертый топчан. Детская была за стеной, слишком тонкой, чтобы скрыть от Никиты беззвучные рыдания жены: так они оба и тлели в этом своем ледяном аду через стенку, порознь — и все равно вместе, порознь — и вместе. И ни разу он не переступил порог детской — не под страхом смерти, а под страхом жизни, которая хуже смерти. Инга охраняла детскую, как львица охраняет свое логово. Лишь однажды, вусмерть напившись (только спустя три месяца он заново научился хмелеть от алкоголя), Никита попытался войти. Она легко справилась с ним, пьяным и жалким, отбросив к противоположной стене коридора. Он с готовностью упал и с готовностью стукнулся затылком о стенку.

— Так не может продолжаться вечно, — сказал он.

— Так будет продолжаться вечно, — отрезала она. — Пока ты не подохнешь. А подохнешь ты не скоро...

— Я знаю. Но так не может продолжаться вечно.

О чем он хотел поговорить с ней тогда? Взвинченный водкой, уставший, опустошенный... О том, что невозможно ежесекундно искупать то, что в принципе искупить невозможно? Или о том, что лучший выход для них обоих — попытаться начать все сначала? Или о том, что ни слепая ярость, ни заиндевевшая ненависть не вернут Никиту-младшего? Или о том, что ему тридцать три, а ей — тридцать один, и просто ждать смерти слишком долго? Или о том, чтобы... чтобы родить еще одного Никиту — Никиту-младшего-младшего...

Да, именно это он и сказал ей тогда. Сказал, заранее зная ответ.

— Тебе не удастся спрятаться, — ничего другого и быть не могло. — Новый Никита? Хочешь состругать себе нового сына?

— Не обязательно сына, — ляпнул он первое, что пришло ему в голову. — Можно девочку. Похожую на тебя. На ту, которая любила меня когда-то...

— Забудь, — она даже не ударила его ногой в услужливо подставленный подбородок.

— Но ведь ты же любила меня когда-то, — упрямо повторил Никита. — Ведь ты же любила меня...

— Нет, — отчаянно солгала она.

— Да. Любила, не отпирайся. С ума по мне сходила... Трахала меня при первой же удобной возможности. И неудобной тоже. Вспомни...

— Нет.

— Ты любила меня... когда-то... — продолжал настаивать он. Ни на что, впрочем, не надеясь.

Надежды на ее тело тоже не было. Никакой. Тело Инги, такое чуткое, такое страстное, исполненное таких непристойных желаний, что даже дух захватывало, умерло. И осталось лежать на дне озера, в котором утонул их сын. Оболочка — не в счет, оболочка осталась от них обоих, набитая никому не нужными теперь потрохами оболочка.

— ...Когда-то у нас был сын. Но ты не спас его. Не спас. Ты убил его... И тебе это сошло с рук — несчастный случай, как же! И теперь ты хочешь, чтобы... — Инга не договорила.

И договаривать не нужно — все и так понятно. Ребенок — слово-табу. Другой ребенок — предательство по отношению к Никите-младшему. Вскоре Никита и сам стал так думать, ведь сумасшествие заразительно. А такое, молчаливое, долгое, уравновешенное — и подавно. Такому сумасшествию надо посвящать жизнь, ни на что не отвлекаясь. Увольняться с работы, брать отпуск... Но Инга с работы не уволилась, так и осталась редактором в небольшом издательстве, специализирующемся на выпуске пустоголовых брошюрок из серии «Карма и здоровье: народные целители рекомендуют...».

Уволился Никита. Он променял свое — достаточно хлебное — место программиста на сомнительное поприще частного извоза. Нет, он ни о чем не жалел, глупо жалеть о чем-то, безвылазно сидя в склепе своей заживо похороненной жизни. Он даже не возил с собой монтировки, хотя работал по ночам, — и в этом был тайный умысел. Не слышать еженощного тихого Ингиного поскуливания за стеной. И еще — робкая надежда на то, что его убьют когда-нибудь — ведь сколько говорили об убийствах таксистов!

Но его не убили, хотя он и нарывался на это, как подросток нарывается на драку... О, как же Никита нарывался! Он подсаживал самые сомнительные, самые забубенные компашки, его постоянной клиентурой были наркоманы и щетинистые азербайджанцы с разбойным физиономиями; он мотался в Пушкин и Всеволожск за символическую плату, нарочно притормаживая у соблазнительных лесных массивов, — и ничего не происходило.

Полный ноль. Надо же, дерьмо какое!

Все наркоманы, азербайджанцы, отставные боксеры и братки при исполнении были заодно с Ингой, с ее скребущим душу заклинанием: «Смерть не для тебя».

Но именно в одну из этих окаянных ночей Никита и встретил Корабельникоffа.

Вернее, нашел.

То есть тогда еще Никита не знал, что это и есть почти всемогущий Ока Корабельникоff, владелец мощной пивной империи. И сопутствующих безалкогольных производств. Пиво Никита не любил, предпочитая ему более крепкие напитки, но этикетку «Корабельникоff» видел неоднократно. С некоторых пор «Корабельникоff» имел широкое хождение в народе, постепенно вытесняя более раскрученные брэнды. «Белые воротнички» предпочитали «Корабельникоff Classic» (золото на голубом); «синие воротнички» — «Корабельникоff Porter» (золото на красном), демократическая богема — «Корабельникоff Special» (золото на изысканно-фиолетовом). Продвинутым клубящимся тинам достался золочено-малахитовый «Корабельникоff Original», — не самое плохое продолжение угарной ночи под гранж и марихуану.

Никита впервые увидел Корабельникоffа в состоянии, далеком от классического. Скорее, его можно было назвать original. Ровно через пять месяцев после гибели Никиты-младшего в стылом бесснежном январе, на Вознесенском, у казино «Луна», рыщущий в поисках клиентов Никита заметил тревожное черное пятно у припаркованного «Лэндровера». Джипы Никита не любил с той же тоскливой яростью, что и расплодившиеся как кролики казино — и почти наверняка проехал бы мимо, если бы... Если бы пятно не пошевелилось и едва слышно не застонало. Стон был недолгим, кротким, почти домашним — и никак не вязался с ненавистным, сверкающим крутым апгрейдом джипом. Никита проехал по инерции еще метров пятьдесят, потом остановился, попутно выматерив стершиеся тормозные колодки, и сдал назад.

Почувствовав чье-то настороженное и готовое к помощи присутствие, пятно воодушевилось, застонало громче и прямо на глазах трансформировалось в человеческую фигуру. Да и Никита больше не раздумывал. Он выскочил из машины и приблизился к человеку у джипа.

— Вам плохо?» — На дежурную фразу ушло ровно две секунды. Ответ занял чуть больше времени.

— Поищите... Она, должно быть, где-то здесь... Там таблетки...

Пухлая барсетка валялась неподалеку. «Здорово же тебя прихватило, если даже до спасительных таблеток не дотянуться», — подумал Никита.

— В маленьком отделении... — определил направление поисков несчастный придаток к «Лэндроверу». — Код... 1369...

В пахнущей дорогой кожей барсетке оказалась почти запредельная пачка стодолларовых купюр — не иначе, как годовой оборот какого-нибудь конверсионного заводика. Или — фабрики елочных игрушек. Простому, ничем не обремененному физическому лицу такого количества денег и за всю жизнь не поднять, ежу понятно!...

— Сколько? — коротко спросил Никита.

19

— Сколько... хотите... Хоть все забирайте...

Надо же, никаких сожалений по поводу кучи баксов! При подобной куче должны неотлучно находится телохранители, сексапильная секретарша с опытом работы в Word и мужском паху, а также взвод стрелков вневедомственной охраны.

— Сколько таблеток?

— А?... Две... Две...

Негнущимися, моментально прихваченными морозом пальцами, Никита выдавил на ладонь две ярко-рубиновые капсулы.

— Держите.

Мужчина сунул капсулы под язык, вжался затылком в подножку джипа и затих. На вид ему было около пятидесяти, но в подобном «около пятидесяти» можно просуществовать не один десяток лет. Законсервированная мужественность, больше уместная на обложке журнала «Карьера», — даже в столь беспомощном состоянии мужчина выглядел монументально. В этом человеке смешались приглушенные запахи дорогого виски и дорогого парфюма; голодная юность и сытая зрелость, заграничные командировки и отечественные сауны, волчья хватка и почти лебединая интеллектуальная расслабленность. Если он когда-нибудь и заказывал конкурентов (без этого такую внушительную зеленоглазую сумму на карманные утехи не наскребешь!), то исключительно под Брамса, руководствуясь откровениями Ницше, Хайдеггера и прочих экстремистов в толстых академических переплетах. В этом седоватом хозяине жизни было все то, чего по определению не могло быть в голодранце Никите: мощные паучьи челюсти, жесткий рот, аскетичные впалые щеки, к которым навечно приклеился загар Коста-Браво; тяжелые надбровные дуги и лоб мыслителя. Именно мыслителя, а не какого-нибудь ловчилы-интеллектуала типа Билли Гейтса.

— Ну как? — поинтересовался Никита, почти раздавленный таким ярким воплощением благосклонности фортуны. — Полегче?

— Полегче... — в прояснившемся и вновь обретшем опору голосе проскользнули нотки стыда за собственную слабость. Голос тоже был под стать паучьим челюстям — бестрепетный и обволакивающий одновременно.

— Ваша машина? — Никита кивнул подбородком в сторону «Лэндровера».

— Моя...

— Вы в состоянии управлять?

— В состоянии...

Это была очевидная, но вполне простительная для такого сильного человека ложь. Ему действительно стало полегче, но он все еще не мог управлять даже собственным телом.

— Давайте-ка я вас отвезу, — предложил свои услуги Никита. — Вы где живете?

— Васильевский...

Ого! Соседи!... Никита тоже жил на Васильевском, в мрачноватом доме на Пятнадцатой линии, недалеко от Малого проспекта. Но вряд ли Васильевский Никиты Чинякова походил на Васильевский феерического владельца «Лэндровера». Тот, скорее всего, окопался на демаркационной Третьей, в недавно отреставрированном заповеднике новых русских. С подземными гаражами, закры-

21

тыми итальянскими двориками, кондиционерами, встроенными в окна, и видеокамерами наблюдения по периметру.

— Вот только тачка у меня не фонтан, — совершенно неожиданно для себя прогнусавил Никита. — С вашей не сравнить...

— Кой черт!...

Действительно, кой черт! Для такого забронзовевшего в собственном величии деятеля все — «кой черт». Даже его собственный крутой «Лэндровер». Наверняка он меняет эти «лэндроверы», как перчатки.

— Можете встать? Или вам помочь?

— Не нужно. Я сам...

У Никиты вдруг перехватило горло. «Я сам» — было излюбленным выражением Никиты-младшего. С тех самых пор, как он научился завязывать шнурки на ботинках и несложные слова в несложных предложениях. Ничего общего между маленьким мальчиком и стареющим мужиком не было, кроме этого лобастого «Я сам», но... Никита вдруг подумал, что вырасти Никита-младший, он вполне бы мог походить на этого умницу-самца с самоуверенными бесстрашными яйцами. Не на него самого и даже не на Ингу — а вот на этого самца... Случайное сходство, «Рюи блаз» — совсем как в забытом, нежнейшем черно-белом кино с Жаном Марэ в главной роли... Жан Марэ был кумиром Никитиного добропорядочного старопетербургского детства. И Никита впервые посмотрел на случайного знакомого с симпатией.

— Тогда я жду вас в машине. Вон моя «девятка»...

— Хорошо. Дайте мне еще две минуты.

В голосе мужчины появились повелительные нотки: никаких возражений, слушай и повинуйся, приказы не обсуждаются, а выполняются. И Никита поплелся к «жигуленку» — выполнять приказ. И все эти долгие две минуты ожидания наблюдал не за мужчиной, а за секундной стрелкой часов на приборной панели. Уложится или нет, уложится или нет?

Он уложился.

Это была разъедающая кровь профессиональная пунктуальность делового человека. Такой и на свои собственные похороны явится с временным люфтом в десять секунд.

Тяжело рухнув на пассажирское сиденье, мужчина смежил веки и сказал:

— Пятнадцатая линия и угол Среднего. Остановитесь возле магазина «Оптика»...

Никита даже присвистнул от удивления. А они, оказывается, не просто соседи, а почти родственники! Но вряд ли его нынешний пассажир жил в сером коммунальном клоповнике с вывеской «Оптика» на первом этаже...

— Ориентируетесь на Васильевском?

— Да как сказать, — Никита пожал плечами. — Всю жизнь там прожил.

И даже ходил в детсад рядом с клоповником. Теперь от детсада остались одни воспоминания — из ничем не примечательной двухэтажной коробки меньше чем за полтора года состряпали уютный особнячок на четыре квартиры... Особнячок до последнего времени заселен не был, очевидно, не все работы по отделке были завершены, но...

Уж не там ли собирается свить аристократическое гнездо этот деловар?...

— Отлично. Тогда поехали...

...Догадка Никиты подтвердилась ровно через пятнадцать минут, когда «девятка» затормозила у освещенного строительными прожекторами особняка. Так и есть, работы еще не закончены. А он уже примеряется к новой сфере обитания — справный хозяин, ничего не скажешь.

— Сколько я вам должен? — спросил мужик.

— Нисколько, — ответил Никита.

— Так не бывает.

— Бывает. Я рад, что смог вам помочь.

Это была не вся правда. Большая ее часть, но не вся. Все дело заключалось в том, что Никите понравился этот железобетонный тип, эта ходячая энциклопедия жизненного успеха. Понравился до детского щенячьего восторга, до подросткового полуобморочного поклонения. Помочь такому человеку, подставить плечо в трудную минуту — из разряда фантазий перед сном. И вот, пожалуйста, — свершилось! Никита поймал себя на мысли, что ни разу за последние пятнадцать минут не вспомнил ни об Инге, ни о Никите-младшем, а ведь он думал о них постоянно. Думать о них было тяжелой изнурительной работой, сизифовым трудом, безнадежным и бесконечным, — и вдруг такая передышка! Целых пятнадцать минут блаженной пустоты — впору самому приплатить за это!

— Выпить хочешь? — неожиданно спросил мужик.

— Хочу, — вполне ожидаемо ответил Никита.

— Идем.

...Как потом оказалось, это было приглашением в ближний круг Оки Корабельникоffa. В самый ближний. Ближе не бывает. Вот только тогда, в январскую ночь, сидя на кухне у пивного барона, Никита Чиняков даже не подозревал об этом. Квартира Корабельникоffa — вернее, набросок, скелет квартиры — состояла из пяти пустых комнат, двух санузлов и кухни, в которой, при желании, можно было проводить товарищеские встречи по конному поло. На кухне, как и в комнатах, не было ничего, кроме бытовой техники: гигантский холодильник, плита, микроволновка, стол, широкое кожаное кресло и одинокая табуретка. У стены стояло несколько картонных коробок с затейливым лейблом и непритязательной надписью «Корабельникоff Classic». Коробки оставили Никиту равнодушным. Да и заметил он их чуть позже, поначалу сосредоточив все внимание на хозяине квартиры. Даже в предательском свете нескольких стоваттных лампочек ничего не изменилось: его новый знакомый так и не выскочил из благородной категории «около пятидесяти». В этом возрасте играют во взрослые игры, делают взрослые ставки и вершат судьбы мира — именно в этом, а не в куцем Никитином возрасте Христа. Ничего не изменилось, вот только загар показался Никите чуть темнее, рот — чуть жестче, а лоб — выше. Хотя куда уж выше!... Лоб скобкой обхватывали битые глубокой проседью густые черные волосы: очевидно, хозяин начал седеть еще в юности, так что никаких сожалений по этому поводу быть не должно. Да и ни по каким другим — тоже. Жизнь состоялась! Что бы там ни нашептывали две печальные складки у крыльев носа. А нашептывали они о потерях... Кой черт — потерях, к пятидесяти у каждого за спиной целая вереница потерь, философски рассуждая — всего лишь цена за возможность жить дальше. Когда-нибудь и ты сам станешь ценой, платой для других людей, — необязательные мысли об этом можно разгребать лопатой. Но ворочать черенок Никите не хотелось, ему хотелось выпить, может быть, даже напиться. С совершенно незнакомым ему и таким притягательным человеком.

Притягательный человек знакомиться не торопился. Он не спросил, как зовут Никиту, да и сам не представился.

— Водку будешь? — отрывисто спросил он.

— Буду...

Если бы Никите предложили денатурат, он бы все равно согласился. «Я думаю, это начало большой дружбы», — осторожно пульсировала в Никитиных висках последняя фраза из нежнейшей черно-белой «Касабланки». Все любимые фильмы Никиты были нежнейшими и черно-белыми... Его теперешний мир тоже был черно-белым, но никакой нежности в нем не было. Только отчаяние и боль. Теплая, как парное молоко...

Водка оказалась недорогой, но качественной, палка колбасы была искромсана кое-как, хлеб нарезан толстыми ломтями, огурцы выуживались прямо из банки — лучше не придумаешь! После первых стопок огромная кухня сузилась до размеров заплеванного купе поезда дальнего следования. И Никита сломался. Почти не сбиваясь и совсем не путаясь, он рассказал случайному человеку всю свою жизнь, и жизнь Инги, и жизнь Никиты-младшего. А потом — и всю свою смерть, и смерть Инги, и смерть Никиты-младшего. Незнакомец слушал сосредоточенно и молча и ни разу не перебил. И только вытаскивал из бездонного холодильника все новые и новые емкости с водкой.

В конце концов, случилось то, что и должно было случиться: Никита напился в хлам. Он не помнил, как отключился. Пришел в себя на диване в гостиной, заботливо укрытый пледом. В широких окнах маячил сумрачный январский день, а прямо на полу, возле аккуратно составленных ботинок, валялась визитка. Преодолевая сухость во рту и ломоту в затылке, Никита нагнулся, подхватил ее и принялся изучать.

Плотный ламинированный кусок картона содержал не так уж много полезной информации, что-то подобное Никита предполагал с самого начала. Но неизвестный, случайно открытый им материк приобрел реальные очертания и получил имя. Странное имя — Ока.

«ОКА КОРАБЕЛЬНИКОFF, — значилось в визитке, — ПИВОВАРЕННАЯ КОМПАНИЯ «КОРАБЕЛЬНИКОFF».

Разноцветные этикетки корабельникоffского пива заплясали в глазах — самое время опохмелиться! Но, прежде чем высунуться из-под пледа и спустить ноги на пол, Никита перевернул визитку.

«НАБЕРЕЖНАЯ ОБВОДНОГО КАНАЛА, 114. СЕГОДНЯ, 17.00».

Это было похоже на очередное распоряжение. Или… Может быть… «Я думаю, это начало большой дружбы»?… «Forse che si, forse che no». Кровь снова тихо заворочалась в Никитиных висках. Опохмелиться! И побыстрее!

Чувствуя себя мальчишкой в пустом родительском доме, Никита на цыпочках прокрался на кухню и залез в холодильник. Холодильник оказался под завязку забит водкой, пивом и баночными огурцами, а на краешке стола лежал ключ. На самом видном месте — не заметить его было невозможно. Следовательно, ключ предназначался именно ему, Никите. Монументальный Ока не стал будить его утром, чтобы за шкирку вытряхнуть непроспавшегося молодца за дверь, совсем напротив. Оставил постороннего человека в своей квартире, начиненной стереосистемами, плоскими телевизионными ящиками и прочими прелестями общества потребления. Удивительная беспечность, хотя… Если учесть, что сегодня ночью Никита отказался от платы за доставку дорогого во всех отношениях тела на Пятнадцатую линию, а еще раньше не соблазнился целой пачкой долларов… Хотя мог бы, мог. Уж слишком беспомощным выглядел Корабельникоff у подножия «Лэндровера», грех было не упасть до банального безнаказанного воровства. Но — не упал. Не нужно быть психологом, чтобы понять, что Никите можно доверить все, что угодно, он и булавки чужой не возьмет. А психологом Ока Корабельникоff был наверняка — не мог не быть, занимая такой пост. Не глядя махнув бутылку «Корабельникоff Classic» и сунув ключ в карман джинсов, Никита засобирался. В свою собственную «сраную жизнь», как называл его нынешнее существование друган Левитас. Дружба их тянулась еще из покрытых сиреневой дымкой школьных лет; они не расстались даже тогда, когда Никита поступил на мехмат университета, а Митенька, по причине врожденной математической тупости, — пополнил ментовские ряды. Беспривязно кочуя, он в конце концов оказался в убойном отделе, да так и завис там на должности опера.

Митенька Левитас был единственным человеком, с которым Никита поддерживал некое подобие отношений. Это было единственной уступкой безвозвратно ушедшей счастливой жизни; слабостью, замешанной на общем институтском прошлом, на общих девочках, общих выпивках и общей работе. Отказаться от Левитаса означало заколотить гроб окончательно. И Левитас всеми правдами и неправдами просачивался в узкую щель, куда всем остальным вход был заказан. Друзьям Никиты, друзьям Инги, их общим друзьям. Иезуитская инициатива, как и все другие иезуитские инициативы, исходила от Инги: в их ледяном аду не должно быть никого, — никого, кто может согреть словом, дыханием или просто сочувственным пожатием руки. Противостоять Инге было невозможно, — и все отступили. Не сразу, но отступили. И только Левитас продолжал долбить клювом в проклятую крышку их общего с Ингой гроба. Иногда ему даже удавалось вытащить Никиту в сауну на Крестовском, но чаще они встречались в «Алеше» на Большом проспекте — за традиционным «полкило» паленого махачкалинского коньяка.

— Бросай ты эту суку, — в очередной раз увещевал Левитас Никиту.

— Хороший совет, — в очередной раз грустно улыбался Никита.

Бросить Ингу! Нет, он никогда этого не сделает, никогда! Бросить Ингу означало бросить на произвол судьбы маленького мертвого мальчика, сына, — оставить его лежать под открытым небом, пока вороны времени не выклюют ему глаза. Бросить Ингу было невозможно.

— Ну нет так нет, — в очередной раз соглашался Левитас. — Тогда по-быстрому допиваем коньячишко и возвращайся в свою сраную жизнь.

— Куда ж я денусь!...

— Ну, блин... Нет ума — строй дома...

«Нет ума — строй дома» — знаменитая Митенькина присказка. После нее следовал монолог о смерти, к которой Левитас, как сотрудник убойного, относился достаточно цинично.

— Не с вами одними такое несчастье случилось, — впаривал Никите Митенька. — Уж поверь... Я с этим постоянно сталкиваюсь... Сплошь и рядом, сплошь и рядом.

— Ты не понимаешь... Смерть — только тогда смерть, когда она касается тебя лично. Все остальное — не в счет...

— Дурак ты, Кит. Ой, дурак...

В этом месте их бесконечной, идущей по кругу беседы Левитас, как правило, замолкал: перед ним вставала обычная дилемма, — шваркнуть Никиту по физиономии или молча допить коньяк. И, как правило, Левитас выбирал последнее: несмотря на оголтелую работу, он был миролюбивым малым.

Миролюбивым и свободным, не отягощенным ни женой, ни детьми, ни особыми проблемами. Хотя одна проблема у Левитаса все-таки была. Проблема носила кличку Цефей и отнимала у Митеньки те немногие силы, которые еще оставались после работы и беспорядочных половых связей. Цефей (или по-домашнему Цыпа) был гнуснейшим молодым доберманом с отвратительным характером. Цыпа кусал всех подряд, невзирая на возраст и пол, и так громко выл в одиночестве, что к Митеньке неоднократно заглядывала милиция — не подпольный ли абортарий содержит гражданин Левитас, не живодерню ли на дому? Кроме того, Цыпа не признавал собачьего распорядка и нагло клал кучи посреди коридора в самое неподходящее для этого время. Обычно оно совпадало с визитом очередной секс-дивы, на которой Левитас готов был жениться, не выползая из койки. Дива, преследуемая запахом собачьего дерьма, покидала логово Левитаса в пожарном порядке, после чего Митенька принимался за показательную порку. Но толку от этой порки не было никакого.

— Из-за этого проклятого кобеля я никогда не женюсь, — сокрушался Левитас.

— И не женись. Никогда не женись. Никогда.

Это Никитино «никогда» было последним словом приговоренного. В утро накануне казни. Никаких апелляций. Яйцо всмятку и крепкая сигарета на завтрак — и никаких апелляций. Нежнейшее черно-белое «Приговоренный к смерти бежал» — не для него...

...Прежде чем захлопнуть дверь, Никита совершил еще одну беглую экскурсию по квартире Корабельникоff. Нельзя сказать, чтобы пустота комнат пополнила скудные знания о владельце пивоваренной компании, но одно можно было сказать наверняка: Корабельникоff одинок. Почти так же, как и сам Никита. Единственным более-менее обжитым местом оказался кабинет с узкой походной койкой и широким столом, заваленным бумагами. К компьютеру, стоящему на столе, прилепилось несколько фотографий. Фотографии были старыми, выцветшими и категорически не монтировались со стильными узкими рамками. Они распирали модернистский каркас и тщетно пытались вырваться, перемахнуть через десятилетия: молодой моряк с топорщащимися на плечах и еще не обмытыми лейтенантскими погонами, молодая женщина с тяжелыми волосами, мальчик с высоким лбом мыслителя... Черные-белые, и нежные, нежные, нежные... Ни одного современного снимка, ни единого, — как будто жизнь Корабельникоffа осталась там, остановилась, замерла.

Жизнь Корабельникоffа — какой бы она ни была и чтобы ни случилось потом с моряком, женщиной и мальчиком, — жизнь Корабельникоffа не шла ни в какое сравнение со сраной жизнью Никиты.

Или шла?...

Как бы там ни было, но без десяти пять Никита уже парковал свою «девятку» у огромного, похожего на заводской, корпуса на Обводнике, 114. По фасаду здания шло самоуверенное, не нуждающееся ни в каких комментариях «КОРАБЕЛЬНИКОFF», стеклянные к нему подступы охраняла сладкая парочка секьюрити в одинаковых галстуках, стрижках и подбородках, — и Никита приуныл. Он даже не помнил теперь, сообщил ли ночному Корабельникоffy свое имя. Если нет — смешно надеяться на аудиенцию у Корабельникоffa дневного. Но приказной тон твердого почерка на визитке, эта дудочка Крысолова, погнал его ко входу, как крысу к воде. Остановившись у закаменевшего в своем величии секьюрити, Никита промямлил, что его ждет глава компании, что ему назначено время на семнадц... Секьюрити оборвал его на полуслове — одним движением подбородка, созданного именно для этих целей: обрывать на полуслове. Проследив за направлением движения, Никита уперся взглядом в стойку с сидящей за ней симпатичной девушкой (никакой плохо выбритой вохры, надо же!)...

С девушкой все прошло гладко, стоило только Никите открыть рот и выдать тираду о семнадцати часах и встрече с первым лицом концерна «Корабельникоff» по личному вопросу, даже визиткой потрясать не пришлось.

— Третий этаж, направо. Административное крыло, — протрубила девушка низким голосом исполнительницы песен в стиле «спиричуэлс».

— Спасибо, — поблагодарил Никита и двинулся к лифту.

Размах административного крыла поразил его воображение — на таких крыльях нужно парить над бескрайними пустынными просторами Аризоны, а не жаться в узком каменном небе Питера. Поплутав минут десять по коридору, Никита вышел-таки на цель — как и следовало ожидать, из ценных пород дерева. К ценным породам была привинчена табличка из давно вышедшей из моды бронзы, и к странному имени Ока прибавилось вполне заурядное отчество — Алексеевич. Никита прокашлялся и толкнул эпическую дверь.

За дверью оказался вместительный предбанник с секретаршей — вопреки ожиданиям немолодой и некрасивой, но с умным решительным ртом и запавшими щеками. Даже по одним этим щекам стало понятно, что за плечами у секретарши — престижный вуз, многолетняя работа в качестве какого-нибудь научного сотрудника, 120 знаков в минуту слепым методом, пара-тройка иностранных языков и курсы стенографии. И что ее интеллектуальный коэффициент сопоставим с интеллектуальным коэффициентом физика-ядерщика из Лос-Аламоса.

— Мне назначено, — севшим голосом пробормотал Никита. Господи, что же он тут делает, идиот, ведь присутственные места не для него! — На семнадцать ноль-ноль. По личному вопросу.

Секретарша подняла глаза от компьютера и несколько секунд старательно фотографировала Никиту — в самых различных ракурсах: джинсики, кроссовки, вытертый кожаный пиджачишко, вытертая вельветовая рубашонка и совсем уж лишний галстук.

Очевидно, именно этот галстук и произвел на секретаршу неизгладимое впечатление. Черты ее лица смягчились, она даже нашла нужным приветливо улыбнуться Никите:

— Вас ждут.

— А куда идти-то? — беспомощно ляпнул Никита.

— Вот в эту дверь, молодой человек...

За дверью, на которую указала секретарша, Никиту поджидал Корабельникoff. И новая жизнь.

То есть жизнь, как таковая, осталась прежней — стылой и под завязку набитой прошлым. И — Ингой. Но в ней появилась странная должность личного шофера — личного шофера Оки Корабельникoffа. Корабельникoff сунул ее Никите под нос, как только поздоровался с ним.

— Водилой ко мне пойдешь? — спросило первое лицо под аккомпанемент стрекочущего факса, не отрываясь от сотового телефона и горы каких-то бумаг.

— Пойду.

— Деньги, конечно, не такие большие... Но ведь тебя не деньги интересуют, как я понимаю?

— Деньги меня не интересуют.

Корабельникoff раздвинул паучьи жвалы в подобии улыбки: очевидно, вспомнил о пачке долларов в барсетке.

— Вот и ладно. Можешь оформляться. Нонна Багратионовна все тебе объяснит.

— Нонна Багратионовна?

— Моя секретарша. Думаю, много времени это не займет. Через час приступишь. Через час пятнадцать машина должна быть у подъезда, — и Корабельникoff кивнул головой, давая понять, что аудиенция закончена.

...Через час Никита получил ключи от представительского «Мерседеса» с бронированными стеклами, а еще через месяц — от апартаментов на Пятнадцатой линии и от загородного дома во Всеволожске, такого же, в общем, пустого, как и городская квартира. Ко всем трем связкам ключей имелось приложение в виде субботней ночи с водкой и огурцами, тренажерного зала в четверг и боксерского спарринга во вторник. Еще тогда, в их первую встречу, Никита проговорился Корабельникоffy о первом разряде по боксу.

Их субботние ночи нельзя было назвать попойками. Конфиденциальным мужским попойкам обычно сопутствует бесконечный и однообразно-утомительный разговор о жизни и о том, что эту жизнь украшает, — бабы, карьера, деньги, собственная реализованность. Ничего такого в корабельникоffской водке с огурцами не таилось. Ни единого слова, кроме коротких междометий. Никаких прорывов — ни в прошлое, ни в настоящее. Молчание, молчание, молчание. Очевидно, январских Никитиных откровений Корабельникоffy хватило с головой. За несколько часов он сумел прочитать Никиту как книгу — до последней страницы, на которой указан тираж. Но почему-то не отбросил ее, не сунул на полку, не всучил в качестве подарка кому-нибудь, а оставил при себе.

Странно, но Никита оказался тем немногим, что Корабельникоff оставил при себе. В жизни главы компании вообще было мало личного: бесконечная работа, бесконечные поездки, масса деловых контактов, иногда (не чаще раза в месяц) — казино. В казино Корабельникоff не особенно рисковал, и максимум, что мог себе позволить, — так это проигрыш в двести долларов. Впрочем, он и проигрывал-то редко, и ставки делал без всякого азарта. Зачем ходить в таком случае в казино — Никита не понимал. Зато было понятно другое — посещение дорогих ресторанов; но даже это Корабельни-koff делал через губу — рестораны были частью работы, местом, куда можно привести людей, в которых ты заинтересован. Любимого кабака у него тоже не было. Скоро, очень скоро, Никита понял, что Корабельникоffa вообще мало что интересует — даже собственное процветающее производство. Что весь этот каторжный, полуинтеллектуальный-полуфизический труд, от которого мозги вздуваются от напряжения, как вены на шее, весь этот труд — только способ занять себя. Двадцать четыре часа в сутки думать лишь о том, чтобы занять себя... Тут и свихнуться недолго. Но ты не свихнешься, иногда думал Никита, исподтишка рассматривая чеканный профиль хозяина. На фоне бронированных стекол он выглядел внушительно — ни дать ни взять гангстер из нежнейших черно-белых «Ангелов с грязными лицами»... Но никаких других гангстерских атрибутов кроме профиля и бронированного стекла на «мерсе» у Корабельникоffa не было. И телохранителей тоже не было.

Корабельникоff не приветствовал институт телохранителей в принципе.

— Если тебя захотят убрать — тебя уберут, — как-то меланхолично сказал он Никите. — На очке достанут со спущенными штанами. И никто не поможет...

Ну, тебя не уберут. Ты сам кого хочешь уберешь.

— Боишься? — спросил он Никиту в другой раз. — Если что, я ведь тебя за собой потяну... Контрольный выстрел — это потом, для очистки совести. А вначале — грязная работа...

— Не боюсь, — ответил Никита. — Затем и...

— Знаю, что затем и работаешь, — Корабельникоff осклабился, обнажив шикарные, мертво-блестящие фарфоровые зубы.

Как спарринг-партнер в боксе Корабельникоff был безупречен. Несмотря на возраст, он обладал молодой и почти мгновенной реакцией. И пушечным ударом. В первую же тренировку он отделал все позабывшего Никиту, как щенка, без всякой жалости, без всякого сострадания. Истерично и как-то по-мальчишески. Да, так начищать физиономии могут только в окаянном закомплексованном отрочестве.

— А ты как думал, брат Никита?

— Так и думал, — промычал Никита, ощупывая свороченную скулу. — Морды бить нужно по правилам...

— Все верно. Морды бить нужно по правилам.

Кто бы говорил! Никаких правил для Корабельникоffа не существовало: пока добредешь до вершины, чтобы водрузить на ней флаг собственного успеха, все правила позабудешь. Или другие выколотят — такие же соискатели в ненадежной альпинистской связке.

Ни тенью, ни псом хозяина Никита не стал. Да и сам Корабельникоff не потерпел бы этого. Вопросы личной преданности его не интересовали — редкий случай для русского менталитета, взращенного на вероломных византийских костях. Похоже было, что Корабельникоff вообще как чумы боится и преданности, и верности, да и простейших проявлений души тоже. Работать, молчать и так же молча вершить судьбы — ничего другого он не умел. Или не хотел уметь. Или забыл, как это делается. Даже любовницы у него не было, самой завалящей. С таким отношением к жизни он прекрасно вписался бы в архитектуру тибетского монастыря, линию на руке Будды, в скит отшельника — с водой в грубой миске и плодами тутового дерева на грубо сколоченном столе. Но скит Корабельникоffy с успехом заменяла собственная, динамично развивающаяся компания. А инжир и воду — огурцы и водка. И то раз в неделю, не чаще.

Никита много думал о Корабельникоffe. Обкрадывая тем самым мысли об Инге и Никите-младшем; это воровство было безотчетным, чем-то напоминающим клептоманию. Но, в отличие от клептомании, никакого удовлетворения оно не приносило. Хуже не придумаешь, чем вопросы без всякой надежды на ответ. Будь фигура Корабельникоffa чуть яснее, чуть трагичнее, Никита решил бы, что в хозяине произошел какой-то слом — когда-то давно, а может быть, и не очень; и слом этот был сродни его собственному. Но Корабельникоff всегда был закрыт и ровен, ровен и закрыт, он очень грамотно защищался — и не только в спарринг-боях. Ни единой бреши в идеально простроенной линии обороны не было.

До поры до времени, как оказалось.

Поздней весной кольцо было прорвано, и от обороны остались одни воспоминания.

Корабельникоff влюбился. Влюбился так, как только и можно влюбиться с диагнозом «около пятидесяти» — страстно, отчаянно и безнадежно. В одну из апрельских суббот он отменил почти узаконенный водочный ритуал под молчание и огурцы. За четырехмесячный период это случалось впервые, и Никита насторожился. Еще больше он насторожился, когда питейная суббота вообще исчезла из их расписания, и ее заменила другая суббота — тренажерная. Она прибавилась к тренажерному четвергу. Теперь Корабельникoff до одури качался. В этом не было никакой необходимости, — он и без того пребывал в отличной для своего возраста форме: ни одного лишнего грамма, об обрюзглости и речи быть не может, все предусмотрительно подтянуто — от кожи на лице до плоского, юношеского живота. А нарастить груду тупых мышц, вот так, не принимая стероиды, не представлялось возможным. Но, скорее всего, тупые мышцы были совсем не главным — главным было обвести вокруг пальца дату рождения в паспорте. И, глядя на патрона с беговой дорожки, Никита все гадал, — сколько же лет может быть этой неожиданной корабельникoffской напасти. Болезненные тридцать пять? Настороженные тридцать? Лживые двадцать семь?.. Не-ет... Даже ради двадцати семи Корабельникoff не стал бы так изводить себя. В двадцать семь мысли в прохладном амбаре черепной коробки благополучно дозревают до здорового практицизма. Если не сказать — цинизма. В двадцать семь уже неважно, как выглядит кандидат в любовники, гораздо более важен внешний вид его портмоне. И разумная (а чаще — неразумная) полнота здесь, скорее, приветствуется... Впрочем, портмоне, как и владелец, тоже может быть поджарым, в конце концов, для кредитных карточек нужно не так уж много места...

Вверх-вниз, вверх-вниз, промасленные потом оливковые руки... Вверх-вниз, вверх-вниз, в четверг на штанге было пятьдесят, сегодня — семьдесят... Судя по всему, пассии никак не больше двадцати четырех, в этом возрасте ценится хорошее тело, а бойфрендов подбирают, следуя указаниям «Анатомического атласа». И результатам тестов в безмозглых глянцевых журналах.

Ей оказалось двадцать три.

Ей оказалось двадцать три, и Никита прощелкал ее появление. По-другому и быть не могло: водительское кресло, расположенное на галерке, резко сужает кругозор. Корабельникoff наткнулся на губительные двадцать три совершенно случайно, в недавно открывшемся кабаке «Amazonian Blue». Ничего экзотичного, кроме названия, в этой псевдоэтнической забегаловке не было, даже кухня оказалась расплывчатой, подсмотренной в справочнике «1000 рецептов».

Ни то ни се.

Но в довесок к сварганенному спустя рукава «чилес рессенос»[1] предлагался живой звук. Квинтет декоративных индейцев с пан-флейтами и смуглыми гитарами. И профилями ацтекских богов с труднопроизносимыми именами. Корабельникoff заскочил в «Amazonian Blue» купить сигарет — ни одного ларька поблизости не было, а ждать до следующего перекрестка он не хотел. Типично корабельникoffская мальчишеская нетерпимость и мальчишеское же самодурство. С точно такой нетерпимостью и самодурством он про-

---

[1] Фаршированный сладкий перец.

двигался на рынок — не собираясь ждать до следующего перекрестка, уставленного самой разнообразной пивной тарой.

Ока не послал за сигаретами Никиту, что было бы естественным, а отправился за ними сам. Что было неестественным, но единственно верным и единственно возможным в ходе открывшихся впоследствии двадцати трех... А двадцать три уже поджидали простака Корабельникoffa, меланхолично сидя в укрытии и изредка нашептывая признания в охотничий рожок.

Тембр рожка оказался самым подходящим: ничем незамутненный, почти детский альт. Исполнять таким целомудренным, таким католическим голосом полную косматых языческих страстей «Navio negreiro» было почти преступлением, но Корабельникoff закрыл на это глаза. С чем-чем, а с преступлениями он умел договариваться. Или — просто забывать о них: подумаешь, невинные экономические шалости периода первоначального накопления капитала...

Покупка сигарет затянулась на два часа, по прошествии которых Корабельникoff выполз из «Amazonian Blue», на автопилоте открыл дверцу и на таком же автопилоте плюхнулся на сиденье рядом с Никитой. Поначалу Никита решил, что хозяин вусмерть надрался, но это относилось скорее к необычному состоянию, в котором пребывал Корабельникoff. Таким своего босса Никита до сих пор не видел и потому воспользовался самой примитивной классификацией: надрался, паразит. Но все оказалось гораздо плачевнее, чем сиюминутное и скоропреходящее опьянение.

— Дай закурить, — рыкнул Корабельникоff Никите.

Никита даже не успел удивиться вопросу и по инерции сказал:

— У меня только «Союз-Аполлон»...

Представить Корабельникоffа, курящего подванивающий сорной травой «Союз-Аполлон», было так же трудно, как представить утконоса в скафандре водолаза-глубоководника. И на что, спрашивается, были потрачены два часа в подметном кабаке?...

— Один черт...

Корабельникоff рассеянно взял сигарету из протянутой Никитой пачки, рассеянно затянулся. И так же рассеянно выпустил дым из ноздрей.

— Я женюсь, — сказал он, когда дым окончательно забил салон.

«Я женюсь», слетевшее с губ Корабельникоffа, — это был даже не утконос в скафандре водолаза-глубоководника. Иисус Христос с дозой героина и шприцом, заткнутым за терновый венец, — вот что это было.

Нонсенс. Полнейшая чепуха.

— Поздравляю, — выдавил из себя Никита. — И кто она?

Вопрос, некорректный для шофера, но вполне уместный для субботнего молчаливого собутыльника. Именно воспоминание о субботе и придало Никите смелости.

— Не знаю, — обрубил Корабельникоff.

Интересное кино.

— Не знаю... Но точно знаю, что женюсь...

43

Уж не в только ли что покинутом кабаке располагается алтарь, на который преуспевающий Ока Алексеевич готов бросить свою жизнь?...

Как показало ближайшее будущее, алтарь располагался именно там. Украшенный облупившимися гипсовыми распятиями, бумажными цветами и тонкими, сгорающими за минуту свечками. Все — аляповатое, несерьезное, взятое напрокат в дешевой базарной лавчонке.

Корабельникoff зачастил в «Amazonian Blue», как ярый прихожанин на церковную службу, — да что там, он почти не вылезал из нелепого ресторана. И всему виной оказалась копеечная певичка с плохим, считанным с листа русскими буквами испанским языком. И репертуаром, состоящим из десятка песенок. Сценическое имя певички было чересчур бутафорским даже для «Amazonian Blue» — Лотойя-Мануэла. В жизни же она откликалась на простецкое Марина.

Никита был впервые допущен к телу Марины-Лотойи-Мануэлы через две недели после случившегося с Корабельникoffым любовного несчастья. Неизвестно, какая вожжа попала под хвост патрону, но в одно из посещений «Amazonian Blue» он взял Никиту с собой.

Внутрь кабака.

Это было равносильно тому, что оказаться в глубине одинокой и встревоженной корабельникoffской души. До сих пор об этом и речи быть не могло; до сих пор корабельникoffскую душу охраняли минные поля, рвы и бруствера. И вот — пожалуйста...

Корабельникoff и Никита заняли ближний к небольшой сцене столик; на столике уже стояла табличка «зарезервирован» — Корабельникоffа здесь ждали. За две недели он успел приручить персонал — не иначе как щедрыми чаевыми.

Еще какими щедрыми, мигнул вышколенной улыбкой метрдотель. Еще какими щедрыми, мигнул вышколенным пробором официант. Еще какими щедрыми, мигнула вышколенной прохладой бутылка «Chateau Rieussec». Мигнула персонально Никите, поскольку сам Корабельникоff от вина отказался. Он молча потягивал сиротский стакан минералки.

И ждал.

Она появилась тогда, когда ожидание в сломанных корабельникоffских бровях достигло критической отметки. Никите оставалось только пожалеть пятерку выписанных из пампасов латиноамерикашек с их гитарками и гортанным клекотом. Все зажигательные carason[1] увядали, стоило только первым их тактам приблизиться к столу, за которым сидели Корабельникоff и Никита. Наконец пытка «Taka takata» закончилась, и действие плавно перетекло к «Navio negreiro» — захватанной визитной карточке Марины-Лотойи-Мануэлы.

Для начала на маленькой эстрадке погасли софиты, до этого равнодушно шарившие по маслянистым макушкам латиносов. Потом появились два тонких луча, скрестившихся на самом центре, и Никите на секунду показалось, что лучи эти — всего лишь нестерпимый, ослепительный, обжигающе-холодный свет глаз Корабельникоffа.

---

[1] Песня (исп.).

Впрочем, так оно и было.

Корабельникоff пожирал эстрадку глазами. Как в детстве — восхитительно-чужой перочинный нож с пятнадцатью лезвиями. Как в юности — восхитительно-чужую длинноногую и короткостриженую подружку. Так можно пожирать глазами все, что не принадлежит тебе. И никогда не будет принадлежать. Или — будет?.. При условии, что ты — почти всемогущий Корабельникоff... Но почти всемогущего больше не было. Его не стало, как только в спертом воздухе «Amazonian Blue» разлились первые, еще осторожные звуки «Navio negreiro». Следом за этими, почтительно склонившими голову звуками, прошествовал голос. «Ничего особенного, — тотчас же решил Никита, — ничего. Вот только откуда такая спесь, тоже мне, Монтсеррат Кабалье!..»

Но Корабельникоff был явно другого мнения о голосе. И о его владелице — тоже.

Она появилась лишь спустя минуту, когда чертова cargason благополучно выбралась из первого куплета. Медноволосая, медноглазая, с оливковой кожей. Вот именно — оливковой. Тот самый вариант, который Никита терпеть не мог, — оливки с анчоусами. И Марину-Лотойю-Мануэлу невзлюбил сразу же, скажите пожалуйста, какая фифа! А всего-то и радости, что вставной номер в кабаке для пьющего и жрущего миддл-класса...

Но с мнением Никиты никто и считаться не будет, его номер — пятый, его кресло — приставное, его место — на параше, пусть и оснащенной самой передовой сантехникой... Огрызок «Navio negreiro», состоявший из двух куплетов и припева в стиле «умца-умца-гоп-со-смыком», Никита посвятил изучению неожиданной корабельниkoffской пассии. Нет, не конкретно ей — с певичкой все было ясно с самого начала, — а тому ощущению опасности, которое исходило от нее.

Смертельной опасности.

В чем-чем, а в «смертельном» Никита разбирался. Он слишком давно стоял на краю пропасти, он слишком долго заглядывал в нее, он изучил все повадки смерти. Вот и сейчас — глядя на певичку и на ее чистый, сладковато-трупный, полуразложившийся голос, петлей обвивающий крепкую шею патрона, Никита сказал сам себе: «Кранты тебе, Ока Алексеевич. Она тебя в могилу загонит, как два пальца об асфальт»... Финал был ясен как день, во всяком случае — для Никиты, вот только кривая дорожка к этому финалу не просматривалась. Да и с чего бы ей просматриваться, никаких поводов к этому Корабельникoff не давал, совсем напротив. Завидный женишок с хорошо поставленным бизнесом, с хорошо развитыми хватательными рефлексами, с хорошо натренированным телом... Да и возраст самый подходящий, лишь слегка припорошенный благородной патиной. В этом возрасте не только детей наплодить можно, но и на ноги их поставить, и внуков дождаться при хорошем раскладе.

И все же, все же...

Мнимая удавка на шее Корабельникoffа затянулась туже и заставила Никиту поежиться. Он даже затряс головой, чтобы сбросить с себя наваждение. Но это помогло ненадолго, а точнее —

на пять минут. Ровно через пять минут Марина-Лотойя-Мануэла оказалась за их столиком, в непосредственной близости от осоловевшего от любви пивного барона.

— Познакомьтесь, Мариночка, — придушенным голосом сказал Корабельникoff. — Это — Никита. Мой ангел-хранитель...

Никита даже не удивился столь неожиданным, с барского плеча брошенным погонам ангела-хранителя. В конце концов, это была чистая правда: не дал Корабельникoffу загнуться в свое время, протянул руку помощи едва не окочурившемуся бедолаге. Удивило его другое: Корабельникoff так хотел понравиться чертовой Мариночке, что легко расстался с кондовыми терминами, бросающими тень на его византийское, мать его, величие. Не задрыга личный шофер, каких миллионы, — но ангел-хранитель; не банальный представительский «мерс», каких десятки тысяч, — но Ноев ковчег; не занюханная пивная империя, каких тысячи, — но римский протекторат. Со всеми вытекающими.

Дурилка ты картонная, Ока Алексеевич, что тут еще сказать!

— Марина, — голос певички при ближайшем рассмотрении оказался совсем другим: не таким уж детским и не таким уж невинным.

Да и глаза... На двадцать три они никак не тянули. Что-то в них такое было... Глаза отставной шлюхи, напичканной татуировками рецидивистки, залетной киллерши и то выглядели бы невиннее... А эти глаза видели Никиту насквозь, со всеми его невнятными опасениями.

«Не влезай, убьет», — нежно просемафорили Мариночкины ресницы. И от этой нежности у Никиты взмок затылок и едва не хрустнули шейные позвонки.

— Очень приятно, — пробубнил Никита, прислушиваясь к чуть уловимому треску в шее.

— Мне тоже, — фальшиво улыбнулась Марина-Лотойя-Мануэла, обнажив крупные породистые зубы.

«Такими зубами только колючую проволоку перекусывать, Мариночка! Только консервные банки вскрывать. В собачьих боях тебе бы не было равных...»

— Вы позволите? — глупо засуетился Корабельникoff, разливая вино по бокалам.

— Да, конечно...

На бокал Мариночка даже не посмотрела, она продолжала изучать Никиту. А Никита продолжал изучать ее. И чем больше он вглядывался в это почти совершенное лицо, тем больше терялся в догадках: как могло случиться такое, что венцом его карьеры оказался третьеразрядный кабачишко? Оно могло бы украсить обложку любого журнала, могло стать мечтой любого крема от морщин, резко продвинуть на рынок любую косметическую фирму, любой модельный дом... А вместо этого — «Navio negreiro», умца-умца-гоп-со-смыком... Может, это всего лишь промежуточная остановка, грозовой перевал?...

Фигушки.

Такие лица не терпят промежуточных остановок. Они не бывают пешками, рвущимися в ферзи. Они — ферзи по определению. Они не прилагают никаких усилий, они похрустывают жизнью, как кисло-сладкой антоновкой, а сама жизнь стелется перед ними травой, пляшет кандибобером...

— За вас, Мариночка, — произнес блеклый тост Корабельникoff.

Потом последовали не менее блеклые тосты за талант и красоту, потом — пара смешных анекдотов и один несмешной, а потом Корабельникoff удалился в туалет. И Мариночка с Никитой остались одни. Некоторое время они молчали.

— Я тебе не нравлюсь, — первой нарушила молчание Марина-Лотойя-Мануэла. — Активно.

— Я ничего не решаю, — дипломатично ушел от ответа Никита.

— А ему?

— А ему — нравишься, — скрывать очевидное не имело никакого смысла. — До поросячьего визга.

Мариночка улыбнулась Никите приторной улыбкой палача при исполнении: знай наших!

— Женится на мне, как думаешь?

— Женится, — промямлил Никита, удивляясь и восхищаясь Мариночкиному цинизму.

— Не вздумай вставлять мне палки в колеса, ангел-хранитель. Крылья оборву. И не только крылья...

Эта оборвет, и к гадалке ходить не надо.

— Ну ты и сука, — только и смог выговорить Никита.

— Только никому об этом не рассказывай.

— Никому — это кому?

— Ему, — Мариночка легко перегнулась через стол и ухватила Никиту за подбородок. Хватка была железной и бестрепетной.

Влип, влип хозяин, ничего не скажешь.

А лицо Мариночки вблизи оказалось почти отталкивающим в своем совершенстве. Идеальный разрез глаз, идеальная линия губ, идеальные крылья носа, идеальные, хорошо подогнанные скулы. Ни единой червоточинки, лучшего надгробия для Оки Алексеевича Корабельникоffа и придумать невозможно. Лучшего склепа.

— Ты знаешь, что я сделаю первым же делом? Когда выйду замуж?

— Уволишь меня к чертовой матери... — Никита попытался высвободить подбородок. Тщетно.

— И не подумаю, — легко расставшись с Никитиным подбородком, Мариночка позволила себе не таясь и вполне плотоядно улыбнуться. — Наоборот, попрошу прибавить тебе жалованье.

— Широкий жест... С чего бы это?...

— Я ведь тебе не нравлюсь... Именно поэтому. Не так уж много людей, которым я не нравлюсь. И их я предпочитаю держать при себе...

— Довольно странно, ты не находишь?

— Совсем напротив, я нахожу это вполне естественным. Любовь расслабляет, и мускулы теряют упругость. А поддерживать форму способна только ненависть. И ты нужен мне как раз для того, чтобы не потерять форму.

— В качестве мальчика для битья? — хмыкнул Никита, холодея внутри от столь непритязательной железобетонной философии.

— Не совсем...

Но получить исчерпывающую информацию о своей дальнейшей судьбе Никите так и не удалось: вернулся Корабельникоff. И Никиту сразу же накрыло ударной волной душной и отчаянной корабельникоffской страсти. «Эдак ты совсем умом тронешься, — меланхолично подумал Никита, — всю свою империю продашь за бесценок, за один только чих этой суки, за одну-единственную ничего не значащую улыбку»... Больше всего ему хотелось сейчас встряхнуть хозяина, а лучше — долбануть ему в солнечное сплетение, а еще лучше — ткнуть мордой в остывшие «чилес рессенос»... Но, по зрелому размышлению, все это бесполезно.

Свои мозги не вложишь. И свои глаза не вставишь.

Корабельникоff с Никитой просидели в кабаке еще добрых два часа, ожидая, пока Марина-Лотойя-Мануэла исчерпает свой немудреный репертуар, после чего Корабельникоff вызвался проводить псевдо-бразильскую диву домой. Дива, тряхнув медным водопадом волос, предложение приняла, иначе и быть не могло.

Жила она у черта на рогах, на проспекте Большевиков, в панельной девятиэтажной халупе, от которой за версту несло обездоленными бюджетниками и работягами, уволенными с Карбюраторного завода по сокращению штатов. Никита остановил «Мерседес» у подъезда с покосившейся дверью и поставил пять баксов на то, что Корабельникоff поволочется в гости к Мариночке — на традиционно-двусмысленную чашку кофе.

Через минуту стало ясно, что гипотетические пять баксов сделали Никите ручкой.

Мариночка вовсе не горела желанием принимать у себя дорогого гостя, и Оке Алексеевичу пришлось довольствоваться целомудренным поцелуем в ладонь. Дождавшись, пока дива скроется в подъезде, он запрокинул голову вверх, к темному ноздреватому небу и неожиданно заорал:

— Эге-гей!

От мальчишеской полноты чувств, скорее всего.

— Что скажешь? — спросил Корабельникоff у Никиты, падая на сиденье.

А что тут скажешь?

— Красивая, — промычал Никита после верноподданнической паузы.

— Дурак ты, — беззлобно поправил его хозяин. — Не красивая, а любимая... Любимая... На «вы» и шепотом... Травой перед ней стелись. Ты понял?

— Чего уж не понять...

Корабельникоff сверкнул глазами, и Никита подумал было, что следующим будет тезис из серии «и не вздумай флиртовать, а то по стенке размажу». Но ничего подобного не произошло. Почему — Никита понял чуть позже. Дело заключалось в любви. Любви поздней, всепоглощающей и потому не оставляющей места не только для ревности, но и для всего остального. Кости раздроблены, диафрагма раздавлена, сердце — в хлам...

Как-то ты будешь со всем этим жить, Ока Алексеевич?

* * *

...Свадьбу сыграли в июне.

После свадьбы было венчание в Андреевском соборе и свадебное путешествие, растянувшееся на две недели. Никаких переговоров, никаких ежовых рукавиц для сотрудников, никакого хлыста для производства — словом, ничего того, что составляло самую суть жизни пивного барона. Все это с успехом заменили праздная Венеция, крикливый Рим и великие флорентийцы, осмотренные мимоходом, между образцово-показательными глубокими поцелуями. Наплевать на дела — этот случай сам по себе был беспрецедентным, учитывая масштаб корабельникоффской империи и масштаб личности самого Оки Алексеевича. Впрочем, Никита подозревал, что с масштабом дело обстоит вовсе не так радужно. Влюбленный Корабельникоff после встречи с кабацкой бестией стремительно уменьшался в размерах. Теперь он вполне мог поместиться под пломбой Мариночкиного резца — так во всяком случае казалось Никите.

Ручной, совсем ручной — не бойцовый стафф, каким был совсем недавно, а жалкий пуделек.. Карликовый пинчер. Тойтерьер. Болонка... Надо же, дерьмо какое.

Сама свадьба тоже оставила больше вопросов, чем ответов.

То есть прошла она на высоте, как и положено свадьбе влиятельного человека — с целыми составами подарков, с морем цветов и эскадроном изо всех сил радующихся корабельникоффских друзей и подчиненных.

Не радовались только родственники певички.

По той простой причине, что их не было. Не было совсем. Нельзя же в самом деле считать родственниками пятерых латиносов из «Amazonian Blue». А кроме латиносов, коллективно откликающихся на имя Хуан-Гарсиа, — на церемонии со стороны невесты не присутствовал никто. С тем же успехом Марина-Лотойя-Мануэла могла пригласить раввина из синагоги или белоголового сипа из зоопарка — степень родства была примерно одинаковой.

Но Корабельникoff проглотил и латиносов, несмотря на то что от них крепко несло немытыми волосами и марихуаной. А крикливые, не первой свежести пончо вступили в явную конфронтацию со смокингами и вечерними платьями гостей.

Да что там латиносы — у Мариночки даже завалящей подружки не оказалось! Ее роль со скрипом исполнила корабельникoffская же секретарша Нонна Багратионовна. А Никиту, совершенно неожиданно для него самого, Корабельникoff назначил шафером.

Прежде чем расписаться в акте торжественной регистрации, Никита бросил взгляд на подпись Марины Вячеславовны Палий, ныне Марины Вячеславовны Корабельниковой. И увидел то, что и должен был увидеть: твердый старательный почерк, даже излишне старательный. Буквы прописаны все до единой, ни одна не позабыта:

М. ПАЛИЙ (КОРАБЕЛЬНИКОВА).

Вот черт, ей и приноравливаться к новой фамилии не пришлось, в каждом штрихе — одинаковая, заученная надменность, тренировалась она, что ли?... И снова к Никите вернулось ощущение смертельной опасности, нависшей над хозяином, — теперь оно исходило от совершенно безобидного глянцевого листа: что-то здесь не так, совсем не так, совсем...

Это ощущение не оставляло его и во время попойки, устроенной Корабельникoffым в честь молодой жены. Попойка, как и следовало ожидать, проходила во все том же, навязшем в зубах и очумевшем от подобной чести «Amazonian Blue». Ради этого мероприятия хозяевам даже пришлось отступить от правил: место латиносов на эстрадке занял джаз-банд с широкополым, черно-белым ретро-репертуаром. Черно-белым, именно таким, какой Никита и любил. Упор делался на регтайм и блюзовые композиции — словом, на все то, что так нравится ностальгирующим по голоштанной юности любимцам фортуны. И Никите стало ясно, что рано или поздно Корабельникoff перекупит кабак, сожрет с потрохами, да еще и мемориальную табличку повесит на входе: «На колени, уроды! Здесь я впервые встретился со своей обожаемой женушкой...».

В самый разгар застолья Мариночка оказалась рядом с Никитой — вовсе не случайно, он это понимал, он видел, что круг, в центре которого он находился, все время сужается. Что-что, а расставлять силки новобрачная умела, и это касалось не только Корабельникoffa, но и жизни вообще. А Никита был осколком жизни, а значит, правила охоты распространялись и на него. Впрочем, ничего другого Мариночке не оставалась — радость гостей выглядела фальшивой, и Лотойе-Мануэле (выскочке, парвенюшке, приблудной девке) заранее не прощали лакомый кусок, который удалось отхватить...

Смотри, не подавись, явственно читалось на подогретых дорогим алкоголем мужских и исполненных зависти женских лицах. Никита же, с его неприкрытой простецкой неприязнью, оказался просто подарком. Лучшим подарком на день бракосочетания. Именно об этом и сообщила ему Мариночка, чокаясь фужером с выдохшимся шампанским.

— Как хорошо, что ты есть, — бросила она абсолютно трезвым голосом.

— Жаль, что не могу сказать тебе то же самое... — не удержался Никита.

— Обожаю! Я тебя обожаю!...

И Никита сразу понял, что она не лжет. Ей нравилась бессильная и анемичная Никитина ненависть, она понравилась бы ей еще больше, если бы...

Если бы не была такой робкой в своих проявлениях.

— В гробу я видел. Тебя и твое обожание, — поморщился Никита, вперив взгляд в колье на Мариночкиной точеной шейке.

Прогнулся, прогнулся хозяин, ничего не скажешь! Платина и куча сидящих друг на друге бриллиантов, тысяч на двести пятьдесят потянет. Зеленых. Такая вещичка хороша для культпоходов в персональный туалет и персональную сауну, и в койку к собственнику-мужу — на людях показываться в ней просто опасно. И вполовину меньшее количество баксов кого угодно спровоцирует. Мариночка же не стоила и десятой части этой суммы. И сотой.

— Знаю, знаю, — она читала немудреные мысли Никиты, как глухонемые читают по губам. — Я не стою и сотой части этого дурацкого колье. Ты ведь это хочешь сказать, дорогой мой?

— Именно это.

— Удивительное единство мнений со всеми этим напыщенным сбродом. А мне наплевать.

— Еще бы...

— Давай! Вываливай все, что обо мне думаешь... — подначила Никиту молодая корабельниkoffская жена. — Другого случая может не представиться.

— Была охота...

— Тогда я сама, если ты не возражаешь...

Надо же, дерьмо какое! Никита хотел промолчать, и все же не удержался — уж слишком эффектной она была в этом своем, почти абсолютном, цинизме.

— Валяй, — пробормотал он.

— Хищница, — захохотала Мариночка.

— Ну, хищница — это громко сказано. Скорее, стервятница. Гиена...

— Гиена?...

По ее лицу пробежала тень. Или это только показалось Никите?... Мариночка тотчас же подняла регистр до вполне сочувственного хихиканья и, карикатурно подвывая в окончаниях, разразилась полудетским стишком:

> — Разве не презренна
> Алчная гиена?
> Разевает рот,
> Мертвечину жрет...
> Мудрому дано
> Знать еще одно
> Качество гиены:
> Камень драгоценный
> У нее в глазу,
> Как бы на слезу
> Крупную похожий.

Нет камней дороже,
Ибо тот, кто в рот
Камень сей берет,
Редкий дар имеет:
Ворожить умеет...

Стишок и вправду был полудетским, вполне невинным, похожим на считалочку, которую даже Никита-младший выучил бы без труда. Вот только самому Никите от такой считалочки стало нехорошо. Непритязательные словечки и такие же непритязательные рифмы хранили в себе зловещий, подернутый ряской смысл. Они были способны утянуть на дно омута; «утянуть на дно» — еще одно запретное словосочетание из их с Ингой омертвевшего лексикона. Виски Никиты неожиданно покрылись мелкими бисеринками пота, но самым удивительным было то, что точно такой же пот проступил на висках Мариночки. А лицо сделалось пергаментным, как будто сквозь девичьи, ничем не замутненные черты проступила другая, рано состарившаяся жизнь. Чтобы загнать ее обратно, певичке даже пришлось через силу влить в себя шампанское.

— Не бойся, ворожить я не умею...

— Я и не боюсь, — поежился Никита.

— Я — самая обыкновенная бескрылая проходимка. Прохиндейка. Корыстолюбка. Охотница за богатыми черепами.

Самая обыкновенная! Держи карман шире!.. Ничем другим, кроме ворожбы, объяснить внезапно вспыхнувшую страсть Корабельникоffа было нельзя. Ворожба, колдовство и даже костлявый призрак Вуду с отрубленными петушиными головами...

— Прямая и явная угроза, — он и понятия не имел, как эти слова сорвались с его губ: американские киноподелки, в отличие от нежного, старого, черно-белого кино, Никита терпеть не мог.

— Кому?

— Ему. Тому, кого ты называешь богатым черепом.

— Это вряд ли, — Мариночка неожиданно нахмурилась. — Это вряд ли... Я — не опасна. Прошли те времена, когда я была опасной.

— Решила начать все с чистой страницы? С белого листа? В который раз, позволь спросить?

И снова, сам того не ведая, Никита зашелестел пергаментными страницами прошлой Мариночкиной жизни. Безобидная и, в общем, примирительная фраза произвела на певичку странное впечатление. Да что там, странное — это было еще мягко сказано!

Близко придвинувшись к Никите, так близко, что его едва не обожгло огнем ее медно-рыжих глаз, Марина-Лотойя-Мануэла прошептала:

— В первый, дорогой мой. В первый...

— Ну и отлично. Я за тебя рад.

— А уж я как рада... Ты и представить себе не можешь...

Конечно же, она солгала ему. Но эта ложь вскрылась позже, много позже, а пока Никите ничего не оставалось, как мириться с ролью спасателя на мертвом озере. Спасателя, который никого не может спасти...

Это был единственный их разговор. Или — почти единственный.

Никита и думать забыл про его содержание,

вот только чертов полустишок-полусчиталка довольно долго вертелся у него в голове. Слов он не запомнил, но запомнил ритм, похожий на заклинание... Или... Нет, Марина Корабельникова, в девичестве Палий, не заклинала, она предупреждала. И совсем не Никиту, Никита был мелкой сошкой, личным шофером, парнягой для поручений, хранителем связки ключей, которые Корабельникоff позабыл забрать. Вовсе не Никиту Чинякова предупреждала Мариночка. Она предупреждала ангела-хранителя Корабельникоffa.

Будь начеку, ангел, я уже пришла.

Но Никита не внял предупреждению. Да и что бы он мог сказать хозяину, в самом деле? Будь осторожен, Ока Алексеевич? Молодая жена и муж в летах — это всего лишь персонажи анекдота в лучшем случае и герои криминальной хроники — в худшем. Но ни первое, ни второе не подходило — ни Корабельникоffy, ни самой Марине. Их отношения были сложнее. Намного сложнее. А может быть, проще — но этого Никита не знал. И так никогда и не узнал.

Все две недели, что just married[1] провели в итальянском, заросшем веками и культурами цветнике, Никита гадал, что предпримет Мариночка. Забеременеет, заведет молодого любовника, придержит старого (или старых, пятерых Хуанов-Гарсия, к примеру) или начнет вытягивать у пивного простачка деньги на сольную карьеру в шоу-биз-

---

[1] Молодожены *(англ.)*.

несе. После длительных раздумий Никита остановился на сольной карьере. И поставил на нее теперь уже десять баксов.

И снова проиграл.

Ни о какой карьере Марина-Лотойя-Мануэла и не помышляла. Что было довольно странно, учитывая ее внешность, нестыдный голос (опять же, не Монтсеррат Кабалье и не Мария Каллас, но все же, все же) и почти мужскую хватку — как раз тот тип женщин, который Митенька Левитас емко характеризовал, как «баба с яйцами». Но яйца у Мариночки оказались с дефектом, ей нравилось быть мужней женой, вот и все. Понятие «мужняя жена», очевидно, распространялось только на койку. Во всем остальном Мариночка не преуспела. Шикарная квартира на Пятнадцатой линии по-прежнему была запущенной — как и во времена их с Корабельникоffым субботних бдений на кухне, — там не появилось ни одной новой вещи. Даже дурацких дамских безделушек не просматривалось, даже жалюзи на окнах не возникли (кроме разве что гобеленовых — в ожившей с появлением Мариночки корабельникоffской спальне), даже мебели не прибавилось. За исключением огромной, похожей на пустыню Кызылкумы, кровати, которая с успехом заменила походную хозяйскую койку.

На этом полет дизайнерской мысли Мариночки закончился.

Остальная квартира по-прежнему сверкала голыми стеклопакетами и пыльной стерильностью комнат. Никаких занятий по шейпингу и фитнесу, никаких соляриев и косметических салонов, никаких бутиков, супермаркетов и прочих атрибутов кисло-сладкой новорусской жизни. Впрочем, об этой стороне жизни new-Корабельниковой Никита почти ничего не знал, да и стелиться травой ему тоже не пришлось. Теперь он имел дело только с самим хозяином, а драгоценная Мариночкина жизнь была доверена Эке. Корабельникoff, до этого сам стойко отказывавшийся от телохранителей, почему-то решил, что бодигард вовсе не помешает молодой жене. Для этих целей и был нанят истребитель-камикадзе с грузинским именем на бронированном фюзеляже. Женским именем, значит, все обстояло не так безоблачно, и ревность, пусть и скрытая, имела место быть, если уж Корабельникoff нанял для Мариночки женщину-телохранителя. Женщину, а не мужчину — береженого Бог бережет. Эка была брошена к ногам Мариночки на пару с изящным новехоньким фольксвагеном «Bora», стоившем сущие копейки по сравнению с платиновым колье. Ока Алексеевич отрыл ее в престижной школе телохранителей, которую Эка закончила первой ученицей в своей группе. Сертификат Э. А. Микеладзе был туго перетянут черным поясом по дзюдо, к нему же прилагалось звание мастера спорта по стендовой стрельбе. Коротко стриженная, сплетенная из сухожилий брюнетка Эка удивительно шла женственной Мариночке — впрочем, точно так же ей шли колье, туфли на шпильках, циничная улыбка и покровительственное обращение ко всем: «Дорогой мой». «Подлецу все к лицу», — сказал бы в этом случае Никитин приятель Левитас. К лицу Мариночки оказалась и маленькая прихоть праздной женщины: раз в неделю она пела во все том же «Amazonian Blue», в присутствии заметно высохшего от любви Корабельникоffа.

То, что хозяин сдал, Никита заметил не сразу. Вернее, он упустил момент, когда все это началось. Просто потому, что его общение с патроном сократилось до необходимого производственного минимума. Корабельникоff больше не нуждался в спарринг-партнерах. Бокс, тренажеры и прочие водочно-огуречные мужские радости были забыты, безжалостно выкинуты из жизни. Но Корабельникоff ни о чем не жалел, во всяком случае Никита возил на работу и с работы стопроцентно счастливого человека. Счастливого, несмотря на то что у молодцеватого Оки Алексеевича как-то разом поперли морщины, а седина стала абсолютной. Теперь он вовсе не казался всемогущим, и во всем его облике появилась почти библейская одряхлевшая усталость. Первой обратила на это внимание преданная Нонна Багратионовна, с которой Никита самым непостижимым для себя образом подружился в период ожидания патрона в имперском предбаннике.

Самое первое впечатление не обмануло Никиту. Нонна Багратионовна и вправду была научным работником — тяжкое наследие зачумленного советского прошлого. Всю свою сознательную жизнь она просидела в отделе редкой книги Публички, трясясь над фолиантами, и даже защитила диссертацию по никому не известному Гийому Нормандскому. Об этом Никита узнал на сто пятьдесят седьмой чашке кофе, распитой на пару с секретаршей.

На сто шестьдесят третьей на безоблачном горизонте пивоваренной компании «Корабельникоff» появилась Мариночка.

А на двести восемьдесят девятой состоялся весьма примечательный разговор.

— Вы должны что-то предпринять, Никита, — воззвала к Никите специалистка по Гийому Нормандскому, интеллигентно размешивая три куска рафинада в чашке.

— В каком смысле? — удивился Никита.

— А вы не понимаете? — Нонна Багратионовна понизила голос. — Ока Алексеевич...

— А что — Ока Алексеевич?

— Я бы никогда не рискнула обсуждать эту тему с вами... Из соображений, так сказать, этики... Но... Вы ведь не только шофер... И не столько... Но еще и доверенное лицо, насколько я понимаю...

О, Господи, как же вы безнадежно отстали от времени, Нонна Багратионовна! Вся жизнь Корабельникоffа вертелась теперь только вокруг одного лица — наглой физиономии певички из кабака... И благодаря стараниям этой же физиономии Никита быстро был поставлен на место, соответствующее записи в трудовой книжке, — придатка к мерседесовскому рулю.

— Он очень сдал за последнее время, наш шеф... И я думаю... Я думаю... Не в последнюю очередь из-за этой стервы. Его нынешней жены.

Нынешней, вот как... Значит, была и бывшая? Но вдаваться в непролазные джунгли корабельникоffского прошлого Никита так и не решился — налегке и без всякого вооружения. И потому сосредоточился на настоящем.

— Вы полагаете, Нонна Багратионовна?

— А вы нет, Никита? Есть же у вас глаза в конце концов! Она его заездила.

— Заездила?

— Не прикидывайтесь дурачком, молодой человек. И не заставляйте меня называть вещи своими именами. Ну, как это теперь принято выражаться...

Никита смутился и от смущения выпалил совсем уж непотребное:

— Затрахала?

— Вот именно! — обрадовалась подсказке любительница утонченных средневековых аллегорий. — Затрахала. Она нимфоманка.

Слово «нимфоманка» было произнесено со священным ужасом, смешанным с такой же священной яростью, — ни дать ни взять приговор святой инквизиции перед сожжением еретика на костре.

— С чего вы взяли?

— Вижу. Вижу, что с ним происходит. С моим мужем произошло то же самое, когда он перебежал к такой вот... молоденькой стерве. А ведь мы с ним прожили двадцать пять лет. Душа в душу. И за какие-нибудь полтора месяца... Все двадцать пять — псу под хвост. Синдром стареющих мужчин, знаете ли...

— Так он ушел от вас?

— Сначала от меня, а потом вообще... ушел... Умер... А до этого полгода у меня деньги одалживал. На средства, повышающие потенцию. Идиот! А ведь мог бы прожить до ста, не напрягаясь...

Н-да... Высохшее монашеское тело Нонны Багратионовны, больше похожее на готический барельеф, убивало всякую мысль о плотских наслаждениях, Гийом Нормандский был бы доволен своей подопечной. Рядом с таким телом, совершенно не напрягаясь, легко прожить даже не сто лет, а сто двадцать. Или сто пятьдесят.

— Вчера он отменил встречу, — продолжала вовсю откровенничать Нонна Багратионовна. — И все ради какого-то мюзикла, на который его Мариночка так жаждала попасть. Я сама заказывала билеты. Это ненормально, Никита, отказываться от деловой встречи из-за прихотей жены. При его-то положении, при его-то репутации. Я права?

Никита шмыгнул носом — обсуждать поведение хозяина ему не хотелось. При любом раскладе. И даже теперь, когда последняя фраза из «Касабланки», на которую он возлагал столько надежд, накрылась медным тазом.

— Мне она сразу не понравилась, эта девка. Типичная стяжательница.

— Охотница за богатыми черепами, — неожиданно вспомнил Никита фразу, оброненную Мариночкой.

— Вот видите! Вы тоже так думаете! Нужно принимать меры.

— Какие, интересно?

В глазах Нонны Багратионовны появился нездоровый блеск.

— Я много думала об этом... Она ведь совсем его не любит, эта девка. Всего-то и дала себе труд наложить лапу на мешок с деньгами. А он доверился ей как ребенок, право слово... Больно смотреть... Ах, что бы я только ни отдала, чтобы вывести ее на чистую воду! Но, к сожалению, это выше моих сил... Зато вы... Вы готовы принести себя в жертву, молодой человек?

— Я? — опешил Никита.

— Ну да... Заведите с ней интрижку. Вы — симпатичный, юный... Классический тип латинского любовника. Она не устоит. Пресыщенным самкам нравятся латинские любовники...

Латинский любовник — это было что-то новенькое. Во всяком случае, до сих пор Никита считал себя кем угодно, но только не брутальным мачо с плохо выбритым подбородком и чесночным запахом изо рта. Подобное сравнение могло родиться только в дистиллированных мозгах климактеричики со стажем, коей, безусловно, дражайшая Нонна Багратионовна и являлась.

— Не тушуйтесь, Никита, — интимно придвинувшись, продолжила она. — Не вы первый, не вы последний. Расхожий сюжет...

Сюжет и правда был расхожим, вот только где именно могла почерпнуть его Нонна Багратионовна — в мумифицированном отделе редкой книги или в порнофильме о хозяйке особняка и мускулистом садовнике?... Спрашивать об этом Никита не рискнул. Не рискнул он и откликнуться на экстравагантное предложение секретарши. И тема завяла сама собой.

Впрочем, она еще отозвалась эхом недели через две, когда Никита заехал на Пятнадцатую линию, чтобы передать Мариночке очередные билеты на очередной мюзикл — сам Корабельникoff застрял в Ленэкспо на выставке «Новые технологии в пивной промышленности».

Дверь открыла Эка. Открыла после того, как он совсем уж собрался уходить, протерзав звонок контрольных три минуты. При виде сумрачной телохранительницы Никита, как обычно, оробел. С самого начала их отношения не заладились, если несколько совместных посиделок в «Amazonian Blue» можно назвать отношениями. До сегодняшнего дня они не перебросились и парой фраз, и Эка вовсе не собиралась отступать от традиции. Она лишь дала себе труд осмотреть Никиту, отчего тот скуксился еще больше. Под антрацитовым, не пропускающим свет взглядом Эки Никита почувствовал себя, как в оптическом прицеле снайперской винтовки, и даже испытал непреодолимое желание покаяться в грехах, как и положено приговоренному к смерти. Но вместо этого пробухтел невразумительное:

— Я по поручению Оки Алексеевича... Здесь билеты...

Эка коротко кивнула. А Никита в очередной раз подумал: что же заставило ее заняться таким экзотическим ремеслом? Она была типичной грузинкой, но не той, утонченной, узкокостной, вдохновляющей поэтов, воров и виноделов, совсем напротив. Ей бы на чайных плантациях корячиться в черном платке по самые брови; ей бы коз доить и лозу подвязывать, а в перерывах между этими черноземными занятиями выплевывать из лона детей — тех самых, которые станут впоследствии поэтами, ворами и виноделами. И полюбят уже совсем других женщин — утонченных и узкокостных... И вот, пожалуйста, — телохранитель!...

Впрочем, о том, что Эка — телохранитель, напоминала теперь только кобура, пропущенная под мышкой. Из кобуры виднелась такая же антрацитовая, как и взгляд грузинки, рукоять пистолета, а на плечах болталась кожаная жилетка, натянутая прямо на голое тело. В любом другом случае Никита решил бы, что это очень эротично — жилетка на голое тело, вызывающе-четкий рельеф мускулов, спящих под смуглой кожей, и татуировка на левом предплечье — змея, кусающая себя за хвост. В любом другом — только не в этом. Эка была создана для того, чтобы влет, не целясь, расстреливать все непристойные желания. А мысль о том, что чересчур фривольный прикид не соответствует официальному статусу телохранителя, даже не пришла Никите в голову. А если бы и пришла — он списал бы это на жаркий и влажный питерский август.

Билеты перекочевали в ладонь Эки, и она коротко дернула подбородком, давая понять, что аудиенция закончена. Но дверь перед носом Никиты захлопнуться так и не успела: из недр квартиры раздался томный голос Мариночки:

— Кто там, дорогая моя?

— Шофер, — после секундной паузы возвестила Эка. Голос у нее оказался под стать мальчишеской стрижке — глухой и низкий.

Вот так. Шофер. Всяк сверчок знай свой шесток.

— Пусть войдет, — голос Мариночки стал еще более томным. Прямо королева-мать в тронном зале, по-другому и не скажешь.

По лицу Эки пробежала тень заметного неудовольствия, но тем не менее она посторонилась и пропустила Никиту в квартиру.

Никита вошел в знакомую до последней мелочи прихожую. Что ж, здесь ничего не изменилось, и в то же время изменилось все. Поначалу он даже не смог определить, чем вызваны столь разительные тектонические подвижки; это было похоже на детскую игру «Найди пять различий». Никита же не нашел ни одного — все вещи стояли на своих местах, даже традиционные ящики с пивом перекочевали сюда прямиком из прошлой зимы.

— Хочешь кофе, дорогой мой? — спросила Мариночка, увлекая Никиту на кухню.

— Хочу, — соврал Никита.

Никакого кофе ему не хотелось — нахлебался до изжоги гнуснейшего секретарского «Chibo»; но это был единственный повод просочиться на когда-то холостяцкую кухню, о которой у Никиты остались самые благостные воспоминания. Здесь, вдали от ада собственной жизни, он был почти счастлив.

Теперь от немудреного счастья остались рожки до ножки: некогда запущенное и разгильдяйское пространство кухни приобрело четко выраженную систему координат, на одной стороне которой устроилась Мариночка с кофемолкой «Bosh». На другой обосновалась Эка, подпирающая дверной косяк литым плечом. После некоторых колебаний Никита уселся на краешек табуретки — той самой, сидя на которой было так весело, так мрачно, так упоительно пить водку с Корабельникоffым.

Мариночка небрежно ссыпала кофе в турку, и по кухне расползся острый пряный аромат. И только теперь Никита понял, что именно изменилось в доме.

Запах.

Одиночество Корабельникоffа пахло совсем по-другому. Старыми фотографиями, дешевыми ирисками, нагретыми на солнце сандалиями, бездымным порохом, дохлыми жуками в спичечном коробке — всем тем, чем забито любое уважающее себя мальчишеское детство. А Корабельникоff, несмотря на седины, состояние и пивную компанию собственного имени, до самого последнего времени оставался мальчишкой. И это тоже тащило Никиту в дом Корабельникоffа — как на аркане. Детство Никиты-младшего было похоже на корабельникоffское, даром что их разделяли десятки лет...

А с приходом Мариночки все это исчезло. И, похоже, навсегда.

Осев здесь, она забила все поры квартиры принадлежащими только ей запахами. Она рассовала их по углам, она ловко пометила территорию, и теперь все эти запахи, подобно минам-растяжкам, грозно предупреждали: «Не влезай — убьет». Нет, это были совсем не те традиционные запахи, которые шлейфом тянутся за любой женщиной. Не духи, не гели, не дезодоранты, не свежевымытые волосы, не свежесшитые платья, совсем нет. Здесь пахло телом. Телом — и больше ничем. Родинками, кожей, потом, спермой, поцелуями, бритым лобком, искусанными губами, задохнувшимся в предвосхищении оргазма стоном. Этот запах вызывал самые порочные желания, толкал на самые безумные поступки, лишал сил и ускользал от возмездия. Но, странное дело, в столь первобытном, животном торжестве тела было что-то религиозное, впору секту организовывать и молиться до одурения на фалоимитатор. Никиту даже пот прошиб от такой термоядерной смеси борделя и исповедальни. Но не ей же исповедоваться, медноволосой порно-аббатисе! В длиннющей футболке, с голыми стройными ногам. Никита вперился взглядом в эту проклятую футболку с целым выводком мультяшных щенков-далматинов. Под футболкой ничего не было, Никита мог бы в этом поклясться — ничего, кроме бесстыже выпирающих сосков и такого же бесстыжего провала живота. Черт, когда-то давно, в счастливом, осененном Никитой-младшим прошлом, Инга тоже любила ходить в длинных футболках. Его футболках. Это теперь она носит глухие платья под ворот, снять которые можно разве что вместе с кожей... А когда-то... Когда-то в их спальне тоже пахло...

Нет, у них все было не так, совсем не так.

Любовь, вот что это было.

Здесь же любовью и не пахло. Во всяком случае той, в ласковых недрах которых рождаются Никиты-младшие...

Кофе и впрямь оказался отменным. Пока Никита пил его — маленькими глотками, смакуя и обжигаясь, Мариночка не спускала с него глаз. А потом произошло и вовсе неожиданное: она присела перед Никитой на корточки, по-хозяйски положила руки на колени и посмотрела на него снизу вверх.

— Хо-орошенький, — нараспев произнесла она. — Твоя жена дура. Или сука. Хотя одно не исключает другого...

Кофе сразу же загорчил и застрял в глотке: выходит, Мариночка пронюхала об истории его взаимоотношений с Ингой. Не иначе, как Корабельникoff сам рассказал ей об этом, — в жаркой полуночной койке, способной развязать любые языки.

— Ты встретил не ту женщину, дорогой мой! Вот, если бы ты встретил меня...

Нет, она вовсе не соблазняла его, хотя любое слово, слетевшее с ее уст, можно было бы рассматривать как соблазнение, как искушение, — любое слово, любой жест, любую, ничего не значащую фразу. Почему он раньше не замечал этого? Или Мариночке вовсе не хотелось, чтобы он замечал? Н-да, Ока Алексеевич, ты еще наплачешься со своей маленькой женушкой...

— Будем считать, что я тебя встретил...

Черт, неужели это произнес он? Изменившимся щетинистым голосом похотливого самца? Латинского любовника, по выражению Нонны Багратионовны, будь она неладна... Внутренне ужасаясь, Никита скосил глаз на собственный пах, в котором наблюдалось теперь едва заметное шевеление. А ведь Мариночка не сделала ничего такого, чтобы спровоцировать этот процесс — столь же приятный, сколь и неконтролируемый.

А если бы сделала?

Черт, черт, черт... Сколько он не спал с женщинами? Вернее, сколько он не спал со своей собственной женой? С тех самых пор, как погиб Никита-младший... Нельзя сказать, что у него не возникало желания, — возникало... Робко маячило на горизонте, выглядывало из-за угла, и тут же стыдливо уходило. Да, именно так. Оно выглядело порочным, недостойным — как обворовывание скле-

74

па, как танцы на могиле. И вот теперь — пожалуйста...

— Ну как кофе? — спросила Мариночка.

— Очень... Хороший...

Кровь отхлынула от Никитиных висков и через секунду переместилась в пах, вместе со всем остальным — печенью, селезенкой и сердцем. И дряблым умишком горного архара, чего уж тут скрывать. Не-ет... Нужно делать отсюда ноги. И немедленно...

— Я старалась. Тебе правда понравилось? — спросила Мариночка голосом, каким обычно спрашивают: «Тебе понравилось, как я сделала тебе минет»?

— Да, — сказал Никита голосом, каким обычно говорят: «Сделай это еще раз, дорогая».

— Я рада, — ее руки, до этого легкие и невесомые, отяжелели. — Ты даже представить себе не можешь, как я рада.

Впрочем, и сам Никита отяжелел. Он готов был пойти ко дну, ничего другого не оставалось: Инга целый год держала его на голодном пайке, — его, здорового мужика тридцати трех лет... Похоронила заживо, вырыла еще одну могилу — рядом с могилой Никиты-младшего... Как будто только у них погиб ребенок, сын... Как будто это не случается сплошь и рядом... Инга — сволочь, инквизиторша, давно пора ее бросить... Хорошая мысль — бросить... Инга сволочь, фригидная дрянь, монашка без четок и креста, а он, дурак, до сих пор не нашел себе женщину... А мог бы, мог... Ну и черт с ним, с нее и начну, с Мариночки... Пересплю с этой сытенькой сучкой, от нее не убудет... Плевать, что она сучка... Плевать, что она — жена патрона, он сам виноват, старый хрыч... Женился на молоденькой... А впрочем, это его дела... Это их дела... Так что, плевать, плевать, плевать...

Неизвестно, что произошло бы через пять минут, если бы не Эка.

Вернее, если бы не взгляд Эки. Никита почувствовал его спиной — холодный, полный равнодушия и расчетливости взгляд наемного убийцы. Хотя... Не таким уж равнодушным он был. И не таким холодным, судя по тому, как по вмокшему Никитиному позвоночнику застучали капли пота. В любом случае, наваждение прошло. И Никита перевел дух. И осторожно снял с коленей Мариночкины руки.

— Ну-у... Что еще не слава богу, дорогой мой? — надула губы Мариночка.

— Мне пора...

— Испугался? — черт, она безошибочно просчитала траекторию и уперлась глазами в застывшую глыбу антрацита. — Если хочешь, она уйдет... Эка!...

В этой последней ее реплике было что-то вызывающее, какой-то скрытый, недоступный Никите смысл, и он сразу же почувствовал себя фигурой на чужой шахматной доске, эпизодом в чужой партии.

— Лучше уж я уйду, — сказал Никита.

Мариночка расхохоталась, и партия перешла в эндшпиль.

— А что так? — повела плечами она.

И аккуратно сняла руки с Никитиных колен. А потом снисходительно похлопала его по щеке.

Щеку что-то кольнуло, и, спустя секунду, Никита сообразил, что это кольцо, болтавшееся на безымянном пальце. Дешевое колечко со стекляшкой вместо камня. Ни в какое сравнение не идущее с платиновым колье, которое было подарено на свадьбу влюбленным пингвином Корабельниkoffым. Польское серебро с дутой пробой, какого навалом в любом сельпо с захватывающим дух ассортиментом: яблоки, селедка и такое вот серебро... А ведь оно было на Мариночке еще тогда, когда Никита впервые увидел ее в «Amazonian Blue». И на свадьбе тоже присутствовало. Черт знает что, даже на романтическое воспоминание не тянет, слишком уж непрезентабельно... Ни один влюбленный не подарит такую дешевку...

— Значит, уходишь?

— Пора. Хозяин ждет, — соврал Никита.

— Ну-ну, передавай ему привет.

— Обязательно...

Ни обиды, ни сожаления. Отказавшись от столь заманчивого предложения, Никита сразу же перестал представлять для Мариночки интерес.

...Он даже не помнил, как оказался на улице. Пыльный шелест разомлевшей на солнце листвы показался ему освежающим гулом прибоя, да и асфальт вовсе не плавился под ногами: после удушающе-страстной мышеловки, которую он только что покинул, даже Сахара выглядит раем земным.

Раем, адом...

Что-то странное происходило в доме, что-то странное... И это «странное» напрямую было связано с искусительницей Мариночкой. Нет, это было бы слишком просто... Искусительницы вьют гнезда в сердце и в паху, но им и в голову не придет влезать в чужие головы и устраивать там генеральную уборку, попутно выкидывая дорогих людей — как никому не нужные, старые вещи.

Никита тотчас же попытался забыть — и о доме, и о Мариночке, но стоило ему только вставить ключ в замок зажигания и повернуть его, как казалось бы навсегда забытые строчки считалочки всплыли сами собой:

> ...Ибо тот, кто в рот
> Камень сей берет,
> Редкий дар имеет:
> Ворожить умеет...

Камень... Стекляшка в дешевом серебре на безымянном пальце. Надо же, дерьмо какое!... Нет, никогда... Никогда больше он не переступит порог этого дома!...

* * *

...Клятва была нарушена в сентябре.

Двенадцатого, если быть совсем уж точным. В день рождения Инги. Это был второй день рождения Инги без Никиты-младшего. И Никита совершенно забыл о нем. Потом он даже не мог объяснить себе, как это могло произойти. Обычно они праздновали его только втроем — Инга, Никита и Никита-младший. Странная традиция, прижившаяся в их доме вместе с рождением сына, связана с поездкой в маленький форт у Кронштадта. До форта они обычно добирались на стареньком катере Левитаса. Митенька салютовал святому семейству выстрелом пробки из бутылки шампанского и почтительно убирался из дня рождения. До самого вечера.

До самого вечера — только они и островок, выложенный красным потрескавшимся кирпичом. И Залив.

Ровно пять лет.

В куртках или в рубашках с коротким рукавом, в зависимости от погоды; с шашлыками, фотоаппаратом, с дурацкими воздушными шарами, с дурацкими колпаками, с дурацкими свистульками, с дурацкими играми, дурацкими счастливым смехом; с дурацкими свечками в дурацком покупном торте — их всегда было ровно четырнадцать: всего лишь повод, чтобы притянуть к себе Ингу и выдохнуть в мягкие волосы: «Ты у меня совсем девчонка, совсем... Ты всегда будешь девчонкой, сколько бы лет ни прошло...»

После смерти Никиты-младшего изменилось все. Никто больше не вспоминал о форте и о четырнадцати свечах, воткнутых в покупной торт. Скорее всего, и сам форт перестал существовать, ушел под воду, как ушел под воду их сын... Но Никита помнил, помнил — красные кирпичи, синезеленая вода и ощущение счастья.

Он помнил, весь год помнил, а потом забыл.

Тем более что вычеркнутый из календаря день рождения Инги заслонил день рождения Мариночки. Он тоже пришелся на двенадцатое, кто бы мог подумать. Никаких легкомысленных свистулек не предполагалось, все было монументально, даже к десятилетнему юбилею компании так не готовились. Если так и дальше пойдет, то вконец очумевший Корабельникoff вполне может объявить двенадцатое сентября нерабочим днем, с него станется.

Все утро Никита просидел у Нонны Багратионовны в ожидании босса. Секретарша была особенно не в духе и потому бросила в кофе не три куска сахара (как обычно), а четыре. Нина Багратионовна с яростью выдвигала и задвигала ящики своего стола, рылась в немногочисленных стопках документации. К тому же в пику «этой девке» облачилась в глухое черное платье, которое без всякой натяжки можно было назвать траурным. Никита сильно подозревал, что именно в этом платье она дефилировала на похоронах собственного мужа, сгоревшего в огне непосильных для него плотских утех.

— У этой девки день рождения, — заявила она, как только Никита переступил порог корабельникoffского предбанника.

— Да? Вот черт...

Для Никиты новостью стал совсем не факт дня рождения Мариночки, в гробу он видел Мариночку. Новостью для него стало то, что он забыл о дне рождения собственной жены. Забыл, и только сейчас вспомнил. Да и то благодаря ехидным стараниям корабельникoffской секретарши, никак с Ингой не связанным. «Надо бы что-то подарить Инге», — пронеслась в голове трусливая, заискивающая мысль. Что-то запоминающееся... Со значением... Что-то, что сможет их примирить... Немного грустное, но светлое... Мантую... Форт на Заливе... Обшарпанный лифт в доме Митеньки Левитаса, эскалатор метро, неуютный салон «девятки», последний ряд в «Колизее», — карту тех мест, где им так хотелось заниматься любовью... Но даже эта гипотетическая карта была связана с Никитой-младшим. И валялась сейчас, никому не нужная, среди его паззлов и книжек... Все, все было связано с Никитой-младшим... Но Никиты нет и никогда больше не будет, и потому мысль о подарке заранее обречена на провал, так, дрянное утешительство, не более... И все же, все же...

— Вот черт... Подарок все равно нужен, — вырвалось у Никиты.

Нонна Багратионовна уставилась на несостоявшегося латинского любовника с плохо скрытой ненавистью.

— И вы туда же, Никита? Ну ладно, все наши сошки с утра подарки несут... Шефу, поскольку эта девка вне досягаемости... Даже предположить не могла, что у нас в компании такое количество подхалимов... Но их еще можно понять, карьерные соображения... Но вы-то, вы-то!...

Подхалимов, надо же... Должно быть, Никита был единственным, кому Корабельникоff в открытую сказал «Травой перед ней стелись»... Всем остальным оказалось достаточно прикрытых начальственных век. И демонстрации колье на свадебной вечеринке.

— Да вы не поняли, Нонна Багратионовна! У моей жены сегодня тоже день рождения.

Закаменевшее лицо секретарши смягчилось.

— Вот как? Передайте ей мои поздравления... Надеюсь, вам с женой повезло больше, чем Оке Алексеевичу... Надеюсь, что она...

«Надеюсь, что она не такая дрянь, как Мариночка», — хотела сказать Нонна Багратионовна. И не сказала.

«Что вы! У меня замечательная жена», — хотел сказать Никита. И не сказал. А сказал совсем другое, от чего, по здравому размышлению, стоило воздержаться, чтобы не накручивать Нонну еще больше.

— А вы-то что так переживаете, Нонна Багратионовна? Из-за дня рождения расстроились?

— Оставьте... Плевать мне на ее день рождения... В любом случае Ока ей презент преподнес еще тот!

— И какой же? — после шикарного свадебного колье Никиту не удивила бы даже вилла в Малибу, даже скромный островок на окраине Карибского моря.

— Улетает. Сегодня ночью. В Мюнхен, представьте себе... Очень вовремя.

— Неужели срослось? — поинтересовался Никита, без всякого, впрочем, энтузиазма.

— Свершилось!...

Разговоры о Мюнхене шли уже давно. Корабельникоffу нужны были немецкие инвестиции, переговоры об этом начались за год до появления в компании Никиты, и вот, пожалуйста, все разрешилось в самый подходящий момент. Осененный Мариночкиным днем Ангела.

О поездке в Мюнхен Никите сообщил и сам Корабельникоff. Спустя четыре часа, по дороге во Всеволожск, в загородный дом, где решено было пышно отметить столь знаменательное событие светским раутом с коктейлем и фейерверками. А еще раньше Никита забросил на Пятнадцатую линию целый ворох разнокалиберных свертков, оперативно сбившихся в кучу под лозунгом: «ясак от подчиненных». Для того чтобы перетащить их в квартиру, Никите пришлось сделать три ходки. Между первой и второй произошло странное событие, которому Никита, впрочем, не придал никакого значения. Оно всплыло потом, много позже, когда судьбы многих людей сплелись в единый трагический клубок, да так и задохнулись в этом клубке, во всех этих петлях из жесткой шерсти. Кто знает, что бы произошло, если бы Никита все-таки задержался в доме на пятнадцать ничего не значащих минут, если бы он потянул за кончик нити, торчащей из клубка. Может быть, и самого клубка бы тогда не возникло?.. Но он сделал то, что сделал.

Вернее, не сделал ничего.

Подъезжая к Пятнадцатой линии, Никита нисколько не волновался. Мариночка с Экой уехали во Всеволожск еще утром: во всяком случае, именно такой информацией обладала вездесущая Нонна Багратионовна. Да и сам Корабельникоff подтвердил ее впоследствии, когда («не в службу, а в дружбу») попросил Никиту забросить подарки от сплоченного коллектива к себе на квартиру. Не тащить же их во Всеволожск, в самом деле! А Мариночке будет приятно найти их завтра... Или послезавтра... Когда они вернутся в Питер. «Ага, и под рождественскую елку сложить все это дурно пахнущее великолепие, по носкам рассовать», — тотчас же подумал Никита, но от язвительного комментария воздержался.

Подарков накопилось прилично — слишком

много людей хотели упрочить свое положение в компании таким немудреным способом. Да и за примером далеко ходить не надо было. Ушлый начальник отдела по маркетингу Леня Васенков получил место вице-президента только потому, что змея-Мариночка пару раз снисходительно повела хвостом в сторону его скабрезных шуточек в узком кругу посвященных... Никита занес первую, оттягивающую руки партию в квартиру и сбросил ее в прихожей. Проходить дальше, в комнаты, не было никакого желания, в любом случае, Мариночка простит его за свалку едких верноподданнических отходов. Вот только...

Где-то в самой глубине, в недрах гулких корабельникоffских апартаментов, он услышал шорох. И что-то отдаленно напоминающее торопливые испуганные шаги. Несколько секунд Никита стоял, прислушиваясь.

Ничего.

Ничего и не могло быть. Тлетворный, бьющий в нос запах порока, свального греха, отправился за город вместе с владелицей, до Никиты доносились лишь слабые его отголоски. С самим Корабельникоffым он расстался полчаса назад, чтобы через полчаса снова встретиться, — их ждал Всеволожск.

Никого и ничего. Просто показалось.

Тряхнув головой, Никита отправился за новой партией пакетов. И по дороге умудрился выронить один. Ничего страшного не произошло: под плотной вощеной бумагой оказалась одинокая роскошная орхидея в коробочке: есть же еще романтические души в насквозь пропитанной прагматизмом пивоваренной компании «Корабельникoff», кто бы мог подумать! Присев на корточки перед коробочкой, Никита принялся рассматривать диковинный цветок. Он того стоил, честное слово! Орхидея и вправду была роскошной, неправдоподобно красивой и в то же время... Пугающей, что ли... Такие цветы никогда не дарят просто так, только — со значением. Когда хотят сказать чуть больше, чем сказано. Или — чем позволено сказать... Никита и сам обожал такие штучки — во времена, когда они с Ингой были счастливы... Господи, разве эти времена существовали когда-то? Если бы существовали, то этот цветок непременно бы их украсил. Крупные лепестки, похожие на застывшие языки белого пламени, — ни единого изъяна, ни единой червоточинки; на мертвенно-бледной плоти лепестков четко прорисовывались полосы. Так же, как и лепестки, они были совершенны. И — одинаковы; аккуратно огибая середину лепестка, они сходились в одной точке, у раскрытого, хищного зева. И это придавало растению сходство с животным. Опасным животным. Животным, которому наплевать на мелочевку типа мышей-полевок и без всякого повода впадающих в столбняк сусликов. Ему нужна добыча покрупнее. И поотчаяннее.

Мариночка...

Вот кто подойдет под это определение. Непременно подойдет.

Никита даже тихонько рассмеялся — дробным мстительным смешком. Интересно, кто отважился на такой дерзкий подарочек? И будет ли он оценен по достоинству? Если да, то кресло под шустрягой Васенковым может покачнуться...

Чертова полосатая орхидея занимала воображение Никиты еще некоторое время — вплоть до моста лейтенанта Шмидта, где он на двадцать минут застрял в пробке. Потом была пробка у Мариинского, потом — у Обводника. Следующие несколько заторов он преодолел уже в компании притихшего и торжественного Корабельникoffа.

Едва усевшись в машину, Корабельникoff вытащил из кармана плоскую коробку, открыл ее и помахал перед носом личного шофера.

— Ну как? Понравится ей, как думаешь?

Симпатяга-гарнитурчик, кольцо и сережки, младшие компаньоны приснопамятного платинового колье... Предел мечтаний тонкокостной продавщицы из ДЛТ, стриптизерши из потнючего ночного клубешника, начинающей шлюхи со Староневского... Альфа и омега расхожих представлений о шикарной жизни.

— Еще бы не понравилось, — пожал плечами Никита, вспомнив аляповатую стекляшку на безымянном пальце корабельникoffской жены. — Понравится. Обязательно.

— Не знаю...

В голосе шефа прозвучала никогда не слышанная Никитой робкая неуверенность семнадцатилетнего мальчишки, год экономившего на пирожках, чтобы купить возлюбленной цацку в ближайшем ювелирном.

— Да нет... Очень красиво... Она должна оценить...

— Должна... — вздохнул Корабельникoff. — Да нет... Я до сих пор не знаю, что она ценит, а что нет... Я до сих пор не знаю ее... До сих пор.

Никита даже слегка притормозил. Давненько он не слыхал подобных откровений из уст Корабельникoffа. Если вообще когда-нибудь слыхал.

— Вас интересует ее прошлое? — ляпнул он.

— Прошлое? — Корабельникoff нахмурился.

— Так трудно выяснить? У вас ведь шикарная служба безопасности, Ока Алексеевич... Все в ваших руках.

Пассаж о службе безопасности вырвался из Никиты сам собой, все предыдущие реплики Корабельникoffа не давали к нему никаких оснований. Хотя клиническая картина ясна: в анамнезе — нудный до оскомины и такой же до оскомины типичный комплекс порядочного человека, взявшего в жены деятельницу с улицы Красных фонарей. Кое-что в ее бурном прошлом просматривается, но знать всей правды он не хочет. И не захочет даже на плахе. А тут Никита с сердобольными советами, за которые и распять можно. Змей-искуситель, злодей-резонер. Вот он, коварный план Нонны Багратионовны, неуклюже вброшенный в реальность! Но осуществляет его не латинский любовник, готовый поиметь скучающую красотку прямо на клумбе с флоксами, а личный шофер, он же — ангел-хранитель по совместительству.

В упоминании о службе безопасности было что-то бабье, недостойное мужика (разве что — адвоката или поверенного в делах), и Никита смутился. Но еще раньше, чем Никита успел смутиться, Корабельникoff недобро уставился на него.

— При чем здесь служба безопасности?

— Ни при чем... — сразу же поджал вероломный хвост Никита. — Просто к слову пришлось... Если уж вас так волнует ее прошлое...

— Разве я хоть слово сказал о ее прошлом?

— Нет, но...

— Твое дело — за дорогой следить... — впервые Корабельникoff так откровенно указал Никите на его место в иерархии. Как раз в духе телохранительницы Эки.

Оправдываться было бессмысленно, и Никита замолчал. Молчал и Корабельникoff. И только после того, как они миновали указатель с надписью «ВСЕВОЛОЖСКИЙ РАЙОН», хозяин снова начал подавать признаки жизни.

— Обиделся? — спросил он у Никиты.

— Нет, — ответил Никита, и это была чистая правда. Никакой обиды, разве что — сожаление по поводу слепоты хозяина. Права, права, специалистка по Гиойму Нормандскому: «Свои глаза не вставишь».

— Отвезешь меня в аэропорт сегодня вечером — и два дня свободен. Приеду — поговорим о прибавке к жалованью...

Это было что-то новенькое. Еще ни разу Корабельникoff не заводил с ним разговор о повышении зарплаты. И только это внушало Никите надежду на особые отношения, выламывающиеся из жестких рамок «начальник — подчиненный», «хозяин — шофер». Теперь, с появлением Мариночки, на особых отношениях можно было поставить крест. Корабельникoff небрежно выставил Никиту за дверь своей жизни и сразу же забыл о нем. А теперь вот вспомнил. И решил подсластить пилюлю.

— Я не просил о прибавке...

— Знаю. А зря. Хороший ты парень, Никита.

Скажи это Корабельникоff на исходе зимы или ранней весной — и эффект был бы совсем другим. Но Корабельникоff сказал это именно сейчас, впроброс, не вкладывая никаких смыслов. Не откровение, а фигура речи, не больше.

Пока Никита раздумывал над этим, они успели промахнуть Всеволожск и забраться на холм, который венчала церквушка, новенькая и блестящая, как облитый глазурью пряник. У церквушки дорога раздваивалась. Основная трасса шла в сторону Ладоги, а плохо заасфальтированный карман — направо. Именно в него и свернули Никита с Корабельникоffым. Здесь, на улице Горной, и находилась загородная резиденция Корабельникоffa, почти круглый год пустующая. Никита приезжал сюда раз или два и даже как-то умудрился заночевать, перебрав водки с охранником Толяном. Толик, молодой мужик лет двадцати семи, жил при доме постоянно. Лучшего места для безмозглого кобелька, коим Толян и являлся, придумать было невозможно. Из всех благ цивилизации, которыми был напичкан дом, Толян пользовался разве что спутниковой тарелкой, музыкальным центром и ванной. И гостевыми комнатами. А гости, судя по бугристым мышцам Толяна и такому же бугристому паху, не переводились.

Вернее, гостьи.

Одна из них была предложена Никите в качестве утешительного приза. И чтобы ночь не проходила напрасно, в ледяной одинокой постели. «Чтобы ни одна ночь не прошла напрасно» — это кредо было выдано Толяном после первой же рюмки. После второй Никита узнал, что Толян серьезно занимался бодибилдингом, потом некоторое время работал стриптизером в одном из ночных клубов, потом ему надоело корячиться перед «зажравшимся бабьем», да и место охранника подвернулось.

Очень кстати.

— Пускай теперь они передо мной корячатся, — добавил Толян. — Передо мной и подо мной.

После этой сакраментальной фразы Никите была представлена средней паршивости овца из оставшейся за кадром Толиковой отары. Овца даже проблеяла свое немудреное имя — тонким голоском девочки по вызову. Имя это Никита благополучно забыл через три секунды.

— Нравится девочка? — цинично поинтересовался Толян.

— Девочка как девочка, — также цинично ответил Никита.

— Это ты зря... Ничего ты в бабах не понимаешь, скажу я тебе...

Понимать особенно было нечего, нещадно вытравленный блонд, псевдофранцузская косметика, купленная на ближайшем блошином рынке, и довольно профессиональная имитация оргазма. Вкус у Толяна был еще тот.

— Свободна, — бросил Толян овце.

Овца моментально исчезла, напоследок обиженно покачав далекими от совершенства бедрами.

— Есть еще одна... Брюнеточка. Для себя берег... Но дорогому гостю...

Никита на дорогого гостя не тянул. Да и водки

было выпито не так много, чтобы хватать друг друга за пуговицы и, отрыгивая соленой черемшой, пускаться в пространные разговоры о «зажравшемся бабье» и удовольствиях, с ними связанных. Скорее всего, дело заключалось в полнейшей уединенности загородного корабельникoffского дома. Эта уединенность была хороша для какого-нибудь теософа, философа, святого; для писателя-затворника, наконец. Но отнюдь не для жеребца-производителя, все извилины которого давно перекочевали в мошонку. Отсюда — одноразовые девочки (других у Толянового безотказного и примитивного поршня не могло быть по определению). Отсюда такая неприкрытая радость от появления совершенно постороннего человека, привезшего в дом кипу одеял для спален и набор щипцов для камина. Будь Толян поумнее, из него мог бы выйти неплохой жиголо. Будь Толян не так ленив, ему бы не пришлось скучать за городом, охранники и в Питере нужны, в любой маломальски уважающей себя конторе. Но он был тем, кем был: праздным кобелишкой без особых претензий.

Впрочем, ближе к полуночи оказалось, что претензии у Толяна имеются. Да еще какие! Двухметровый бугаеподобный сторож оказался совсем неплохим видеолюбителем. Видеолюбителем своеобразным, что и следовало ожидать, исходя из его бурного прошлого, где все было связано исключительно с культом собственного тела. После неудачной попытки раскрутить Никиту на еще одну бутылку водки, а потом — на сеанс армрестлинга («Я, старик, таких гигантов пригибал, —

карьеру было сделать, как два пальца об асфальт»), Толян перешел к тяжелой артиллерии.

Тяжелая артиллерия состояла из шести вэхээсок, которые охранник извлек из небольшого тайничка в кухонной стене. Для этого ему пришлось снять настенную тарелку, сработанную под раннего Пикассо, и вынуть небольшую дубовую панель.

— А к чему такие предосторожности? — вяло поинтересовался Никита.

И действительно, тайник за панелью больше подходил неправедным трудом нажитым ценностям, или, на худой конец — какому-нибудь противозаконному арсеналу. Но никак не гребаным видеокассетам, о содержании которых можно было судить по литому, лишенному всяких интеллигентских рефлексий телу охранника.

— Ну, мало ли... — прогундосил Толян. — А вдруг хозяева, мать их, неожиданно нагрянут...

— Что, и такое случается?

— Было пару раз... — охранник обнажил в улыбке крупные, безмятежно-белые зубы. — И не хозяин. Хозяйка...

— Да?

— Да нет... Ты не думай... Никаких адюльтеров. Я ж не дурак — сук рубить, на котором сижу.

Вот оно что! Значит, Мариночка навещала бунгало, и не единожды. А лоснящаяся физиономия охранника совершенно недвусмысленно намекала на цель этих визитов. Кобелишко только тем и занимался, что рубил сук, — ай, молодца! Выходит, не только латинские любовники под фламенко интересуют пресыщенную шлюху, но и такие вот блондинистые дуболомы с квадратной челюстью — под ирландскую джигу.

Пока Никита раздумывал над древней, как мир, природой женщин, Толян встряхнул кассеты на руке и отобрал четыре из шести. Две были благополучно водворены назад в тайничок, а четыре перекочевали на стол, поближе к водке и черемше. Толян щелкнул пультом, и на щелчок тотчас же отозвался средних размеров «SONY», укрепленный на кронштейне возле зарешеченного кухонного окна.

— Ну что, посмотрим? У меня такие девочки — закачаешься...

— Порнушка?

— Обижаешь. Эротика. Высокого класса. Сам снимал. Камера, конечно, хозяйская, кровать тоже, но сюжеты — мои...

Сам снимал, все ясно. Наверняка в одной из спален (а то сразу в нескольких). Сюжеты же, судя по всему, поставлялись прямо из койки.

— Ну че, смотрим?

Никита пожал плечами — ни «да», ни «нет». Но Толян истолковал это единственно верным для него образом — «да», и не иначе. «Да» и не иначе, как ответ на любой вопрос — счастливое заблуждение таких вот хорошо экипированных секс-машин. Да, да, да...

Больше Толян ни о чем не спрашивал Никиту: благодарный зритель не мытьем, так катаньем загнан в порнокинотеатрик, ему вручены полагающиеся случаю поп-корн и пивко. Смотри и наслаждайся.

Особого удовольствия от первых кадров Никита

не получил. От следующих — тоже. Впрочем, самоделка с потугами на софтпорно не была лишена некоторого изящества, насколько вообще изящными могут быть такого рода культурфильмы. И главным в ней был не сам акт и даже не девочки, размазанные Толяном по кровати, а сам Толян. Вернее — его тело. Бодибилдинг на заре туманной юности и тренаж в стриптиз-клубе даром для доморощенного режиссера не прошли: филейные куски и голяжки, взятые напрокат из греческих залов Эрмитажа, были засняты со знанием дела. Но это же знание сыграло с Толяном злую шутку — картинка не заводила, Никиту во всяком случае. Да и кого может вдохновить столь неприкрытый нарциссизм?..

— Классно, да? — выдохнул Толян через минуту.

— Да уж... Большой мастер...

— Это ты в точку. Так что, спихнуть тебе брюнеточку? Не пожалеешь.

— Воздержусь.

— Ваще-то верно... — неожиданно легко согласился Толян. — Я б тебе ее и не отдал. Она — для меня... Такая девка... Та-акая... Делить ее можно только с Господом Богом... И то не факт, что он для нее хорош...

«...Та-акую девку» Никита все же увидел. Спустя полчаса, в ванной комнате, куда забрел, чтобы ополоснуть онемевшее от водки лицо. Сунув голову под струю холодной воды, он несколько секунд с наслаждением отфыркивался и потому не сразу услышал легкий шорох за спиной. Зато сразу почувствовал чей-то взгляд на затылке. На какую-то долю мгновения Никите даже показалось, что это Мариночка; из-за запаха, что ли? Вернее, его более резких, животных отголосков... Или Эка, только она так неподражаемо умела выпускать из глубины антрацитовых зрачков взгляды калибром 7,65.

Никита поднял голову и уставился в зеркало, висевшее над ванной. В самой его глубине хорошо просматривалась девушка.

Не Эка и не Мариночка.

Нечто среднее.

Нечто среднее между Экой и Мариночкой, хотя, безусловно, выдающееся.

Коротко стриженная брюнетка с темными глазами и смуглым ртом. И ослепительно белой кожей. Ее красота была универсальной и потому — пугающей. Такие отпадные девицы с одинаковой легкостью делают карьеру в модельных агентствах и в спецслужбах.

— Привет, — сказал Никита, глядя в зеркало.

— Привет, — сразу же отозвалась она.

— Я занял ванную... Извините.

— Ничего...

Оборачиваться Никита не спешил. Девушка его не торопила, терпеливо ждала у двери. А в чертовом зеркале, через которое он исподтишка все еще пялился на нее, проявлялись все новые и новые подробности. Она была просто великолепна, вне всякого сомнения, вот только красота ее казалась застигнутой врасплох. Никита и сам не мог объяснить себе это странное ощущение. Может быть, потом, когда он отдышится и волосы у него высохнут. Или девушка исчезнет из гладкой поверхности стекла. Или исчезнет вообще...

Врасплох.

Вот именно. Очень точное слово.

А девушка слишком хороша. И не только для Толяна. Но и для Господа Бога, пожалуй, тоже. Такую красоту даже хотеть нельзя. Даже думать о том, чтобы прикоснуться к ней рукой, отяжелевшей от желания. Никаких низменных мыслей. Только — смотреть и любоваться, прислушиваясь к ласковому холоду в висках. Интересно, как она оказалась здесь? Или греческой статуе все-таки удалось соблазнить мадонну из ближайшего зала «Искусство Испании XV–XVI веков»?...

Никита старательно закрутил кран, пригладил ладонями виски, в которых все еще гулял ласковый холод, и только тогда повернулся к девушке. Черт. Черт, черт...

Либо зеркало солгало ему, либо девушка успела приготовиться к встрече лицом к лицу. Та же белая кожа, тот же смуглый рот — но какая разительная перемена! Обыкновенная смазливица по сходной цене за десяток. Черная овца в пару белой овце, осенявшей кухню своими далекими от совершенства бедрами.

— Вы кто? — спросила девушка, глупо округлив рот — как и положено овце.

— А вы?

Теперь, следуя овечьей правде жизни, она должна так же глупо хихикнуть.

— Никто, — хихикнула девушка. — Просто в гости заглянула к знакомому парню.

— Я тоже... Заглянул...

Разговаривать больше было не о чем. Никита потрусил к выходу и на секунду — только на секунду! — задержался. Небольшая заминка, пародия на давку у двери: вдвоем им не разойтись. Теперь она была близко, слишком близко. Почти так же, как Мариночка, — тогда, на корабельникоffской кухне. Он вздрогнул, вспомнив одуряющий запах кофе и Мариночкины руки у себя на коленях. И красива она была почти так же, как жена шефа. Вот только красота Мариночки была красотой дьявола, красотой волка в овечьей шкуре. А здесь — здесь шкура и вправду была овечьей.

Овца. Чертова овца.

Никита даже рассердился на себя. И на зеркало. И на девушку. Чего только с пьяных глаз не померещится. Вот что значит воздержание, надо же, дерьмо какое!...

...Он увидел ее еще раз рано утром, когда уезжал из всеволожского дома Корабельникоffa. Толян, очевидно, утомленный жаркой ночью в овечьем стаде, даже не вышел его проводить. И слава богу, таким ясным тихим утром полезно побыть в одиночестве.

В этом одиночестве Никита и простоял у дома минут двадцать, поеживаясь от утреннего холода. Ничего не скажешь, место для загородного дома выбрано неплохое. Да что там неплохое — отличное место! Дом стоял на горе, и добрый десяток террас, укрепленных соснами, туями и аккуратно подрезанным малинником, спускались на узкую заброшенную дорогу. С улицы дом казался обычным новорусским особняком, зато со стороны участка и заброшенной дороги... В нем было что-то итальянское, прогретое солнцем... Никита видел такие палаццо в Мантуе и — чуть позже — во

Флоренции: изгороди, увитые плющом, посеревшие от времени решетки ворот, натуральный растрескавшийся камень, полный кузнечиков и воспоминаний...

К дому со стороны террас прибавили еще один этаж; маленькая итальянская тайна, недоступная улице. Этот — первый — этаж тоже был обложен камнем, плющом, кузнечиками и воспоминаниями. Вплотную к нему примыкала площадка — как раз в стиле внутреннего дворика: небольшой фонтанчик и плетеные кресла, расставленные полукругом, поближе к журчащим струям. На креслах валялись соответствующие случаю пледы, глянцевые журналы и маленькие декоративные подушки — в таких креслах хорошо встречать старость, рассеянно глядя на сосновые иголки, перезревшую малину и туман.

Было тихо.

Так пронзительно тихо, как только и бывает поздним летом. А звук возник лишь потом; собственно, он и должен был возникнуть, и как только Никита забыл? Собака. Никита видел ее вчера, когда подъезжал к дому. Огромный кавказец по кличке Джек. Джек, как и Толян, жил в загородном доме Корабельникоffа постоянно. Скорее всего, Ока Алексеевич приобрел его по случаю, уже взрослым, для охраны особняка. Днем кавказец дрых или лениво бегал вдоль тонкой, не ущемляющей собачьего достоинства проволоки, а ночью свободно перемещался по участку, отпугивая гипотетических непрошеных гостей. Встречаться с лохматым монстром Никите не хотелось, уж лучше обогнуть дом и вынырнуть у «мерса», припаркованного рядом с хозяйским гаражом. Раздумывая, как бы поэлегантнее это сделать, Никита машинально присел на ближайшее к фонтану кресло и так же машинально вытянул из-под задницы журнал. Журнал оказался на удивление не глянцевым, никакого намека на стероидный «Man's health» или овечий «Cosmopolitan», вполне серьезное академическое издание под таким же серьезным академическим названием «Вопросы культурологии». Страниц триста, никак не меньше. Представить, что подобную высокоинтеллектуальную лобуду читает Толян, было так же невозможно, как вообразить, что ее читает кавказец Джек. Или какая-нибудь пришлая овца. Или сам Корабельникоff. Разве что — Нонна Багратионовна. Никита открыл журнал на середине и тотчас же наткнулся на знакомое до изжоги имя Гийома Нормандского. Вернее, журнал открылся сам — и все из-за закладки, которой служила узкая полоска фотографических негативов, кадров шесть-семь, навскидку и не скажешь точно. Но Гийом Нормандский — это показательно.

Нонна Багратионовна, никаких сомнений, любого другого, не столь продвинутого человека стошнит при одном упоминании благородного старофранцузского имени. Никита сразу же вспомнил разговор недельной давности, когда, в очередной раз вломившись в предбанник, застал Нонну, стоящую на коленях у шкафа с развороченными внутренностями: папками, подшивками, бюллетенями, рекламными проспектами. Секретарша рылась во всем этом полиграфическом великолепии и страшно нервничала.

— Что-нибудь потеряли, Нонна Багратионовна? — галантно осведомился Никита.

— Да нет, ничего особенного, — не сразу ответила Нонна. — Просто журнал куда-то сунула... Найти не могу, а там — Гийом, его последний глоссарий. С комментариями, между прочим, самого Микушевича... Кому он только мог понадобиться в этой богадельне... в этом филиале пивного бара... ума не приложу...

Имя «Микушевич» ни о чем не говорило Никите, должно быть, еще один интеллектуальный божок из пантеона прошлой жизни Нонны Багратионовны.

— И что за журнал?

Секретарша посмотрела на Никиту с сомнением.

— Ну, название вам ничего не скажет, не ваш профиль, дорогой мой... Да черт с ним, с журналом, хотя обидно, конечно...

Не черт с ним, совсем не черт! Нонна злилась по-настоящему, так злиться из-за пропечатанного петитом глоссария с комментариями никому и в голову не придет.

— Может быть, вам помочь в поисках, Нонна Багратионовна?

— Не стоит... ·

Она как будто устыдилась этого своего яростного напора и принялась сбрасывать папки и проспекты обратно в шкаф не глядя, что тоже никак не вязалось с ее почти немецкой аккуратностью: у каждой бумажки в ее хозяйстве существовало строго отведенное место, у каждой скрепки. И вот теперь — такое наплевательство, надо же!...

Никита сразу же позабыл об этом маленьком

инциденте недельной давности и не вспомнил бы о нем никогда, если бы Гийом Нормандский с комментариями Микушевича сам не подал о себе весточку. И где — в вотчине Корабельникоffa!

Неужели секретарша-страстотерпица и здесь оставила свой унылый средневековый хвост? Вернее, позабыла его среди облегченной роскоши с стиле «евродизайн»...

Странно, Никите казалось, что Нонна Багратионовна никогда не бывала в загородном доме босса, не те отношения... Хотя кто знает — те или не те... Уж очень она расстроилась из-за мальчишески-скороспелой женитьбы патрона. Лучше в это не влезать, меньше знаешь — крепче спишь. А журнал называется совсем не криминально, и слово «культурология» не такое уж сложное, чтобы совсем не поддаваться расшифровке... И какая только вожжа попала под хвост Нонне?...

Конечно же, он мог оставить журнал там, где нашел, — в плетеном кресле, приспособленном для праздного отдыха праздных людей, но никак не для изучения вопросов культурологии. Но чертова секретарша так убивалась по поводу пропавшего Гийома... Почему бы не порадовать ее счастливой находкой?

Никита свернул журнал в толстую трубку и сунул во внутренний карман летней куртки. Можно двигать к машине, да и собака, похоже, замолчала.

Но тишина оказалась обманчивой.

Никита убедился в этом, стоило ему только завернуть за угол дома. Джек жрал свой сухой корм не напрасно. Ох, не напрасно. Никиту встретили клыки, ощерившиеся всего лишь в полуметре: назвать это дружеской улыбкой не поворачивался язык.

— Пошел отсюда, — прошептал Никита голосом, моментально съехавшим до позорного дисканта. — Пошел, пошел...

Шепот Никиты не произвел на пса никакого впечатления, напротив, даже разозлил. Джек угрожающе зарычал, а Никита стал судорожно прикидывать, чем бы защититься. «Вопросам культурологии» не было бы равных в отпугивании мух и комаров, но как оружие против оголтелого кавказца они бесперспективны. То есть абсолютно бесперспективны... Никита никогда не задумывался, боится ли он собак, да и случая как-то не представлялось, да и смешно бояться — ему, взрослому мужику с кое-какой мускулатуркой, пусть и не сверхвыдающейся, но все же, все же... Но теперь он испугался. По-детски, до моментально взмокшего затылка. И жалкого потренькивания стеклянных внутренностей. Еще секунда — и чертов пес разнесет их в клочья. Вот только кто будет платить за бой посуды?...

— Боитесь собак? — раздался чей-то насмешливый голос.

— Не боюсь, — Никита, загипнотизированный клыками кавказца, был не в состоянии даже посмотреть на неожиданного утреннего собеседника. Но уж не Толик, точно: голос был женским.

— Да ладно вам... Сейчас приведем мальчика в чувство.

«Приведем мальчика в чувство» — интересно, к кому это относится? К Джеку или к нему самому? Ответом на вопрос был легкий свист, отдаленно напоминающий художественный. Джек повернул на свист косматую голову, но рычать не перестал.

В любом случае Никита получил передышку.

Теперь можно было рассмотреть неожиданную спасительницу. Неожиданную во всех смыслах: это была та самая брюнетистая овца, с которой он столкнулся в ванной вчерашним вечером. Но теперь овца вела себя отнюдь не по-овечьи. Она присела на корточки и постучала по земле кончиками пальцев. И негромко рыкнула — Никита даже опешил от неожиданности. А Джек... Джек, очевидно, тоже испытал сходные эмоции. Во всяком случае, напрочь позабыв о Никите, он двинулся к девушке. Несколько секунд они смотрели друг на друга, но сути мизансцены Никита так и не понял: место ему досталось не слишком удачное, только и лицезреть, что куцый хвост кавказца и упрямый лоб девчонки.

Этот-то упрямый лоб и сделал свое дело: Джек перестал рычать, тихонько заскулил, а потом случилось и вовсе невероятное. Пес, созданный для того, чтобы рвать на части зазевавшегося обывателя, подошел к девушке и ткнулся мордой ей в лицо.

И облизал его.

Брюнетка восприняла это как должное: она улыбнулась и потрепала Джека по загривку. А потом послала такую же улыбку Никите.

— Вот и все, — сказала она.

— Лихо, — только и смог выговорить Никита. — Вы всегда так умело договариваетесь?

— Всегда... С собаками — всегда. Не подбросите меня до города?

— До Питера?

— А что, поблизости есть еще какой-нибудь город?... До Питера.

Ого, очевидно отношения с Толяном не так безоблачны, если она выскочила из постели в такую рань и решила покинуть дом. Ведь Никита с хозяйским «мерсом» мог и не подвернуться...

— Конечно. Буду рад.

Радость было сомнительной, а вот любопытство — самым настоящим. Неприкрытым и искренним. Не так часто увидишь девицу, легко и без единого выстрела справляющуюся с волкодавами.

— Вас как зовут? — спросил Никита, едва они миновали церквушку на горе.

— Это важно?

— Да нет... Просто я подумал...

— Джанго.

Это было похоже на собачью кличку. Настолько похоже, что Никита едва не выпустил руль и искоса взглянул на свою неожиданную спутницу.

— Не понял... Как?

— Джанго.

— Диковинное имя.

— Да уж какое есть...

А ведь ей, пожалуй, идет! Идет эта дерзкая кличка с сомнительным «о» в окончании. Идет — коротко стриженным темным волосам, едва прикрывающим череп; идет — черной футболке, сквозь которую просматривается маленькая грудь с крупными горошинами сосков; идет — бледным запястьям с полудетскими кожаными амулетами; идет — четкому мальчишескому профилю.

. Профиль и правда был четким, и только теперь Никита понял, почему вчера ему на ум пришло это слово — «врасплох». Джанго была хороша и при свете дня, но овечьей красотой здесь и не пахло. То есть она хотела, чтобы пахло, вот именно— х о т е л а. Она хотела прикинуться овцой — для всех без исключения. Кроме разве что зеркала, перед которым можно было расслабиться и показать свое истинное лицо — умное, волевое и бесконечно вероломное. Что-то подобное могли на пару слепить Мариночка с Экой, а здесь, пожалуйста, — все в одном флаконе. Но Джанго не повезло: в зеркале подзадержался Никита, который и увидел то, что не должен был видеть... А как играючи она справилась с кавказцем! Не-ет, такая девушка вряд ли может кому-то принадлежать, тем более — вшивому охраннику вшивого загородного дома.

— Вы дрессировщица? — аккуратно поинтересовался Никита.

— А что, похожа?

— Ну, в общем...

— Нет, я не дрессировщица. Хотя... В некотором роде...

В некотором роде! Да ты создана для того, чтобы укрощать жизнь. И все, что сопутствует этой жизни, — собак, людей, первый снег, ветер над заливом, журнал «Вопросы культурологии» с квелым эссе о Гийоме Нормандском...

— А вы — шофер хозяина дома... Я правильно поняла?

105

— Верно, — не стал отпираться Никита.

— Говорят, он недавно женился...

— Говорят.

— На молодой девушке, — голос Джанго вдруг стал глуше, и в нем отчетливо проскользнули влажные, частнособственнические нотки.

— Он и сам еще не старый...

— Да... Не старый, — она тотчас же укротила голос, как укротила собаку десять минут назад. Теперь в нем не было ничего, кроме вежливого равнодушия.

— А вы знакомы? — Никите не стоило задавать этот вопрос, и все же он не удержался.

— С кем?

— С Окой Алексеевичем... Или с его женой...

— Не имею чести.

Как же, как же, не имеешь чести! Эта честь и яйца выеденного не стоит, за эту честь ты и гроша медного не дашь, вон как ноздри раздуваются!

— Значит, вы подружка Толика?

Только теперь она повернулась к нему. И смешно сморщила нос.

— А что, не похожа?

— Нет, — честно признался Никита. — Уж слишком для него хороши.

— Я тоже так думаю... А для вас?

— Что — для меня?

— Для вас — не слишком?

Уж не флиртовать ли она с ним надумала? Хаха, сначала хозяйская Мариночка, теперь вот странная девушка по имени Джанго... Прямо паломничество какое-то... Хадж, ей-богу. К Никитиному сердцу, подозрительно смахивающему на отполированный вечностью священный камень Кааба. То ли у красивых девушек под занавес лета плавятся мозги, то ли тип прянично-латинского миндалевидного любовника популярен гораздо больше, чем Никита предполагал.

— Для вас — не слишком? — она все еще ждала ответа.

— И для меня — слишком.

— Да вы не волнуйтесь так, — с готовностью рассмеялась девушка. — Никто не собирается вонзать клыки в вашу семейную жизнь.

Никита перехватил цепкий взгляд Джанго, устремленный на его слегка потертую, слегка сморщившуюся от потерь обручалку.

«А никто и не волнуется, дорогая, никто особенно и не волнуется... Разве что твой взгляд настораживает — из их придонного карего ила так и прет едва заметная желтизна: почти такая же, какая была в глазах у псины, которую ты приручила...»

— Никто и не волнуется, — пробухтел Никита, слегка притормаживая у указателя на пришедшую в упадок усадьбу Олениных.

Этот обветшалый литературный памятник был знаменит тем, что в нем (по словам настоянного на коньяке пушкиноведа-любителя Левитаса) великий русский поэт дважды по пьяни падал в местный пруд и трижды — опять же по пьяни — овладевал дочкой хозяина у ныне спиленного дуба, трухлявые останки которого были обнесены невысокой оградкой. На пруд они ездили с Ингой за три месяца до появления на свет Никиты-младшего... А ведь он почти забыл об этом, надо же...

Об их поездке сюда, на пруды... Тогда они кишели мальчишками и любителями пива, а Никита, как привязанный, ходил за Ингиным застенчиво округлившимся животом. Как привязанный...

— И как? — Джанго вовсе не собиралась от него отставать.

— Что — как?

— Как молодые? Дружно живут?...

— Мне бы не хотелось это обсуждать...

— Мне тоже. Это я так спросила, разговор поддержать...

— Можно и не поддерживать. Я не обижусь.

Разговор и вправду увял сам собой. И возобновился только в растянувшейся на сотню метров пробке у шлагбаума перед въездом в город.

— Где вас высадить? — поинтересовался Никита.

— Где хотите...

— Я доброшу, куда нужно... Мне не трудно.

— Это в Коломягах...

Коломяги! Ничего себе крюк!... Северо-западная окраина города, смешанный брак нескольких навороченных коттеджных деревенек для самых новых русских и пролетарски-унылых многоэтажек. Судя по затрапезной футболочке Джанго, по ней плачет одна из таких многоэтажек — с неработающим мусоропроводом и надписями на стенах. Что-то вроде «Спартак — мясо». Или — «Зенит — чемпион». А впрочем, какое это имеет значение? Ему, Никите, какое дело?

Но дело было.

Дело было в самой Джанго.

По мере того как чертовы Коломяги приближались, Никита увязал в своей неожиданной пассажирке все больше. И вряд ли это было связано с тем, что Инга в лучшие времена их жизни, смеясь, называла «мужское-женское». Скорее, это можно было назвать собачьим. Песьим. Псоголовым. То ли жаркое дыхание Джека-потрошителя все еще преследовало Никиту, то ли его смутила собачья желтизна в глазах Джанго, то ли озадачило ее имя, похожее на породистую кличку.

Даже Мариночка не вызывала у Никиты такой оторопи. Со всей ее наглостью, надменностью и цинизмом, со всеми ее запахами, со всей дурной кровью. В любом случае, Мариночку можно было понять, если уж очень постараться; во всяком случае — объяснить. Понять Джанго не представлялось никакой возможности. Она была — другое.

«Иное» — как любила выражаться Инга в лучшие времена их жизни.

И, несмотря на это «иное», Джанго кого-то отчаянно напоминала Никите. Вот только кого? Не сурового кавказца же, в самом деле!...

Никита промучался воспоминаниями до самых Коломяг, до ничем не приметного шоссе, утыканного редкими зубцами лесопарка. Здесь Джанго попросила его остановиться.

— Спасибо, — сказала она. — Вы очень любезны.

— Не за что... — Никита вдруг почувствовал сожаление оттого, что ему придется расстаться с обладательницей такого интригующего имени. — Может быть...

— Я и правда приехала. Было приятно с вами познакомиться.

— Взаимно.

Что за светская чушь, черт возьми?... Надо бы сказать что-нибудь этакое... Что-нибудь, что непременно ее заинтересует. Ведь когда-то он умел цеплять за жабры понравившихся ему женщин... Черт, черт, черт! Женщин — да, а вот таких обворожительных животных... Большой вопрос.

— Может быть, пригласите на чашку кофе? — ляпнул он первое, что пришло в голову.

— Кофе в доме не держу, — снисходительно улыбнулась девушка.

Кофе — нет, а вот сырое мясо — наверняка.

— Жаль...

Сожаления были адресованы уже спине Джанго, покинувшей машину в срочном порядке. Она свернула на маленькую аллейку и через секунду скрылась. А Никита, проводив глазами черную футболку, вдруг понял, кого она так смутно ему напомнила.

Корабельникоffа.

Оку Алексеевича Корабельникоffа, отца-основателя, благодетеля и кормильца. У главы пивной империи была точно такая же мягкая хватка. И точно такая же жесткая спина. Никита даже не удивился бы, если б неведомая ему Джанго вдруг оказалась дочерью Корабельникоffа. Вряд ли — законной и наверняка не очень любимой. Никаких упоминаний о Джанго ни в квартире, ни в жизни Корабельникоffа не было. Хотя старая эсэсовка-осведомительница Нонна Багратионовна и намекала на первую жену патрона.

На жену, но не дочь.

И что делала Джанго в особняке Корабельниkoffa, и как она вообще туда попала? Ведь не к Толяну же завернула, в самом деле, — только дуры убиваются по мешку, туго набитому первосортными мускулами! А вариант случайного знакомства Никита отмел сразу. Сразу же, как только почувствовал легкий укол в сердце. Поначалу он сдуру решил, что это покалывание началось из-за Джанго, но потом выяснилось, что причиной всему — Гийом Нормандский. Свернутый в трубку, он до сих пор лежал во внутреннем кармане куртки, и стоило Никите неудачно облокотится на руль, как «Вопросы культурологии» сразу же напомнили о себе, упираясь верхним жестким краем прямо в сердце. Никита вытащил журнал и бросил его в бардачок.

Чтобы спустя час торжественно преподнести пропажу Нонне Багратионовне.

Но, вопреки ожиданиям, секретарша совершенно не обрадовалась столь счастливому возвращению Гийома с Микушевичем. Сдержанно поблагодарила, только и всего.

— Это не мой журнал... — сказала она Никите. — Не мой. Но все равно, спасибо за хлопоты. Вы запомнили, я польщена. Кстати, где вы умудрились его достать?

Вопрос был совершенно невинным, заданным вскользь, но по щекам Нонны Багратионовны почему-то расползлись красные пятна. И принялись отчаянно семафорить Никите: плевать мне на то, где ты его взял, мы оба знаем, где ты его взял, так что не будь дураком, придумай версию поделикатнее...

— Купил, — после секундного раздумья произнес Никита. — В ларьке на Нарвской. Увидел, вспомнил и купил.

— Да? Вообще-то он распространяется только по подписке... Сколько я вам должна?

— В смысле?

— Сколько вы за него заплатили?

— А-а... неважно. Считайте, что это подарок...

...Следующим подарком стало исчезновение Толяна и Джека. Они испарились из особняка на Горной, никому и слова не прорычав. До Никиты донеслись лишь отголоски этой странной истории, бегло пересказанной Корабельникоffым между двумя телефонными звонками — Мариночке во Всеволожск и потенциальным инвесторам в Мюнхен. Именно Мариночка и сообщила муженьку, что нашла дом пустым. Ни собаки, ни охранника... Вещи на месте. И Толяна, и хозяйские. В какой-то мере Корабельникоffым повезло — из особняка ничего не пропало, хотя входная дверь была открыта, окна в кухне распахнуты настежь и лишь калитка закрыта — и то только благодаря примитивному английскому замку.

После двух звонков Корабельникоff сделал третий — в службу собственной безопасности компании, ее начальнику с сомнительной для северных широт фамилией Джаффаров. Именно Джаффаров нанимал на работу Толяна, с него и спрос.

Чем закончилось внутреннее расследование, Никита так и не узнал, но Толян на горизонте больше не появился. По словам вездесущей Нины Багратионовны, его сменили два ублюдочного вида качка с винчестерами. А место Джека в вольере заняла такая же ублюдочная восточноевропейская овчарка. Ни качков, ни овчарки Никита до сих пор не видел — повода наведаться во Всеволожск не было. Да и Джанго, некоторое время плотно занимавшая скучное, как пустыня, воображение Никиты отодвинулась на задний план, а потом и вовсе исчезла. И уже нельзя было с точностью сказать: была ли она на самом деле или не была. И свидетелей не осталось — ни человека, ни собаки. Они как будто испарились, рухнули в бездну ее желтоватых диких глаз...

* * *

...Вечеринка в честь дня рождения Мариночки больше смахивала на банкет по случаю тезоименитства отпрыска королевской фамилии. Никите, растворившемуся в толпе одноразовых официантов с позабытым бокалом шампанского в руке, оставалось только пялиться на VIP-гостей особняка; с тем же успехом он мог пялиться в экран телевизора — физиономии присутствующих были достаточно примелькавшимися, взятыми напрокат из светского сборника «Кто есть кто в Петербурге». С пяток высокопоставленных чинуш из Смольного; бизнес-элита, имеющая за плечами крупные региональные компании и зависшие на стадии расследования уголовные дела; лоснящаяся от дармовой жратвы и водки артистическая богема; несколько звезд шоу-бизнеса средней величины, модный писатель, модный стилист и преуспевающий модельер в засаленном шейном платке — каждой твари по паре. А впрочем, ковчег на Горной мог переварить и не такое количество народу. Народу, никакого отношения к Мариночке не имеющего.

Мариночка была только предлогом.

А причиной и следствием являлся сам Корабельникoff. Корабельникoff, вот кто был интересен. Он мог бы отмечать годовщину свадьбы внучатой племянницы по матери, поступление в Сорбонну шурина или день установки панорамного аквариума — состав гостей вряд ли претерпел бы существенные изменения. Деловые люди решали на ходу деловые вопросы, не очень деловые — завязывали знакомства с деловыми (Никита сам видел, как популярный худрук популярного театра что-то шептал на ухо вальяжному бизнесмену в первом поколении); потенциальные взяткодатели напропалую флиртовали с потенциальными взяткополучателями, задвинув на задний план шикарные ноги своих безмозглых подружек-фотомоделей... И никакого особенного почтения хозяйке дома, — так, дежурные комплименты, дежурные поцелуи руки и дежурные улыбки на лицах: под расстрельный аккомпанемент глаз телохранительницы Эки.

«Только цыган с медведями не хватает. И шпагоглотателей с факиром», — хмуро подумал Никита.

Цыган и цирковую программу успешно заменил фейерверк, царский фейерверк, в сполохах которого Никита неожиданно увидел Джанго...

Вернее, ее прямую, срисованную со спины Корабельникoffа спину.

Вернее, ему показалось, что увидел.

Вот только теперь она была облачена в униформу официантки. И деликатно топталась с подносом возле небольшой группы гостей — того самого худрука популярного театра, преуспевающего модельера и модного стилиста. Никита стоял на самой нижней террасе, прислонившись плечом к сосне, и несколько секунд раздумывал — подойти к Джанго или нет. Да и вспомнит ли она его — скучная поездка из Всеволожска в Питер вряд ли запечатлелась в памяти. Подойти — не подойти, подойти — не подойти... А если подойти — то какой предлог для разговора будет самым удачным?

Пропавший Толян? Пропавший кавказец? Или он сам?

Пропавший кавказец — так будет надежней.

Но добраться до Джанго оказалось не так-то просто: Никита запутался в дорожках альпийского луга, а когда оказался рядом с богемной троицей, девушки уже не было. Она мелькнула чуть выше, у фонтана, засиженного фотомоделями и молодыми, отбившимися от стада, жиголо, — а потом и вообще скрылась в доме. Никита последовал за ней, и в какой-то момент ему показалось, что он настиг ее в столовой на первом этаже. Ну да, она стояла у маленького столика и разливала шампанское по бокалам.

— Привет, — сказал Никита сосредоточенной спине.

Джанго обернулась.

— Это вы мне?

Надо же, дерьмо какое! Не она! Совсем другая девушка, такая же темноволосая, такая же коротко стриженная, но — не она.

— Извините, я подумал... Я обознался...

— Бывает, — официантка посмотрела на Ни-

115

киту с вежливым равнодушием. — Хотите шампанского?

— Нет, спасибо.

Самая обыкновенная девчонка, соплячка, наверняка студентка, подрабатывающая на таких вот светских мероприятиях, и как он только мог принять ее за Джанго?...

А, впрочем, все просто. Он увидел Джанго, потому что хотел увидеть. Только и всего. Не больше и не меньше.

— Знаете, я передумал. Я, пожалуй, выпью.

— Конечно.

Она уже протянула ему бокал, вот только в самый последний момент ее рука дрогнула. Эта странная дрожь неожиданным образом совпала с первыми тактами музыки, которую Никита выучил наизусть. Чертов латиноамериканский квинтет Хуанов-Гарсия и здесь не оставил свою патронессу, топтался на открытой площадке в демисезонных пончо и теперь вот решил порадовать собравшихся кабацким репертуаром «Amazonian Blue». А секундой позже в свои права вступила и сама Марина-Лотойя-Мануэла. Никита даже примерно представлял себе цепь событий. Какой-нибудь засланный казачок из числа особо приближенных по-шакальи пустил слух о певческих способностях хозяйки. Всего-то и нужно пару раз проскандировать: «Просим! Просим!» — всесильному Корабельникоffу это будет приятно...

Да, так и есть.

Мариночка пела. Ту самую захватанную до дыр, навязшую в зубах и пристегнутую английской булавкой к подолу «Navio negreiro».

116

Подхватив бокал из рук официантки, Никита — сам не зная почему — пояснил ей:

— Это хозяйка. Глотку дерет.

— Почему же... По-моему, у нее неплохой голос.

Девушка смутилась, покраснела и опустила глаза: должно быть, ей стало неловко за дрогнувший бокал. Похожа на Джанго, но не Джанго, вдруг с тоской подумал Никита. Уж та бы никогда не стала краснеть из-за такой мелочи. Уж той бы никогда и в голову не пришло подвизаться официанткой на пресыщенных торжествах. А голоса Мариночки она не услышала бы из принципа.

— А вы разбираетесь? — лениво поинтересовался Никита, отправляя в рот тарталетку с соседнего подноса.

— Нет, но... — девушка смутилась еще больше. И еще больше покраснела.

— Спасибо за шампанское...

Она ничего не ответила, просто сделала несколько шагов к окну. Отсюда, из почти неосвещенной столовой, хорошо просматривалась площадка с собравшимися гостями. Они образовали широкий полукруг, в центре которого оказалась Мариночка. Она смотрелась совсем неплохо в окружении своих верных латиносов: белая богиня, забредшая в туземное племя. Да так там и оставшаяся.

Последнее, что увидел Никита, покидая столовую, была девушка, прилипшая к широкому, на всю стену, оконному стеклу. Студентка, соплячка, случайная обслуга. Похожая на Джанго, но не Джанго...

...Всю дорогу до аэропорта Корабельникоff молчал. Да и Никита помалкивал: шеф явно не в настроении, уехал с торжества как простой гость; один-единственный рассеянный поцелуй Мариночки в качестве утешительного приза. В ушах еще звучали обрывки прощального разговора.

— Ну, не сердись, девочка...

— Я не сержусь...

— Это просто дела.

— Я не сержусь. Правда.

— Все будет хорошо? — Корабельникоff понизил голос.

«Все будет хорошо», надо же, как звучит! Прямо заклинание. Смотри у меня, попробуй только испортить это «все будет хорошо»! Никакого флирта с мужиками, никаких ходок на сторону, никакого облизывания губ, я надеюсь на тебя, надеюсь...

— Все будет хорошо, — Мариночка была сама кротость. — Эка за мной присмотрит... Будет стрелять на поражение.

— Да, с Экой нужно держать ухо востро. Возвращайся к гостям, моя хорошая... Это ведь твой праздник... Я позвоню, как только прилечу.

— Я буду на связи...

Никита хмыкнул: шутка Мариночки понравилась ему больше, чем блеклый комментарий Корабельникоffа. На Никиту Мариночка и не взглянула: с тех пор, как он трусливо бежал от ее коленей, чертова кукла взяла за правило в упор не замечать личного шофера мужа.

...Они расстались у терминала. Корабельникоff пожал Никите руку, сообщил время прилета в Питер — на Мюнхен отводилось ровно два дня — и направился к стойке. Глядя на его прямую спину, Никита вновь вспомнил о Джанго.

Странная штука — теперь все напоминало ему о Джанго: испуганная девушка-официантка, спина Корабельникoffa; сырая, пахнущая водорослями питерская ночь, пустая кофейня, в которой он завис на добрых два часа, пустая чашка кофе; фонари, которые при желании можно было спутать с желтыми зрачками собачьей богини... Что-то подобное было с ним много лет назад, когда он впервые встретил Ингу. Тогда все было только поводом, только предлогом... Вся жизнь до Инги тоже была только предлогом. У него еще была первая жена, у нее еще был первый муж, и их так внезапно вспыхнувшим чувствам пришлось украдкой встречаться на нейтральной территории — в метро, в кафе, на троллейбусных остановках, в лифте у Митеньки Левитаса, в его холостяцкой, пропахшей собачатиной, квартире... Развод с первой женой прошел для Никиты безболезненно, о разводе Инги он так ничего и не узнал — она никогда не посвящала его в свое прошлое. Она забывала о прошлом, как только оно переставало быть настоящим. Вот только на сыне... Вот только на Никите-младшем она подломилась...

Черт... Инга! Надо же, дерьмо какое!

Сегодня двенадцатое, день ее рождения!

А он напрочь забыл об этом! Напрочь. А ведь еще совсем недавно думал, что бы такое ей подарить сногсшибательное, сукин сын!...

Была глубокая ночь, и Никита расстроился еще больше. Приличного подарка глубокой ночью не подберешь, цветочники у метро наверняка втюхают какие-нибудь завалящие розы, которыми так удобно бить по морде отвергнутых любовников, в общем — полный швах. Застенчивые мальчишеские мечты о Джанго отошли на второй план, уступив место угрызениям совести: а не скрывалась ли за этой хреновой и так внезапно навалившейся, мать ее, забывчивостью недостойная мужчины месть?.. Недостойная Никиты, недостойная самой Инги...

Он почему-то вспомнил об орхидее, которую — вместе со всеми подарками от дружного коллектива компании — вывалил в прихожей корабельникоffских апартаментов. Это было бы совсем неплохо. Совсем. Неплохо, сдержанно и стильно. Мариночке эта орхидея нужна как зайцу стоп-сигнал, в гробу она видел экзотический цветочек. От нее самой за версту несет секонд-хэндовской экзотикой. Она и не вспомнит о коробочке, она о ней и не узнает.

Не узнает.

Если Никита хотя бы раз воспользуется своим служебным положением и...

Дурацкая мысль.

Чтобы отогнать дурацкую мысль, Никита заказал себе еще кофе. И даже для убедительности потряс головой. Но мысль не уходила, наоборот, — со знанием дела окапывалась в Никитиных мозгах. Наваждение тигрового окраса не смыл даже стакан минералки, последовавший после кофе. А к вишневому соку Никита и вовсе спекся. И достал из кармана связку: ключи от Пятнадцатой линии занимали на ней почетное место. Похотливая тварь за городом и сегодня вряд ли вернется. Гора презентов скучает в прихожей, и ему ничего не стоит заехать сейчас на квартиру Корабельникоffа и умыкнуть орхидею. А заодно и еще что-нибудь. Что-нибудь, не нужное Мариночке... Да и Инге, по большому счету не нужное...

А нужное ему, Никите.

Чтобы совсем уж не чувствовать себя подлецом.

...От «Идеальной чашки», в которой заседал Никита, до Пятнадцатой линии было не больше сорока секунд езды. И на то, чтобы разгуляться, у совести времени не было. Так что в дом Никита вошел бодрячком. И бодрячком сунул ключи в замочную скважину. И бодрячком присел перед подарочной кучей, подсвечивая себе зажигалкой: большой свет он не включил из предосторожности.

Орхидея лежала там, где он оставил ее: между коробочкой побольше (духи «Sentiment») и коробочкой поменьше (духи «Guerlain Chamade»). Ни на одну из коробочек Никита не польстился, такими коробочками, теперь позабытыми и ссохшимися, была уставлена вся бывшая их спальня. Да и Инге больше не нужны были запахи. Единственный запах, который у нее остался, — запах земли с могилы Никиты-младшего. Но вот цветок...

Цветок был вызывающе живым. Цветок мог тронуть любое сердце. И даже те куски незаживающей плоти, которые остались от сердца.

Никита сунул орхидею в сумку. И совсем было собрался уходить из квартиры, когда услышал этот звук. Звук тихонько льющейся из незакрытого крана воды. Это было странно, ведь сегодня днем, когда Никита ненадолго появился здесь, никаких посторонних шумов не было... Но тогда был день, а ночью звуки резче, да и выглядит все совсем по-другому. Никита машинально двинулся по коридору, в направлении звука: он доносился из-за приоткрытой двери ванной. Оттуда же пробивалась узкая полоска света, и он замер, остановился.

Сейчас около половины третьего, и Мариночка вполне могла вернуться, хотя...

Хотя о ее возвращении из Всеволожска в Питер речи не было. Иначе Корабельникoff сказал бы ему об этом... А впрочем, у Мариночки была собственная тачка и собственный телохранитель, и ей самой решать — вернуться или нет. Хорошо еще, что он не нарвался на Эку, та была бы еще сцена! Мало того что хлопот не оберешься, так еще и объяснять пришлось бы цели визита — лежа на полу с завернутой за спину рукой. И млея от застывшего в опасной близости от переносицы пистолетного ствола...

Ему бы уйти подобру-поздорову, на цыпочках, с трофейным цветиком-семицветиком в сумке... Ему бы уйти, не раздумывая!...

Но что-то удерживало Никиту. Что-то удерживало его возле проклятой приоткрытой двери, возле этого звука текущей воды, похожего на шум отдаленного крошечного водопадика. Никаких других звуков не было — минуту, две, три: ни русалочьего плеска, ни раскрепощенного вздоха, ни даже легкого мурлыканья какой-нибудь популярной песенки... Вода и больше ничего. Одинокая струйка в одиноком водопадике, странно резонирующая.

Неизвестно, сколько он простоял, прежде чем шагнул к двери.

Но он шагнул и осторожно, по-воровски, заглянул в отделанное мрамором нутро ванной. И сразу же увидел Мариночку. Вернее, откинутую назад голову Мариночки, укутанную волосами.

Что-то было не так.

Никита понял это сразу же. Раньше, чем успел сообразить, что именно — не так.

На волосах лежал странный розоватый отсвет.

И вода... Вода, готовая вылиться через край джакузи, — вода тоже была розовой. Нежно-розовой, непоправимо-нежно.

Таким же нежным был профиль Мариночки.

Нежным и мертвым.

Именно это и было «не так» — мертвый профиль. Жена его патрона была мертва. Молодая женушка, свет очей, единственная радость, лучшее дополнение к платиновому колье и фольксвагену «Bora». Колье и сейчас обнимало Мариночкину шею. А сама Мариночка была мертва. Мертва, мертва... Надо же, дерьмо какое!... Слегка покачивающиеся на розовой воде волосы свидетельствовали о необратимости случившегося. Несколько секунд Никита как зачарованный смотрел на нити волос; а потом, почему-то сняв кроссовки (уж не для того ли, чтобы ненароком не разбудить мертвую Мариночку?!), двинулся вперед — из галерки в первые ряды партера... Ногам сразу же стало мокро: по мере приближения к Мариночке носки пропитывались водой, а темный, в зеленоватых прожилках пол старательно скрывал все новые и новые лужи.

Никита приблизился к телу почти вплотную, обойдя лужу побольше, разлившуюся прямо у джакузи. Предусмотрительность, такая же дерьмовая, как и ситуация. Но теперь... Теперь он мог разглядеть все подробности смерти. Абсолютно все, включая бокал на краю ванной. Одинокий бокал с остатками какого-то спиртного: медовый отсвет на стенках, прямо у Мариночкиного изголовья. Надо же, дерьмо какое!... И почему он так сосредоточился на бокале? И почему сунул палец в розовую, еще теплую воду? Тело парило в ней, почти совершенное тело, похожее... Похожее на тело Инги. От этой мысли Никите стало не по себе.

Или — совсем от другой?...

Отправиться в мир иной в день своего двадцатичетырехлетия — чем не отличная идея? После шумной всеволожской иллюминации, после оравы гостей, после торопливых проводов мужа, после «Navio negreiro», дважды исполненной на бис. И перед лениво-фантастическими перспективами, которые сулила долгая и счастливая жизнь с пивным бароном...

Лицо — вот на чем задержался взгляд Никиты.

Ничего нового он не искал в этом лице: не искал и все же нашел. И не только темно-вишневую крошечную дырку во лбу, слегка смещенную к правому виску и жмущуюся к правой брови, не только ее.

Лицо.

Лицо тоже было новым. Другим. Иным.

Мариночкиным, достаточно хорошо изученным — и все же иным.

Таким его Никита еще не видел. «А ты изменилась», — пугаясь собственного цинизма, подумал он. Она и вправду изменилась, Марина-Лотойя-Мануэла... Впрочем, последние два имени можно было отсечь за ненадобностью. Вместе с разбитным ресторанчиком «Amazonian Blue» и великолепной пятеркой Хуанов-Гарсиа. Осталась одна Марина.

Мариночка.

Без всякого колкого подтекста: «Мариночка», как сказала бы дочке неведомая Мариночкина мама: «Вставай, школу проспишь, Мариночка!», «Одень шапку, Мариночка», «Ты опять висишь на телефоне, Мариночка»... Никита был не в состоянии отвести глаза от лица девушки: она могла быть кем угодно, только не стервой. Распущенной циничной стервой, которой всегда хотела казаться. Теперь Мариночкино лицо было абсолютно детским, беззащитным, трогательным — такие лица принадлежат подросткам и в такие лица влюбляются подростки: безутешно и безоглядно.

А смерть тебе идет, девочка.

А вот крошечная дырка во лбу — нет.

Похоже на контрольный выстрел в голову. Черт возьми, как похоже! Надо же, дерьмо какое!... Конечно, друган Левитас разбирается в этом лучше, но не нужно быть семи пядей в криминальном лбу, чтобы понять: контрольный выстрел... Хреновый финал, вот только как Эка прощелкала все это?... Телохранительница, мать ее... Лучшая в своем выпуске...

Мысль о нерадивой Эке сразу же потянула за собой другую — о Корабельникoffe. Влюбленном Корабельникoffe. Что будет с ним, когда он узнает о вишневой дырке во лбу жены?... И кто сообщит ему об этом? Сообщить можно и сейчас, у Никиты был номер мобильного, оставшийся с прежних полудружеских времен, но... Представить себе, что через каких-нибудь вшивых три минуты он расскажет боссу о теле в ванной на Пятнадцатой линии... Теле его жены, с которой — живой, здоровой и неприлично цветущей — он всего лишь несколько часов назад нежно попрощался во Всеволожске... Представить это Никита был не в состоянии. Да и что бы он сказал? «Шеф, я заехал к вам домой... просто так... протереть пыль на микроволновке, проведать водку в холодильнике... а тут...»

Надо же, дерьмо какое!

— И в эпицентре этого дерьма — он сам, Никита Чиняков.

Ну, Нонна Багратионовна, сбылась мечта идиотки!

Он произнес это вслух, будничным голосом. Голос запрыгал по ванной комнате, отразился в стенах, зеркалах и лужах на полу — и вернулся к Никите. И запоздало ужаснул его: ну ты даешь, Никита, совсем соображать перестал...

Ладно, соображать он будет после. Когда перед глазами болтается труп — какая уж тут соображалка! А сейчас нужно уйти. Нужно уйти и все обдумать. Пусть о смерти Мариночки Корабельникоffу сообщит кто-то другой. Или другие. Коллеги Митеньки, оперы из убойного, занюханные следователи, им по должности положено бить родственников дубиной подобных сообщений, они на этом собаку съели, им все равно — кому втюхивать вести о насильственной кончине: слесарю дяде Васе или бизнес-столпу Корабельникоffу. Они это сделают с одинаково равнодушным выражением лица. Профессионально-равнодушным. Вот пусть и делают, но только не он, Никита. Тогда о дружбе с Корабельникоffым — пусть и забуксовавшей, но все еще возможной — можно будет забыть навсегда. Он, Никита, так и останется для Корабельникоffa человеком, который принес испепеляющую, невозможную весть о гибели жены. Он, Никита, всегда будет ассоциироваться у Корабельникоffa с этой гибелью.

Только и всего.

А с Мариночкой — с Мариночкой всесильный Ока собирался жить вечно, уж таков он был в своей поздней любви. Значит, и ненависть к Никите будет вечной. А если приплюсовать сюда и вечную ненависть Инги... Нет, две ненависти ему потянуть...

Но об этом — позже. Позже, позже. Не сейчас... Сейчас нужно выбираться из этого дома, изученного до последнего гвоздя и так неожиданно ставшего западней.

Немудреная трусливая мыслишка тотчас же заставила Никиту действовать. Он попятился к двери — как раз в тот самый момент, когда вода добралась до самых краев джакузи и лениво рухнула вниз. Гореть тебе в аду за трусость, Никита Чиняков, гореть тебе в аду...

Выкатившись в коридор, Никита торопливо сунул в кроссовки окончательно промокшие ноги и затолкал шнурки внутрь. И только теперь, нагнувшись, увидел то, что до сих пор просто не мог увидеть из-за полуоткрытой двери.

Кусок кожи.

А точнее — жилетка.

А еще точнее — жилетка Эки.

Та самая, которая украшала ее плечи и оттеняла татуировку. Никита осторожно обошел дверь: так и есть, жилетка, визитная карточка грузинки-телохранительницы. Интересно, что она делает здесь? Что она здесь забыла и почему так по-хозяйски развалилась на полу?

Никаких идей по поводу жилетки у Никиты не возникло, но возникла дверь супружеской спальни. Она располагалась наискосок от ванной; если поднять глаза от жилетки — сразу же в нее упрешься. Но, в отличие от легкомысленной двери в ванную комнату, эта оказалась плотно прикрытой.

Валить надо отсюда. Подобру-поздорову.

Но Никита не ушел. Напротив, какая-то неведомая, благословляемая чертовой жилеткой сила подтолкнула его к спальне. Всего-то и надо, что распахнуть дуб, инкрустированный перламутровыми вставками, всего-то и надо. «Валить, валить отсюда, от греха», — еще раз подумал Никита.

И оказался у двери.

Потный сынок одной из жен Синей Бороды.

...В спальне было темно, а затянутые жалюзи не пропускали света. Да и наплевать, Никита с прошлой зимы хорошо знал расположение вещей, фотографическая память; вот только не нарваться бы на что-нибудь новенькое...

Он протянул руку к выключателю — рядом с дверью, налево, — и, нащупав его, аккуратно повернул колесико. Совсем немного, как раз для четверти накала вмонтированных в подвесной потолок ламп.

Он повернул колесико и сразу же понял, что нарвался.

Возле кровати, на маленьком столике, стояла бутылка мартини, окруженная чищенными мандаринами.

А на кровати лежала Эка. Голая Эка, вернее, наполовину голая: нижняя часть тела была целомудренно скрыта простыней, зато грудь и живот обнажены. «Вполне-вполне, — подумал потный сынок одной из жен Синей Бороды, так неожиданно поселившийся в Никите, — грудь навскидку и пристрелянные дула сосков, вполне-вполне».

Телохранительницы потный сынок не боялся — по той простой причине, что она не подавала признаков жизни. Так же, как и Мариночка. Так же, как и Мариночка, Эка была мертва. Бледное неподвижное тело на черном белье не оставляло никаких сомнений. Неплохой урожай, две молодые жизни, как с куста, — и всего лишь за один вечер. За начало ночи, которое Никита провел в кафе «Идеальная чашка». Тела тоже выглядели идеально, ничего не скажешь: одно в воде, другое на простынях.

Теперь Никита не стал снимать кроссовки, да и незачем было: бодигард, невелика птица, тут и шапку снять — подумаешь, не то что ботинки... Он приблизился к Эке и заглянул в мертвое и совсем не совершенное лицо. Дырка была точно такой же темно-вишневой, вот только располагалась она на виске. От виска через скулу стекала тоненькая струйка, терявшаяся затем в черноте простыней. А на полу, рядом с кроватью, валялся пистолет. Никита обнаружил его, проследив за бессильно свесившейся рукой Эки.

Надо же дерьмо какое!...

Все это смахивало на самоубийство. Киношное самоубийство. Именно так оно и выглядело с последнего ряда на последнем киносеансе, когда Никита напропалую целовался с Ингой. Никита даже присел перед кроватью, вплотную приблизившись к руке Эки. Никогда он не видел рук грузинки так близко. Решительные, коротко постриженные ногти, достаточно широкая, почти мужская кисть, выпирающая косточка на запястье, и все это — без страха и упрека. И мысли о самоубийстве не допускает. И все-таки — оно есть, самоубийство, не совсем же он дурак, Никита! Одно самоубийство и одно убийство — это слишком даже для такой феерической и монументальной личности, как Корабельникоff. Эх, Ока Алексеевич, Ока Алексеевич, ну и змею же ты пригрел на груди своей жены, ну и змею!... Змею, сбросившую кожу в коридоре. Вот только что делает змея в твоей постели — ба-альшой вопрос...

Ба-альшой...

Но искать ответ на этот вопрос было бессмысленно. Во всяком случае — сейчас. А вот убраться из страшного дома — самое время.

Но Никита не убрался. Вернее, убрался не сразу.

Оставив Эку и лежащий на полу пистолет, он побрел на кухню и несколько минут посидел на своей любимой табуретке, тупо глядя в пространство. Эка и Мариночка, Мариночка и Эка, обе — обнаженные, обе — мертвые, а до этого — на протяжении пары месяцев почти не разлучавшиеся. И смерть их оказалась почти одинаковой, разница в нескольких сантиметрах не в счет: лоб, висок, разве это разница... Убийство, самоубийство — итог один...

«Пусть этим Митенька заморачивается, ему по должности положено», — подумал Никита, уставившись на одинокий бокал на краю стола. Точно такой же бокал возвышался сейчас над мертвой головой Мариночки в ванной комнате. Высокий, с приземистой ножкой и толстыми стенками. На дне Мариночкиного болтался недопитый мартини, а этот был пуст. Совершенно машинально Никита сунул в него нос: тонкий, едва слышный запах, вот только почему бокал стоит здесь, а не в спальне? Или в ванной? Их было двое — и бокалов тоже два. Мариночкин — при Мариночке, а Экин... Мысль о чертовом бокале гвоздем впилась в Никитину голову: Экин должен быть при Эке, так будет правильно.

Ты сошел с ума, Никита, ты сошел с ума...

«Ты сошел с ума», — сказал он себе и, подхватив бокал, направился вместе с ним в спальню. Глупо было бы кончать с собой, предварительно не выпив. Когда сам Никита дважды пытался свести счеты с жизнью, он напивался, как же иначе, — и рюмка с водкой все время оставалась в поле его зрения. Так, за компанию...

...Установив бокал рядом с мандаринами, Никита сразу же успокоился: теперь картина выглядела законченной. Именно так поступила бы Эка, перед тем как пустить себе пулю в висок: жахнула бы мартини и застрелилась.

131

Ну все. Можно убираться.

Можно убираться, а думать обо всем он будет потом. Не сейчас — потом...

Но уйти из квартиры вот так, безнаказанно, за здорово живешь, не удалось. Никита уже собирался толкнуть входную дверь, когда услышал шаги на площадке. Шаги дублировали друг друга, так же, как и нетерпеливый шепот, что-то вроде: «Звони... Нет, ты звони...» Голосов тоже оказалось два: женский и мужской.

Только этого не хватало, твою мать! Не хватало еще, чтобы его застукали здесь и сейчас, как ординарца, как почетный караул при двух трупах. И ведь ничего не объяснишь, никому. Никому, особенно Корабельникоffу... Именно злосчастное воспоминание о шефе заставило Никиту поторопиться. Спрятаться за кухонной дверью — первое, что пришло ему в голову. Так он и сделал, втайне надеясь, что гости потопчутся на площадке и уберутся восвояси. Позвонят для приличия, подолбятся в двери — и уберутся восвояси. Господи, сделай так, чтобы они убрались, сделай, Господи!...

Но ночным визитерам и дела не было до его тайных мыслей. Через секунду раздался требовательный звонок, от которого у Никиты заложило уши. Неизвестная парочка терзала кнопку добрых три минуты, после чего наступило затишье. Ну, слава Богу, культурные люди, сообразили, что если не открывают, — значит, никого дома нет. И вообще: ходить в гости по ночам — не самая блестящая мысль. Позвонили, пора и честь знать.

Но перевести дух Никите так и не удалось, а

все потому, что с гулкой площадки донесся женский голос:

— Слушай, а здесь, похоже, открыто...

Черт, черт, черт, надо же, дерьмо какое! Это ведь он, Никита, не захлопнул дверь, заскочив в квартиру Корабельникоffa всего лишь на пяток минут. На пяток минут, как ему тогда казалось. За тигровой орхидеей, приведшей его прямиком в западню!

— И что? — мужской голос оказался рассудительнее женского.

— Ну, если открыто — может, мы войдем?

— Не думаю, что это хорошая идея...

Вот-вот, совсем нехорошая! Это ты, парнишка, правильно подметил!..

— А по-моему, ничего, — никак не хотела униматься невидимая Никите бабенка. — Зря, что ли, мы сюда приехали?

— Не знаю... Но ты же видишь сама...

— Как хочешь... А я вот войду.

Спустя секунду голос переместился в прихожую, и Никита затаил дыхание. Обладательница голоса наконец-то материализовалась — во всяком случае, сквозь дверную щель Никита смог рассмотреть безмятежный глянцевый профиль и глупые, смоделированные гелем волосики. На лицо крупной косметической фирмы девчонка не тянула, но на победительницу конкурса «Мисс года» где-нибудь в автономной республике — очень даже... Следом за королевой красоты в прихожую ввалился и паж, такой себе кобелек из разряда жиголо.

Обоим на вид было лет двадцать, никак не больше: судя по легкой художественной небритости кобелька и вызывающему девчоночьему макияжу с преобладанием активного черного цвета.

— Ой! — сказала девчонка, наткнувшись на гору деньрожденьевского реквизита в прихожей. — Ты только посмотри, какая прелесть!

— Мадам — большая оригиналка, — меланхолично заметил кобелек.

— Это, наверное, подарки, да?

— Думаю, лучшим подарком для мадам будешь ты...

— А ты? — хихикнул лучший подарок.

— Само собой... Мы ей покажем класс... Она даже не знает, что ее ожидает...

«Мадам», очевидно, была кодовой кличкой Мариночки, кого же еще. Никита, несмотря на аховость ситуации, внутренне хмыкнул: тоже, нашли мадам, сопляки, ей и самой-то двадцать четыре сегодня исполнилось... То есть вчера. Уже вчера... Хотя... В известной степени Мариночка и есть мадам, изнывающая от безделья жена бизнесмена, еще способная порадовать себя такой вот парочкой по вызову. Совсем недурственно она развлекается в отсутствие мужа, ничего не скажешь... Хотя что-то подобное и можно было предположить, исходя из ее подлого, гиенистого темперамента. Права, права была Нонна Багратионовна, ох, права...

Но в любом случае именно эта парочка и засвидетельствует смерть. Громкими воплями и вставшей дыбом щетиной. А в том, что будет именно так, когда кобелек и сучка наткнутся на труп в ванной, Никита ни секунды не сомневался.

— Ты что это делаешь, лапонька? — спросил кобелек.

— «Guerlain Chamade», — проворковала сучка. — С ума сойти...

— Положи на место. И вообще, бросай свои провинциальные замашки... Не хватало еще, чтобы ты и здесь наследила... И так в прошлый раз чуть не погорели...

— Да ладно тебе, бэбик... Вон здесь сколько всего. Она и не заметит... А я давно мечтала... «Guerlain Chamade», надо же...

— Положи на место.

— И не подумаю, — женская часть дуэта понизила голос до безопасного шепота. — Считай это бонусом... Я заслужила... Заслужила...

Ого, девчонка, воспользовавшись ситуацией, решила потрясти «мадам»! Ну, давайте, бэбики, обнюхивайте квартиру, пора бы громко заявить о себе. Никита прикрыл глаза и затаил дыхание. Одно из двух: либо они уйдут, либо останутся. Все будет зависеть от любопытства девчонки, уже, судя по всему, прикарманившей духи. Вопрос в том, захочется ли ей прикарманить что-нибудь еще.

Ей хотелось.

Потоптавшись в прихожей еще минуту, девчонка двинулась в глубь квартиры, а кобелек, как привязанный, потащился за ней. На то, чтобы заглянуть в ванную (а куда еще прикажете заглядывать, ведь свет горит только там!) ей понадобится несколько секунд. Еще несколько — на то, чтобы оценить ситуацию и заорать. Или хлопнуться в обморок. Хотя — в обморок она не хлопнется,

135

жилистые и глупенькие провинциалки редко прибегают к таким крайним мерам. Нужно только все правильно рассчитать, Никита, и путь к спасительной двери будет открыт. Вдох-выдох, выдох-вдох...

Но в квартире было тихо.

Никита, изготовившийся было к прыжку из кухни, накинул еще пару секунд.

Ну, давай! Давай!...

И вопль раздался. Но совсем не тот, которого ожидал Никита. Особого ужаса в нем не наблюдалось, скорее — детское любопытство и даже нечто, отдаленно напоминающее восхищение.

— Бэбик! Б... Ты только посмотри!... — далее последовало многоэтажное ругательство, хвост которого едва не пришиб Никиту, выскочившего на лестничную площадку.

А теперь — бежать! Бежать и не оглядываться...

Через минуту Никита уже сидел в машине. И шумно переводил дыхание. Ну все, он вручил судьбу двух тел малолетним остолопам, дело сделано, и можно убираться. Они придут в себя через минуту, а то и раньше, учитывая известную циничность профессии... Вызовут ментов, те выдернут из теплой постели начальника службы безопасности Джаффарова на пару с Нонной Багратионовной — именно они в курсе всех передвижений Корабельникоffa, они и шмякнут шефа по голове смертью Мариночки. А Никита будет ни при чем, белый и пушистый, и к тому же способный поддержать благодетеля Оку в трудную минуту его жизни.

Все. Дело сделано и можно убираться.

Но убираться Никита не торопился. В конце концов, здесь, в мерседесной тиши и безопасности, можно и прикорнуть в ожидании промежуточного этапа развязки.

...Часы на приборной панели показывали, что Никита сидит в ожидании уже шесть минут, но никаких подвижек не происходило. Никто не вышел из дома, да и милицейской сирены не слышно. Вот черт!...

— Надо же, дерьмо какое! — ругнулся Никита вслух и тотчас же увидел две фигурки, на всех парах несущиеся от дома.

Кобелек и сучка.

И не с пустыми руками!

От удивления Никита даже присвистнул. Потом присвистнул еще раз — от возмущения. И еще — от неожиданно открывшейся ему истины. Они поступили точно так же, как поступил он сам. Просто вымелись из квартиры, что тоже понятно: кому охота связываться со смертью! Тем более — смертью жены влиятельного человека. Они поступили так же, плюс... Никита ограничился скромной орхидеей, а аппетиты парочки оказались куда более внушительными.

Пока Никита стыло рассуждал об этом, парочка кенгуриными прыжками двинулась прямо в его сторону.

А затем...

Свои дальнейшие действия Никита и сам потом не смог себе объяснить: он врубил фары и завел двигатель. Лучших опознавательных знаков для кенгуру с пакетами и придумать было невозможно. И кенгуру доверчиво бросились на свет и звук. А кенгуриный кобелек на правах мужчины тотчас же заколотился в стекло. Дав поуговаривать себя несколько мгновений, Никита стекло опустил.

— Эй, шеф, до «Приморской» подбросишь? — От голоса кобелька за версту несло дешевым испуганным мародерством.

— Сколько?

— Тридцатка...

— Да вы совсем, ребята, обалдели... — для вида покочевряжился Никита.

— Тут и ехать-то пять минут... А тебе сколько надо?

— Ну, за полтаху, может быть, и соглашусь...

— Лады, — кобелек уже нетерпеливо бился в заднюю пассажирскую дверь.

Никита взял с места, как только парочка угнездилась на заднем сиденье. В зеркале заднего вида отразились обе нашкодившие полудетские мордашки.

— А вы чего такие смурные, ребята? — не удержался Никита. — Поссорились?

— Поссорились, поссорились, — хмуро бросил кобелек. — Ты за дорогой следи, шеф. Тебе-то какое дело?...

— Да никакого, хоть бы вы и хату какую-нибудь обнесли...

Лицо не подготовленной к таким провокационным пассажам девчонки исказилось, два пакета в ее руках звякнули «Guerlain Chamade», «Sentiment'ом» и еще бог знает чем. Зато паренек проявил недюжинную выдержку.

— Да ты шутник, шеф...

— Ага, — легко согласился Никита. — Где вас на Приморской высадить?

— А на Приморской и высади. У метро...

...Они действительно вышли из машины у метро и все так же, по-кенгуриному, поскакали в сторону дома у противоположной стороны дороги. Дом носил славное название «на курьих ножках», и в нем когда-то жила первая Никитина любовь — еще школьная, с содранными коленками и болячками на губе.

Вера, неожиданно вспомнил Никита, ее звали Вера.

Проводив взглядом парочку, Никита развернулся и поехал в сторону гостиницы «Прибалтийская». Там, на Морской набережной, и жил его приятель Митенька Левитас.

Обшарпанная дверь Левитаса встретила его собачьим лаем и недовольным сонным бухтением самого Митеньки.

— Ты знаешь, который час, убийца? — с закрытыми глазами спросил Левитас, пропуская Никиту в квартиру и пинками пытаясь унять разбушевавшегося Цыпу.

— Я не убийца, — промямлил Никита.

— Убийца, убийца, не сомневайся... И вообще, какого черта, Кит? Решил наконец-то уйти от своей змеи?

— У тебя есть что-нибудь выпить?

— Мне с утра на работу... — Митенька с трудом разлепил глаза и уставился на приятеля. — Но тебе, как другу... Есть водка.

— Один черт. Давай водку...

Холостяцкая кухня Левитаса была завалена грязной посудой, полуистлевшими плакатами с пляжными красотками и мешками собачьего корма. Митенька меланхолично пнул под зад крутящегося под ногами добермана, втиснулся в узкую щель между столом и стеной и уставился на Никиту, в полном молчании опрокинувшего две стопки водки.

— А ты не за рулем? — запоздало поинтересовался он.

— Какое это имеет значение? Хоть бы и за рулем...

— Ну, выкладывай... Что произошло?

— Ничего...

— Да ладно, — Митенька видел Никиту насквозь. — Ты когда ко мне ночью заваливался в последний раз? Лет семь назад, да? Сообщить, что у тебя сын родился...

Это была правда. Когда родился Никита-младший, обезумевший от радости Никита ввалился к Левитасу среди ночи, с литровой бутылкой водки и двумя яблоками в кармане. А после они вдвоем сидели на крыше, лакали из горла бессмертную «Столичную», заедали ее яблоками и орали на весь обветренный Залив «Вальс-бостон».

Он совсем неплохо получался у них, «Вальс-бостон».

А потом Митенька перешел на жизнеутверждающий романс «Четвертые сутки пылают станицы», а Никита едва не свалился с крыши. Ведь у него родился сын, тут не только с крыши свалишься.

Сын. Сы-ын!...

140

— Прости, Кит, — Левитас крякнул и сам потянулся за водкой. И жахнул ее в полном молчании. И занюхал загривком присмиревшего Цыпы. — Прости...

— Ничего... Все в порядке...

— Так ты бросил свою змею? Нашел себе другую? Нежную и трепетную, для души?

— С чего ты взял?

— Так ведь мент — он и в нерабочее время мент, — осклабился Митенька.

И, перегнувшись через шаткий пластиковый стол, снял с Никитиной куртки длинный светлый волос. И принялся наматывать его на палец.

— Улики нужно уничтожать, друг мой Кит, — нараспев произнес он. — А то у тебя как в старом анекдоте получается... Она блондинка?

— Да какая блондинка?

— Да вот эта! — Митенька покрутил волос в руках. — Довольно жесткий, между прочим... Волос-то... Прям леска. Проволока. Ты смотри, как бы характер у нее не оказался таким же... Одной суки с тебя хватит, я думаю...

Единственной блондинкой в окружении Никиты можно было назвать покойную Мариночку, да и то с натяжкой. И при чем здесь волос, и откуда он вообще взялся на куртке? Ведь вплотную к Мариночке Никита не приближался, разве что — к Эке, но у Эки была короткая стрижка. Смоляные волосы с едва заметными нитями ранней седины... Впрочем, какое это имеет значение? Сейчас важно только то, что он увидел на Пятнадцатой линии...

— Я не убийца, — тихо произнес Никита, опрокидывая в себя очередную порцию водки.

— Все, больше ты не пьешь, — поморщился Левитас. — Довела тебя эта стерва... А я думал — ты успокоился уже... Так нет... Не виноват ты в том, что твой сын погиб... Не виноват! Ну сколько можно жрать себя, Кит? Сколько можно?...

Только теперь Никита понял, что пальцы его легонько трясутся, а позвоночник чуть слышно подрагивает, — это была запоздалая реакция на трупы, оставленные им в пустой квартиры. Запоздалая, еще не до конца осмысленная реакция, — только сейчас он это понял.

— Ее убили, — медленно произнес он.

— Кого?

— Мариночку...

— Какую Мариночку? Ты что несешь?

— Мариночку, — Никита с трудом протолкнул слова сквозь зубы. — Жену шефа.

— Корабельниковскую молодуху? — Левитас благодаря все еще продолжающимся посиделкам в бане на Крестовском и в кафе «Алеша» на Большом был в курсе всех Никитиных дел. — Да что за фигня?!

— Ее убили. Но я — не убийца... Я просто видел тело... Просто видел тело, вот и все...

Переложить ответственность на сухие милицейские плечи Митеньки — это и вправду было то, что нужно. Никита глухим и совершенно равнодушным голосом поведал Левитасу о том, что увидел в квартире; он ничего не забыл, включая бокал на краю ванной и кожаную жилетку на полу. Следом за жилеткой шла парочка по вызову, вот только о пакетах Никита распространяться не стал — вспомнил о тигровой орхидее. Закончив

142

рассказ, он почувствовал странное облегчение, хотя и несколько подлого свойства, если задуматься: умыв руки, он заставил напрягаться старого дружка. Да еще в свободное от окаянной работы время.

— А ты того... Не преувеличиваешь? — осторожно спросил Митенька, когда Никита закусил кровавую историю водкой. В его устах это прозвучало как «Кончай заливать, козлище!».

— Можешь съездить и посмотреть, — у Никиты не было сил пререкаться.

— Та-ак... Значит, ты завернул в городскую квартиру босса и обнаружил там два трупа?

— Два голых трупа... Хозяйки и ее телохранительницы...

— Да-а... Баба-телохранительница — это, знаешь ли... Тухляк... И вообще — тухляк.

— Что именно?

— Да все, — в сердцах бросил Митенька. — Все, что ты мне рассказал — тухляк!

— Я сказал тебе правду.

— И что же ты не заявил?

— Заявляю. Вот тебе и заявляю. Ты же у нас сотрудник убойного... Тебе и карты в руки.

— А эти двое — тоже смотались?

— Да...

— Отзывчивые у нас граждане, ничего не скажешь... Загнить успеешь, пока почешутся.

— И что ты собираешься делать? — Вопрос был глупым, не менее глупым, чем поведение Никиты в квартире Корабельникoffа.

— А ты?

— Поеду домой, к Инге... Устал...

— Слушай, Кит... Только честно... А у тебя с этой дамочкой... ну того... Ничего не было? Если было — тебе проще сказать об этом сейчас. Мне.

Если у Никиты что-то и было с семейством Корабельникоffых, то скорее с самим Окой Алексеевичем. Нежнейшее черно-белое «Я думаю, это начало большой дружбы». А смерть Мариночки была цветной. Темно-вишневой.

— Нет. Ничего не было...

— А у тех двоих? Что они делали в квартире?

— Понятия не имею... Скорее всего, приехали по вызову...

— По вызову? Оба?

— Ну да... Думаю, Мариночка решила развлечься... Слегка... В день своего рождения...

— Оригинально. И не отпустила телохранительницу?... Ладно, собирайся и двинем...

— Куда?

— Куда? На место, как ты утверждаешь, преступления... Если ты меня не накалываешь... А может, ты меня накалываешь? Решил пошутить, а? — безнадежным голосом спросил Левитас.

— Никуда я не поеду... Мне хватило...

Через секунду жесткие пальцы Митеньки ухватили Никиту за хлипкий ворот.

— Поедешь, куда ты денешься... Я тебе покажу, как безнаказанно поднимать с кровати работника правоохранительных органов!...

ЧАСТЬ ВТОРАЯ
ЛЕНЧИК

Сентябрь 199... года

«...Мы сделали это.

В день рождения Динки, которого больше нет. И Динки больше нет. И меня. Но самое главное, — нет больше Ленчика.

Его нет — и это мы, мы сделали это!

Жаль, что об этом никто и никогда не узнает... Мертвые не могут убивать, говорит Динка, и с этой точки зрения преступление, которые мы совершили, можно считать идеальным. Но мертвые не могут никому и ничего рассказать. Они не могут выпустить книгу воспоминаний «Как мы убивали Ленчика».

Жаль.

Это был бы бестселлер, как сказал бы Ленчик.

Это был бы бестселлер, покруче того, который так и не вышел месяц назад, хотя должен был выйти. Ровно через два месяца после нашей с

Динкой смерти, Ленчик и здесь подсуетился, он всегда был мобилен, как говорит Динка. Он наверняка начал писать свой бестселлер задолго до того, как нас нашли мертвыми. Голыми, мертвыми, обнявшимися — на смятых простынях. В доме у дурацкой дороги из Барсы в Сичес... «ТАИС: история славы и отчаяния», вот как называлась бы книга. Название придумал Ленчик, а сто тысяч ее экземпляров наверняка разлетелись бы за неделю. Пришлось бы печатать дополнительный тираж, Ленчик сам нам об этом говорил. Сам. В свой первый и единственный визит в Барселону, тогда он привез нас сюда, он почему-то вбил себе в голову, что Барса — лучшее место для сломанного позвоночника дуэта «Таис». «Барса кого угодно расшевелит, девчонки, — ворковал Ленчик. — Барса вернет вас к жизни, вот увидите, лучшего города я не знаю»...

Он пробыл с нами пару-тройку дней, а потом вернулся в Питер, оставив нас под присмотром Барсы. Он обещал вернуться недельки через две, но эти чертовы «две недели» растянулись на несколько месяцев. И все эти несколько месяцев он утешал нас по телефону: возможности приехать пока нет, вы же знаете, я пишу книгу о вас... Интерес у издателей колоссальный... А книга вернет вам сцену... Я думаю над новой концепцией «Таис». А концепция вернет вам сцену»... Потом возникли некоторые неприятности с нашими банковскими счетами, и об этом тоже сообщил нам Ленчик: «Вы же знаете это налоговое зверье... Я должен разобраться... Разберусь и приеду... Осталось не так много денег? Подыщите гостиницу подешевле... Это временные трудности, девчонки, временные трудности... Пара недель — и я все улажу». Пара недель давно закончилась, черт...

Но надежда осталась. Во всяком случае — у меня. Разговор о книге всплыл внезапно, когда Ленчик конфисковал у меня дневники периода «Таис». И сказал, что посмотрит их, кое-что исправит, а некоторые куски вообще возьмет без изменений. Они и вправду потянут на дополнительный тираж. Я уже тогда знала это... Я знала это еще до того, как финал бестселлера был дописан. Еще до того, как Динке пришла в голову гениальная идея убить Ленчика, жаль, что об этом не напишешь книгу... Все последние несколько месяцев Динка сидела на транках и запивала их дешевым испанским вином. И даже кололась — опять вперемешку с вином, ее последний парень расстарался. Как же его звали, этого парня? Эйсебио?... Нет, Эйсебио был у нее, когда мы еще жили в четырехзвездочном «Gran Derby». Красавчик Эйсебио, «мой чико»[1], как говорит Динка... Он нравился мне больше всего, настоящий испанец, прямо матадор, только быка не хватает... Потом был Хесус, ну да, во времена трех звезд в «Suizo»... Мануэль и Хавьер, эти отирались в «Cataluna»... А вот последний и посадил Динку на иглу, основательно, уже в гнусном «Del Mar», гнуснейшем... Вонь от порта и зоопарка, рыба вперемешку с шерстью, шерсть вперемешку с рыбой, и наш хреновый номер, где она трахалась с этим придурком.

Пабло-Иманол, придурок.

---

[1] Мальчик (исп.).

По кличке Ангел.

Кололись они на пару, и ничего нельзя было с этим поделать. Оставалось только заливаться дешевым испанским вином...

Я не могла пить это вино, и сейчас не могу. Я — слабая, а Динка — сильная. Я могу только устраивать истерики и вести этот чертов дневник. Четвертый по счету, так же, как и гостиницы, которые мы сменили за последние месяцы. Динка всегда находит мои дневники и безжалостно рвет их. Раньше она относилась к моим запискам снисходительно, до тех пор, пока нас не нашли мертвыми в этом пропахшем собачатиной доме. У дурацкой дороги из Барсы в Сичес.

Дневники — это тоже была идея Ленчика.

«От Динки такой радости требовать не приходится, — говорил Ленчик. — Динка — быдло, тупая как пробка, хотя и не без своеобразного чувства юмора... Она и двух слов не свяжет, разве что с матерной склейкой... А ты — ты совсем другая, Рысенок, тебе сам бог велел. Кто-то же должен вскрыть «Таис» изнутри, пусть это будешь ты. Пусть это будет твоей фишкой... Такой же фишкой, как Динкино хамство... И плевки в сторону этих паскуд журналюг».

Рысенок.

Он называл меня Рысенком, хотя по-настоящему я — Рената. Но он называл меня Рысенком. Это единственное хорошее, что я могу вспомнить о Ленчике. Но из-за того, что он называл меня Рысенком, идея убить его пришла в Динкину голову. Динкину, а не мою. Рысенок, жующий сопли и кропающий слезливые записи в дневник, не способен на убийство. Он не способен вообще ни на что, не то что Динка. Динку Ленчик никак не называл, Динка — и все тут, хотя... «Диночка» — для пресс-конференций, «Дина-солнышко» — для совместных интервью, «Сучка, твое дело под нужным углом ноги расставлять...» — это для фотосессий, сколько же их было за два года, сколько же их было?.. Все обложки — наши, от «Плейбоя» до «Мужского разговора», был и такой журнальчик, отпечатанный в Финляндии, ничего особенного, радость холостяка, но мы и там засветились.

— Ну мы и засветились. Мы с тобой шалавы, Ры-ысенок, — сказала мне Динка после этого паскудного «Мужского разговора». — Шмары, потаскухи... Что там еще? Что нам нашепчет твой Словарь синонимов?..

Словарь синонимов мне тоже подарил Ленчик. Когда ткнул нос в дневник. И еще парочку словарей. Образовывайся, мол, Рысенок, всяко пригодится.

— Потаскухи, шлюхи, кокотки, магдалины, гетеры, дамы полусвета, — исправно начала перечислять я. — Путаны, ночные бабочки, жертвы общественного темперамента...

— Во-во, — Динка тогда чуть с кровати не упала. — Жертвы общественного темперамента! Очень точно. Это как раз про нас с тобой, Ры-ысенок...

«Ры-ысенок» — это у нее получалось ничуть не хуже, чем у Ленчика, вот только — с уничижительным подтекстом, с растянутым дебильным «ы-ы»... Дебильная кличка, и сама ты дебилка, Ренатка... Она первая начала меня ненавидеть, Динка, сначала — она, а потом уже я... Мы бы, наверное, убили друг друга, если бы не умерли в этом доме у дурацкой дороги из Барсы в Сичес. И если бы ей не пришла в голову идея убить Ленчика. Свалить в кучу все наши пять клипов, отснятых за два года, перемешать их и выудить из колоды пиковый туз под названием «идеальное убийство». Опять же — спасибо Ленчику, куда ж мы без него... Он сам отснял все пять клипов, он сам придумывал для них сюжеты. Еще какие сюжеты! Только в первом клипе мы оставались живы, в первом и в четвертом. Во втором погибала Динка, в пятом — я, а в третьем — мы обе... Красивая это была смерть, ничего не скажешь, прыжок со скалы, снежной скалы, растопленной огнем, а сколько Ленчик понагнал техники, а сколько дней мы снимали концовку!... Динка успела переболеть ангиной, я — гриппом, а Ленчик получил воспаление легких... Но что такое воспаление легких по сравнению с тоннами постеров во всех самых модных журналах, с полугодовым первым местом во всех чартах, русским триумфом на VMA, номинацией на «Грэмми», а о приблудных отечественных номинациях — от лучшего клипа до лучшего дуэта и говорить не приходилось...

Неужели все это были мы?

Неужели «Таис» — это были мы?

Жалкие соплячки, которых Ленчик нашел на помойке, отмыл, наштукатурил, укоротил юбчонки, облил водой, чтобы лучше просматривалась грудь, и выпустил в ошалевший мир шоу-бизнеса... Сразу же притихший мир шоу-бизнеса, сразу же... Неужели это были мы, Динка и Ренатка, блондиночка-брюнеточка-какие-нах-нимфеточки!...

150

Одна стриженая, другая — длинноволосая; одна — веселая, другая — грустная; одна — дерзкая, другая — нежная... Одна — другая, одна — другая, никаких Инь и Янь, Инь и Янь — к чертям собачьим, мы, Динка и Ренатка, соплячки, мокрощелки, малолетки — вот сплошная нирвана, вот сплошное совершенство!...

— Заткните пасть, твари живородящие! Заткните пасть и делайте то, что я вам говорю, — орал Ленчик, когда Динка провоцировала бунт на корабле.

Я никогда не провоцировала, я была Рысенком: кусок сахара в пасть, и бери Рысенка голыми руками. Я всегда была на стороне Ленчика, даже за минуту до того, как мы умерли в доме у дурацкой дороги из Барсы в Сичес, даже за секунду. Я-то знала, что Ленчик прав.

Прав, прав.

Дина Агеева и Рената Кибардина, кому мы могли быть интересны сами по себе, без Ленчика и проекта «Таис»? Динка со своей престарелой бабкой и престарелой кошкой, мы даже делали ставки: кто окочурится быстрее, — бабка или кошка... Динка со своей незаконченной музыкальной школой по классу аккордеона и тупым детским ансамблем, где она даже солисткой не была... Или я со своим алкоголиком-папашей, тьфу, гадость... Но я-то была солисткой — в другом ансамбле, не в Динкином, и голос у меня самый настоящий, и волосы — самые настоящие, спелая пшеница, на них-то Ленчик и клюнул... Сначала — на мои длинные и светлые, а потом — на Динкины, короткие и беспробудно-черные... Лучше не придумаешь, ха-ха...

На кастинге мы оказались рядом — я и Динка, почти рядом, но я не обратила на нее никакого внимания. Так же, как и она на меня. Поначалу. Да и с какой радости — на кастинге тусовалось около пяти сотен взмокших и трясущихся девчонок; таких же, как и мы, — с бабками, кошками, мамиками и папиками, с музыкальными школами и прочей фигней, включая внешние данные. Там было с три десятка по-настоящему клевых чувих, просто красавиц, ей-богу... Из-за этих трех десятков я чуть было не ушла, ловить-то было нечего, коню понятно. И ушла бы, если бы какая-то телка не попросила у меня сигарету. Телкой впоследствии и оказалась Динка, но тогда я не знала, что это — Динка. Мы просто покурили в туалете задрипанного клубешника, где проходил кастинг. Покурили и перебросились парой ничего не значащих фраз. Но все-таки перебросились, ничто так не сближает, как сигареты, выкуренные в вонючем клозете...

— Есть у меня шансы, как думаешь? — спросила я у Динки, еще не зная, что это — Динка.

— И не мечтай, — сказала Динка, еще не зная, что это — я.

— Да я и сама в курсе дела, — я привыкла со всеми соглашаться, со всеми и во всем. Привычка, выработанная моим очумевшим от водки папашкой. Попробуй, не согласись, сразу получишь по рогам...

— А если в курсе дела — какого хрена приперлась? — сразу же схамила Динка, куря мою же сигарету, вот сука...

— А ты?

— Да просто делать неча... Приколоться решила.

— Я тоже — решила...

— Юмористка... Тебе сколько лет, юмористка?

— Почти шестнадцать, — шестнадцать мне должно было исполниться через три месяца. — А тебе?

Динка пропустила мой вопрос мимо ушей, потом она часто пропускала мои вопросы мимо ушей... Да и ответы — тоже.

— Значит, почти шестнадцать, — она глубоко затянулась и выпустила изо рта кольцо дыма идеальной формы. Идеальной — я даже засмотрелась. — А знаешь, что с тобой будет лет через десять?

Меня совсем не интересовало, что случится со мной через десять лет, но сказать об этом наглой остроскулой девчонке я почему-то не решилась.

— И что же со мной будет через десять лет?

— Отрастишь задницу еще больше и будешь похожа на жирную свинью, — с оттягом произнесла Динка. — И кто тебе только присоветовал сюда припереться?

Сука. Я бы заплакала, честное слово, заплакала, если бы пропускала тренировки со своим гнусным папахеном. Вот кто любил меня пооскорблять, так это папашка — уж он-то старался вовсю. Но тренировок я не пропускала и потому никак не отреагировала на злобный Динкин выпад. Не отреагировала — и все. И даже не покраснела возмущенно.

— По телевизору рекламу увидела, — кротко сказала я. — По кабельному каналу... Продюсерский центр «Колесо»... «Стань звездой»... И прочая ботва...

— Меньше телевизор смотреть надо...

Она затушила сигарету о подоконник, бросила окурок на пол и потащилась к двери. Если бы у меня было что-то тяжелое в руках, я бы обязательно запустила ей в спину... Бронзовой статуэткой «Гвардейская присяга», которая стояла у нас на шкафу в большой комнате... Но спустя секунду я вспомнила, что статуэтку папаша пропил. Так что — руки коротки. Руки коротки, а злобиться на девчонку бессмысленно. Все мы здесь — конкуренты, и понять ее можно. Хотя — какая я конкурентка трем десяткам офигительных девчонок...

Никакая.

Но оказалось, что это они — никакие.

Они — никакие. А я — крутая и прекрасная, светловолосая, сероглазая, одна из двух счастливиц, одна из двух! А всего-то и нужно было, что спеть три песнюшки — по куплету из каждой, подвигаться в такт поспешной и хрипящей фанере и ответить на пару ничего не значащих вопросов: так, ничего особенного, довесок к наспех сварганенному резюме...

Вопросы задавал парнишка лет восемнадцати, как потом оказалось — директор группы, Алекс Мостовой. Но плевать мне было на какого-то хмыря в вытянутом свитере, он был совсем не главным, я поняла это сразу, хотя и туго соображала от страха.

Главным был другой.

Леонид Леонидович Павловский. Продюсер.

Ленчик.

Я почти не помню свое первое впечатление от Ленчика, если не считать первым впечатлением надсадную боль в позвоночнике. Вот уж кто испугался Ленчика — так это мой позвоночник! Просто потому, что сразу почувствовал: сломать его Ленчику ничего не стоит, он это двумя пальцами сделает, хрустнет, как хрустят раздавленной сигаретой, — и все. Прости-прощай, Ренаточка...

Так все и случилось.

Но потом, потом, много позже.

А тогда...

Тогда он был рассеян, рассеянно-ласков: позабытая на лице недельная щетина, разбрызганные по лбу пряди волос, ленивая улыбка, ленивые глаза... И такой же вытянутый свитер, как и у хмыря-директора. Даже хуже — под воротом у него красовалась спущенная петля, эта петля все время лезла мне в глаза и вроде как подмигивала: мол, не тушуйся, девка, не так страшен черт, как его малютки, и никто тебя здесь жрать не собирается, время серых волков и красных шапочек прошло, шапочки оптом проданы фанам «Спартака», как раз из волчатины — мясом наружу... И все клыки удалены — от греха подальше. У него и ботинки были стоптаны, у Ленчика, стоптаны и не начищены, но ботинки я увидела не сразу, а через три дня, когда мы с Динкой стали дуэтом «Таис».

За эти три дня я успела получить двойку от дуры-химички, фингал под глаз от своего драгоценного папаши и записку от Стана: «Как насчет того, чтобы потрахаться после уроков ☺☺☺»? Стан не давал мне прохода весь последний месяц, а все из-за нашего похода в клубец. Народу тогда собралось прилично, как раз для того, чтобы колбаситься до самого утра. Мы со Станом замыкали общий строй, никто нас особенно не звал, двух чмошников. Да мне, в общем, было наплевать — я-то шла оттянуться и пивка попить. Попила, ничего не скажешь! Так набралась, что себя не помнила, а тут и Стан подвалил со своим слюнявым ртом и потнючими ладонями. До меня он исправно клеился ко всем девчонкам в классе и исправно получал отлуп. Никому и в голову бы не пришло замутить с ним что-нибудь, похожее на роман. Мне бы тоже не пришло, не налейся я пивом. Налилась.

А тут и Стан нарисовался, зажал меня в укромном углу и полез целоваться.

Не то чтобы я сразу протрезвела от его мокрого поцелуя, просто я совсем другим его себе представляла — свой первый поцелуй.

— Да ты совсем сосаться не умеешь, Ренатка! — сказал Стан после трехминутного бесперспективного ползания по моим губам.

— Отвянь, — сил на препирательства у меня не было совсем. — Пусть с тобой северный олень сосется, а я уж как-нибудь перетопчусь...

— Хочешь научу? И еще многим всяким фишкам...

Кажется, он полез мне в штаны, и, кажется, именно в этот момент я заснула. Дура. Может быть — на минуту, может — и подольше. Потом вроде бы проснулась — Стан по-прежнему возился с моими штанами. Все дальнейшее я помнила смутно. Как мы выползли с ним на улицу, как я цеплялась за него, чтобы не упасть в апрельскую грязь, и как я блевала в каком-то дворе. И как он терпеливо ждал, когда я проблююсь.

Стан проводил меня до дома, и уже в подъезде снова начал приставать.

— Я поступил по-джентльменски, не оставил леди одну... И теперь, как честный человек, ты должна мне дать, — сказал он. — Это будет благородно.

— Что именно? — спросила я. — Что именно я должна тебе дать?

— То самое, — хихикнул Стан. — Соображай. Взрослая ведь девочка.

— Пошел ты на хрен, козел, — беззлобно сказала я.

А он беззлобно улыбнулся. И жидкие волосики над его верхней губой беззлобно улыбнулись. И пара фурункулов на щеках.

— Ты мне нравишься, Ренатка, — сказал он. — Хочешь буду твоим парнем?

— Еще чего...

— А ты подумай... Не так уж я плох, дарлинг...

— Не хочу я ни о чем думать.

— А зря. Я вот люблю подумать, знаешь ли... Ну, например, о том, что у тебя даже подружек нет. И ты одна все время. Пустяк, конечно, но приятного мало...

— Не твое собачье дело...

— Не мое, конечно, — легко согласился Стан. — Я просто переживаю, дарлинг... Ты вроде не уродка, симпатичная даже...

И где он только откопал это тупое пронафталиненное «дарлинг»?... Если бы мне не было так плохо, я обязательно врезала бы ему по морде. А еще лучше — по яйцам... Тоже мне, Стан. На самом деле — самый обыкновенный Станислав По-

157

ловцев, пустое место, нуль, без году неделя в нашем классе. Но в общем он прав — подружек у меня и вправду нет. Хотя я от этого не страдаю. А раньше вообще не страдала — раньше, когда у меня был ансамбль. Там друзей было — завались, это сейчас временное затишье. Да и плевать. Плевать.

— Сама знаю, что симпатичная. А на тебя мне плевать. Плевать.

— Вообще-то слюну нужно экономить.

— Да я удавлюсь, если у меня такой парень будет...

— Не удавишься... Привыкнешь.

Привыкать я не стала, была охота, лучше помереть всеми презираемой девственницей, лучше совсем остаться одной, чем шастать с подобным ублюдком. Но Стан не отставал, он явно решил меня дожать. Пару раз даже приносил билеты в киношку, которые я благополучно рвала у него на глазах. А после безвременно погибших билетов наступил сезон записок. Что он мне только не писал! «Как насчет того, чтобы потрахаться после уроков?» — этот текст был самым безобидным. Из всех.

Последняя записка именно с этого и начиналась. Но пробить меня таким пошлым образом еще не удавалось никому, папашкина школа, чтоб ему поскорее от водяры сгореть! Каллиграфическим почерком я вывела на Становой записке: «Как насчет того, чтобы тебе пойти... сам знаешь куда». И отправила ее обратно. Ответ пришел через три минуты.

«Предлагаю обсудить мою экспедицию... сама знаешь куда... по телефону. Я позвоню, дарлинг».

Стан и вправду позвонил. Как раз в тот момент, когда папаша ставил мне фингал за непомытую посуду. Из чего можно было сделать вывод, что выжрал он две бутылки водки, никак не меньше. Если бы ограничился одной — таких санкций не последовало бы.

По пьяни он терпеть не мог бардак на кухне и переполненную раковину, мой папашка. И терпеть не мог, когда звонили мне. Хоть и звонили мне редко, чего уж там... Пока я сидела возле холодильника, держась за вспухший глаз, папашка в коридоре живо реагировал на звонок. А точнее — бросил в трубку матерное ругательство, которое обычно сопровождало мое имя.

Ну все... Суши весла. Сейчас начнется.

— Удавлю, — мертвым голосом сказал папахен, появляясь на кухне. — Шестнадцати нет, а всякие говнюки звонят. Шлюха ты бесстыжая, совсем как твоя мать... Прошмандовка!

— Пап, пожалуйста, — захныкала я.

— Удавлю...

Лучше молчать, уж я хорошо знаю своего папашку, если начать препираться и доказывать, что ты не верблюд, — второго фингала не избежать. Лучше ныть и со всем соглашаться.

— Ну, говори! Шлюха, да? С подонками таскаешься...

— Пап...

— Тебя удавлю, а подонку твоему яйца оторву и в пасть затолкаю...

— Да ради бога! — это вырвалось у меня совершенно непроизвольно. Так он меня достал, чертов Стан.

— Смотри у меня... Шлюха...

Папашка сунул мне под нос кулак, так, для острастки. Он и сам понимал, пьяная скотина, что два фингала — это уже перебор. Это уже — кобра, очковая змея... А очковая змея и цапнуть может, с нее станется...

После акции устрашения он наконец-то выполз из кухни.

А я перевела дух. Сейчас папашка завалится спать, так что часов шесть-семь спокойных у меня будет. Хоть телек посмотрю.

Но телек смотреть я не стала. А стала смотреть фотки. Их было не так много, фоток, и сложены они были в целлофановый пакет, который я прятала на самом дне корзины с грязным бельем, под куском старого паласа: если папашка когда-нибудь найдет пакет — отметелит по первое число...

А все из-за мамы.

Из-за трех ее несчастных снимков. Вернее, не несчастных, а счастливых. Выцветших, потрескавшихся, с надорванными углами, — и все равно счастливых. Мама была веселой, и даже папахена пригрела на одном из них. Папахен, нужно отдать ему должное, вовсе не выглядел козлом, наоборот, тихо просветленно улыбался, и физия у него еще не была опухшей от водяры. Милягой был мой папахен два десятка лет назад, ничего не скажешь: глаза человеческие, без мешков, без тусклого блеска. И никаких морщин, и никаких свалявшихся полупегих волосенок... Я вдруг подумала, что юный Витек Кибардин — а именно так звали моего комсюка-папашку двадцать лет назад — чем-то неуловимо похож на Стана.

Вот фигня-то!

Пока я размышляла, снова раздался телефонный звонок. Задрыга Стан, не иначе, что ж ему неймется, задрыге, даже папашкина матерная отповедь не отрезвила... И не хватало еще, чтобы папашка подскочил из-за этих дурацких звонков... Я выскочила в коридор и схватила трубку — только из соображений личной безопасности, не из-за чего другого.

— Ренату будьте любезны, — голос у Стана был полузадушенным, видать, папахен все-таки допек его. Настолько, что он решил прикинуться вежливым простачком, задрыга.

— Опять ты! Ну сказано тебе было... Какого черта...

На том конце повисла напряженная озадаченная тишина, разродившаяся в конечном итоге совсем уж неожиданной фразой:

— Вообще-то я первый раз... звоню. Я могу переговорить с Ренатой Викторовной Кибардиной?

Теперь озадачилась я. Или Стан решил так изысканно пошутить, или...

Или это не Стан.

— Так я могу переговорить с Ренатой? — Голос вцепился в меня, как репей в собачью задницу. Черт, тут и не захочешь, а откликнешься. На «Ренату Викторовну»...

— Ну, я... Рената Викторовна.

— Очень хорошо, — сразу оживилась трубка, хотя ничего особенно хорошего в моем ответе не было.

— Вы полагаете? — съязвила я.

— Вы тоже будете так полагать, если я скажу, что вам звонит директор проекта «Таис».

— И что?

— Меня зовут Александр Мостовой.

— И что?

— Завтра, в одиннадцать утра, вы должны быть в клубе, в котором проходило прослушивание. Комната 34. Адрес помните?

— Адрес?...

— Просьба не опаздывать...

Черт... Фингальные неприятности с папахеном отразились на мозгах, коню понятно... Директор... Проект «Таис»... Прослушивание... Черт, черт, черт... Прослушивание три дня назад, похабный пролетарский клубец, набитый девочками... Прямая спина сучки-брюнетки, с которой я курила в таком же похабном пролетарском сортире... «Есть у меня шансы, как думаешь»? «И не мечтай...» И не мечтай, и не мечтай... А никто и не мечтает! Забила я на это дурацкое прослушивание... Забила!

— Пошел ты! — гаркнула я коротким гудкам в трубке.

Интересно, за каким хреном кому-то понадобилось меня разыгрывать? Юмористы, блин... Хотя... Ведь никто же не знает, что у меня была левая ходка на этот чертов кастинг. Никто. Ни одна живая душа. Никто не знает, тогда откуда этот звонок?

Александр Мостовой, директор проекта, и голос такой серьезный. Без всяких подвохов и без подводных камней, о которые и череп легко раскроить. Особенно таким круглым дурам, как я... Да ладно, все эти кретинские розыгрыши именно так и проворачивают — серьезными официальными голосами. А потом кладут трубку и валятся на диван от смеха...

Пойду я, как же, держи карман шире...

...Я оказалась у клуба ровно без двадцати одиннадцать. После тупейшей бессонной ночи с любимой маминой фоткой в обнимку: на фотке мама ела арбуз и улыбалась сладкими, в косточках, губами... Почему бы и не пойти, уговаривала я себя, всего-то и нужно, что потратиться на метро, троллейбус и маршрутку, всего-то и нужно. Корона с головы не упадет, заодно и подтвердится мой собственный железобетонный тезис о том, что я идиотка. Сопливая доверчивая идиотка. Вот только фингал... Фингал, нужно признать, портит всю картину, но и с ним, в конечном счете, можно договориться, замазать тональным кремом, например. Тонак, пудра и солнцезащитные очки — всего делов. Солнцезащитные очки, правда, оказались не совсем к месту, с самого утра беспробудно лил дождь. И не было никакого намека на солнце.

И зонта у меня тоже не было.

Не потому, что я забыла его дома, а потому, что просто не переношу зонты. Терпеть не могу, ненавижу лютой ненавистью. Больше зонтов я ненавижу только своего урода-папахена, что само по себе показатель.

В любом случае в клуб я приперлась вымокшей до нитки. Уговорив себя, что солнцезащитные очки в дождь — это гораздо больше, чем просто солнцезащитные очки.

Это — стиль.

И только сейчас, как стильная деффчонка, обратила внимание на название клуба: «ДК ДЕВЯ-

ТОЙ ПЯТИЛЕТКИ». Вот хрень, какая-то Девятая пятилетка, лучшего места для дешевых наколок и не придумаешь... А в том, что это наколка, я убедилась, когда увидела у входа брюнетистую сучку — ту самую, которая так нелестно отозвалась обо мне в прилагающемся к клубу сортире. Сучка, как и положено, была под зонтом и к тому же не одна, а с парнем. Именно парень держал зонт над ее головой и — соответствовал. То есть был похож на всех перцев всех брюнетистых сучек: высокий, темноволосый, с тупым разворотом тупых плечей. Качок, из тех, у кого мускулы заразой расползаются по всему телу, даже на лице приживаются.

Парень произвел на меня удручающее впечатление, которое быстро сменилось острым приступом зависти к подсуетившейся сучке. Он, естественно, был группой поддержки, таких заводят для экстерьера, как говорит мой папахен в минуты просветления. Вот только что они оба делают здесь, у клубешника? Или пришли за тем же, что и я?...

В любом случае, вход они заняли капитально, ничего не остается, как приблизиться к ним. И даже завести разговор, а там — как пойдет...

Это я и сделала. Приблизилась к идеальной паре дебилов с самой невинной и самой приветливой улыбкой на лице.

— Привет, — сказала я надменной брюнеточке. — Узнаешь?

На то, чтобы повернуть свой коротко постриженный качан в мою сторону, у нее ушло не меньше минуты. Еще минута понадобилась на старательное узнавание. Слишком старательное, презрительно старательное, так пытаются признать в разбитой параличом облысевшей болонке когда-то веселого щеночка.

— Мы знакомы? — наконец-то процедила брюнетка, ухватившись за руку своего парня.

— В сортире вместе околачивались. Три дня назад. Не помнишь разве?

— В сортире? — Боевая раскраска на ее лице сморщилась и стянулась к носу.

Допекла-таки, ай да Ренатка!

— Перед кастингом... — как ни в чем не бывало добавила я.

— Не помню что-то... А ты зачем здесь?

— Комната 34, — я пропела это веселым голосом, на мотивчик начальных тактов замшелой песенки какого-то престарелого диско-папика из Европы, «Moonlight and Vodka». — Тебе не туда?

Дорого бы я отдала, чтобы в руках у меня сейчас оказался фотик! Исказившуюся физиономию брюнетистой сучки просто необходимо было увековечить!...

— Ты? — выдохнула она.

— Комната 34, одиннадцать часов, просьба не опаздывать... — продолжала добивать я лежачую. И так развеселилась в тот момент, что даже пожалела, что не взяла с собой Стана.

Исключительно для того, чтобы не переживать минуту моего триумфа в одиночестве.

— Ты? И ты тоже? — Она все никак не могла успокоиться.

— Ага. Я. Та самая, которая через десять лет будет похожа на жирную свинью, — черт, я, оказывается, не забыла, что именно она лепила мне в туалете. Совсем не забыла!...

— Нет, ну я так и знала! — обломив зубы на моей непроницаемости, неуязвимости и отличной вероломной памяти, она обратилась к своему качку. — Это просто наколка! Причем самая гнусная... Кто из твоих дружков мог так пошутить? Соображай!... Попались на удочку... Да еще с этой лохушкой на пару!

Но с соображалкой у перца было туго. Он наморщил лоб, поиграл бровями и наконец-то выдоил из себя целую связку тупых междометий:

— Дин... Э-э... Ну не говори фигни... М-м-м... Ну кто бы стал так тебя разыгрывать, подумай! У-у-уф-ф-ф... Не мои друзья уж точно, ты знаешь...

Ага. Дина. Ее зовут Дина. Ясненько!

— Меня радует только одно, — Динке были вовсе не нужны причитания парня, достать меня — вот ее главная задача. — Меня радует, что мы не одни такие идиоты. Эту овцу тоже развели!

Вот именно, вот именно! Овцу. Развели. Вернее — двух овец. Белую и черную. В любом случае, копыта с себя срывать не стоит, нужно просто отнестись к ситуации со здоровым юмором.

— Ну, вы как хотите. А я пошла...

Отодвинув плечом притихшую парочку, я нырнула под сумрачные своды Дома культуры.

...Комнату 34 я обнаружила на втором этаже. Под щербатой, основательно подпорченной временем табличкой с номером висела еще одна — свеженькая и отксерокопированная: «ТАИС». Особой уверенности мне это не придало, особенно после того, как приложив ухо к двери, я услыша-

166

ла чьи-то приглушенные голоса. Голосов было никак не меньше трех, все — мужские. Именно — мужские, мало подходящие для розыгрыша.

Пока я, поджав хвост, раздумывала, в самом конце коридора послышались шаги. Все ясно, сучка-Динка и ее перец не выдержали и тоже решили заглянуть в лицо отксерокопированной «Таис».

Ладно. Была не была.

Тем более что от вчерашнего телефонного Александра Мостового поступила настоятельная просьба «не опаздывать».

Я постучала и, не дожидаясь ответа, толкнула дверь.

* * *

...Комнатенка оказалась небольшой, два стола, два кресла, несколько стульев, составленных в ряд у стены, раздолбанное пианино «Красный октябрь» и кожаный диван. На диване сидели уже виденный мной юный хмырь в вытянутом свитере и еще один хмырь постарше, при галстуке, костюме и очках с диоптриями. А в кресле расположилась блеклая телка с чумовым пирсингом на лице. Я прямо впилась глазами в этот проклятый пирсинг: две серьги в правом подобии брови, одна — в левом, проколотая губа и маленький камешек в ноздре. Впечатляет, ничего не скажешь. Себе, что ли, сделать?... Ну да... Сделать, а потом ждать, когда папахен вырвет эдакую красотищу вместе с ноздрями, губами и надбровными дугами.

Я так увлеклась телкой, что поначалу даже не обратила внимания на Главного, сидящего за столом. Того самого, которого так испугался на прослушивании мой несчастный позвоночник.

— Рената? — сказал Главный.

Глубоким, хорошо поставленным голосом, больше похожим на силок для доверчивых овец, черных и белых. Вот ты и попалась, Рената Викторовна, вот ты и попалась...

— Типа да. Рената, — глупо хихикнула я.

— Очень хорошо... Прох...

Закончить он не успел: дверь за моей спиной тихонько скрипнула, и в затылок мне задышала брюнетистая сучка. И взгляд Главного плавно переместился на нее.

— А это типа Дина? — спросил Главный.

— Типа... — голос у сучки заметно сел.

— Ну что ж... Проходите, садитесь. Вот сюда...

Подбородок Главного резко пошел в сторону и уперся в стулья у стены. Стулья сразу же показались мне электрическими, а стена — расстрельной, ну да выбирать не приходится. Я уселась первой, Дина последовала моему примеру: так мы и сидели через два стула, даже не глядя друг на друга. Зато вся местная четверка принялась с жадностью нас рассматривать. Нагло и цинично, как девок на панели, — как сказал бы мой папахен в минуты просветления.

— Ну как вам девчонки? — спросил Главный у своей свиты.

— Н-да, — первыми отозвались диоптрии. — То, что называется случайным выбором... Не знаю, Ленчик... Тебе виднее...

— Вот именно, — Главный по имени Ленчик раздул ноздри. — Мне виднее — это раз. И два —

в этой жизни можно доверять только случайностям... Виксан?

Серьги у пирсинговой телки отреагировали на нас по-разному: три в бровях — поползли вверх, одна на губе — опустилась вниз. И только камешек в ноздре занял нейтральную позицию.

— Одна — блондинка, другая — брюнетка, одна — стриженая, другая — с длинными волосами. Идея понятна, Ленчик, только уж очень она прямолинейная... А проект... Мы ведь говорили с тобой... Индивидуальность — вот что главное... А здесь индивидуальностями и не пахнет... Во всяком случае, на мой просвещенный взгляд...

— Да пошла ты, — неожиданно сказала Динка, недобро уставившись на блеклую телушку. — Кто б гнал... Я себе еще больше могу сережек напихать... Даже в те места, куда тебе вход запрещен... И индивидуальностью от меня будет нести, как от помойки... Блин...

Угумс... А сучке, оказывается, палец в рот не клади! Я с симпатией скосила глаза на Динку — впервые, нужно признаться.

— Ну, Ленчик, я лучше промолчу, — выдавила из себя бледная спирохета Виксан, явно не ожидавшая такой прыти от малолетней овцы. — Твое решение...

Ленчик рассмеялся, показав не первой свежести зубы.

— Значит, говоришь, нет индивидуальности? А, по-моему, она через край переливается. Как, Дина Константиновна, согласны?

— Ясен хрен, — поняв, что Главный взял ее под крыло, Динка сразу же воспряла духом.

Что ж, теперь ход за мной. Динка отличилась, теперь моя очередь продемонстрировать яркую индивидуальность. Одним пальцем прижав очки к переносице, я произнесла:

— Может быть, нам раздеться? Чтоб вы, так сказать, оценили товар по достоинству?

Ленчик крякнул:

— Еще успеете, Рената Викторовна. А вот очки снять не мешало бы...

Фингал под глазом сразу же заворочался и напомнил о себе легким покалыванием. Вот хрень! Можно, конечно, схамить в стиле Динки, что-то типа «глаза бы мои на вас не смотрели, деятели», но это уже чересчур. Качать права, даже не выяснив, по какому поводу проходит заседание... Нет, на такой подвиг я не способна.

— Мне не мешают, — я была сама кротость. Хотя и железобетонная.

— И все-таки — снимите. Очень хочется заглянуть в ваши глаза... Или это стиль?

— Вот именно. Стиль, — я была почти благодарна неведомому мне Ленчику за подсказку.

А он... Он встал со своего места, прошелся по комнате и присел передо мной на корточки. И долго смотрел на меня. Снизу вверх. Так долго, что у меня загорелся подбородок от смущения...

— Значит, стиль? — полушепотом произнес он.

— Угу...

Впервые я увидела его так близко. От нечесаной свалявшейся макушки до кончиков ботинок, никогда не знавших обувной щетки. Да черт с ними, с ботинками. Главным в Ленчике было лицо. Вернее, наспех сколоченное подобие лица, где разные его части принадлежали разным людям, как на картинках, которые дешевые метрошные журнальчики помещают в самом конце, в рубрике «Игротека» — «Угадай, кто на портрете»... Нежный, с боем отобранный у зазевавшейся фотомодели рот шептал мне: «Все хорошо, девочка, все будет хорошо... просто доверься мне, — и все будет хорошо...» Заросший слабой застенчивой щетиной подбородок подмигивал: «Мы таких дел наваяем, ди-ивчонка, мало не покажется!..» И только в глазах... Только в глазах я прочла прямую и явную угрозу: «Шаг влево, шаг вправо — расстрел. Будешь выкобениваться — в бараний рог сверну, жалкое ничтожество!..»

— Значит, стиль? — еще раз повторил он.

— Угу, — кивнула я, парализованная стылыми, замершими плавниками его зрачков.

— Так вот, заруби себе на носу, соплячка. Это — дерьмо, а не стиль. Поллюции прыщавого подростка. А что такое стиль — ты скоро узнаешь. Обещаю. Уяснила?

— Уяснила...

Неужели это мой собственный голос? Раздавленный, едва слышный... Даже моему родному алкашу-папахену еще ни разу не удавалось так его опустить, хотя фингалов за последние пять лет он мне понаставил предостаточно.

— Тебя это тоже касается, — Ленчик повернулся к притихшей Динке. — Не думайте, что вы здесь — центровые. Вы — никто. И звать никак. Дерьмо дерьма.

— Сами вы... — начала было Динка, но приподнявшаяся бровь Ленчика сразу же привела ее в чувство.

В комнате повисла нехорошая тишина, которую расколото нервное покашливание хмыря в свитере.

— Да ладно тебе, Ленчик. Совсем девчонок напугал...

— А разве я напугал? — Ленчик оперативно нацепил на физиономию самую добродушную улыбку. Она шла ему примерно так же, как моему вечно бухому папахену — смокинг с орденом Почетного Легиона в петлице. — Никого я не пугал. Девчонки — золото. Думаю, мы поладим. Ладно... Мы сейчас идем обедать в какой-нибудь ресторанчик... Вы как, не против?

Он обвел нас взглядом. Я была не против и с готовностью кивнула, вот только Динка закусила нижнюю губу.

— Видите ли... Э-э...

— Леонид Леонидович, — мягко подсказал хмырь в свитере.

— Видите ли, Леонид Леонидович... Я не одна... Там мой парень... За дверью... Может быть...

— За дверью? — Ленчик несказанно оживился. — Думаю, лучше ему там и оставаться. За дверью. С сегодняшнего дня.

— То есть как это? — не поняла Динка.

— А вот так. Впрочем, это мы сейчас обсудим. Ну, поехали, девчонки!..

...Ресторанчик назывался «Офсайд», вернее, не ресторанчик даже — тухлая кафешка, последнее прибежище тупоголовых футбольных фанатов с бутсами вместо мозгов. Впрочем, фанатов в это время дня не просматривалось, и майки с номерами, флаги и вымпелы, развешанные по всему кафе, откровенно скучали. Заскучал и одинокий официант, как только Ленчик сделал свой хилый заказ: два вторых с сакраментальным названием «Баттистута» (узкогрудый шницель с картошкой фри), два апельсиновых сока и бутылка дешевого молдавского вина «Фетяска».

Ленчик всучил нам по соку, а себе налил вина, ничего другого и ожидать не приходилось от такого плохо выбритого хамоватого козла.

Он поднял бокал и посмотрел на нас сквозь мутное, заплеванное бесцветным вином, стекло.

— Ну, за вас, девчонки! — преувеличенно бодрым голосом сказал он. — За дуэт «Таис».

— Дуэт? — Динка едва не подавилась апельсиновым соком. — Вы хотите сказать, что я и она — дуэт?

— Хочу, — Ленчик улыбнулся. — Именно это я и хочу сказать... А тебя что-то не устраивает?

— Да нет... Но...

— С сегодняшнего дня ты должна забыть слово «нет», соплячка. С сегодняшнего дня ты должна говорить только «да». И если я скажу тебе раздвинуть ноги прямо на сцене, ты тоже скажешь мне «да».

Динка отставила сок и вцепилась в край стола. Еще секунда, и она вылетит из кафе как пробка, к гадалке не ходи.

— Хочешь уйти? — ласково поинтересовался Ленчик. — Так и не узнав, что тебя ждет в будущем?

Черт, он знал, чем бить, этот козел!

— И что же ждет меня в будущем?

Вот оно как, Динка была самой обыкновенной

любопытной девчонкой. Я тоже была любопытной девчонкой, и мне тоже хотелось узнать, что ждет меня в будущем. Кроме разъевшейся жирной задницы и всех вытекающих из этого последствий.

— В будущем... И очень скором будущем... Тебя ждет слава, соплячка. Такая, которая не снилась никому в нашем доморощенном шоу-бизнесе... Слава, деньги, независимость...

— А вилла на Канарах меня не ждет? — схохмила Динка.

— И даже на Гавайях. И даже на Голливудском холме. Мне продолжать или пойдешь к черту?

И все-таки она не хотела ломаться, Динка.

— Значит, на Голливудском холме... Я буду сидеть на Голливудском холме и курить сигареты «North Star»...

Вот хрень, не в бровь, а в глаз! Я только сейчас обратила внимание на пачку, которую сумасшедший Ленчик скромно выложил на край стола, рядом с одноразовой китайской зажигалкой активного ярко-зеленого цвета. «North Star», хуже могут быть только папиросы «Беломорканал»... Даже мой гнуснец-папахен до таких не опускался, потягивал вполне пристойную «Яву».

— Могли б что-нибудь другое курить, Леонид Леонидович... — продолжала наседать Динка. — «Парламент» бы купили для представительских целей. Если уж мы о славе говорим.

— Для представительских целей у меня теперь есть вы, соплячки... Впрочем, «Парламент» у меня тоже есть, — Ленчик засмеялся неожиданно низким завораживающим смехом и вынул из кармана джинсов полусмятую пачку «Парламента». — Но тратить его на вас... Увольте... Так мне продолжить?

— Валяйте... — Динка жестом фокусника вытащила откуда-то из-за спины лишь слегка распатроненную пачку «Davidoff» и ловко выбила сигарету.

Первый раунд в пользу несломленной сучки, приходится признать. Но вот второй раунд Динка проиграла вчистую, когда воткнула сигарету в зубы и призывно посмотрела на Ленчика: мол, не сиди камнем, козел, подкури даме. Подкуривать Ленчик отказался, демонстративно не заметив сигареты.

— Вынь гадость изо рта, идиотка, — интимным голосом сказал он. — Курить ты не будешь. В ближайшие пару месяцев уж точно. А сейчас отдай сигареты дяде. Товар конфисковывается в пользу продюсера проекта «Таис» Леонида Павловского...

— Проекта... Ну-ну... — не удержалась Динка, глядя, как «Davidoff» уплывает в загребущие руки Ленчика.

— Вот именно — проекта. Это будет самый успешный проект в истории отечественного шоу-бизнеса, я вам обещаю. Но сначала поговорим о вас. Вы ведь и есть проект.

— И что за проект? — я наконец-то получила возможность вставить свое, дребезжащее острым любопытством, слово.

— Дуэт «Таис». Как вам название?

Динка пожала плечами: очевидно название нисколько ее не грело.

— Знаете, почему я выбрал вас, соплячки?

— Почему? — опять не удержалась я.

— Не потому, что у вас какие-то сумасшедшие по силе голоса... Голоса у вас так себе, будем смотреть правде в глаза. И на Монтсеррат Кабалье вы не потянете даже в самых радужных мечтах. Таких голосов — девять на десяток. И сами по себе вы ровным счетом ничего не представляете. Малолетки, каких миллионы. И на вашем месте могли быть любые другие малолетки, от этого ровным счетом ничего бы не изменилось.

— Ну и? — Динка и правда за словом в карман не лезла. — Почему же здесь сидим мы, а не кто-то другой?

— Потому что вы потрясающе смотритесь вместе, — просто сказал Ленчик. — Уж поверьте мне, парню, которого выгнали с третьего курса психфака.

— За профнепригодность? — ай да Динка, сама невинность, надо же!

— Да нет... Совсем напротив, — ушел от ответа Ленчик. — Но дело не в этом. Вы идеальны, если собрать вас вместе. А каждая по отдельности — чмошница из чмошниц. Так что лучше вам держаться вместе, голубки, и тогда вы произведете впечатление...

— И на кого же мы произведем впечатление?

— На то быдло, которое притаранит свои денежки в кассу. А уж это быдло мы обнесем по полной программе, я вам обещаю. Как видите, я с вами предельно откровенен...

— К чему бы это? — Динке понравилось издеваться над Ленчиком, коню понятно.

Но Ленчик был непрост, совсем непрост. Это стало ясно, как только фотомодельные губы продюсера увяли, как лепестки чайной розы, а глаза засветились недобрым волчьим огнем. Он перегнулся через стол и ухватил Динку за подбородок.

— А к тому, что ты сегодня же подпишешь контракт. И я сделаю тебя знаменитой...

Динка даже не пыталась вырваться. Бедняга. Не хотела бы я оказаться на ее месте.

— Я сделаю тебя знаменитой. Нет, ты, конечно, можешь отказаться. И вернуться к своей бабке. И к своему парню, и получать свои тройки, а потом поступить в педагогический, на начальные классы, потому что на большее у тебя не хватит клепки...

Не выпуская из пальцев Динкин подбородок, Ленчик повернул змеиную голову ко мне.

— Ты тоже можешь уйти. К папашке-алконавту... У тебя ведь только он за душой, а? Я прав?

Вот хрень! За три дня он успел собрать о нас кое-какую информацию... Да что там — кое-какую! Он знал, чем бить, урод!...

— Вообще-то я уходить не собиралась, — промямлила я.

— Если уйдет она, уйдешь и ты, — заверил меня Ленчик. — По отдельности вы меня не интересуете. И никого не заинтересуете... Вы нужны мне вместе. Или обе — или ни одной.

— Я остаюсь, — быстро сказала Динка. — Отпустите...

— Так-то лучше...

Ленчик наконец-то оставил в покое Динку, откинулся на стуле и нагло закурил конфискованный «Davidoff».

— А что это за типы там сидели? С вами? — спросила я. — Ну там, в клубе...

— Моя команда. Талантливые ребята. С Алексом вы уже знакомы, я думаю. Вика — поэтесса, и очень неплохая. Она же будет отвечать за пиар...

— За пиар... Ну вы даете... — встряла Динка. — А очкастый?

— На этого очкастого тебе молиться надо... Композитор от бога, аранжировщик от бога, клепает только хиты...

— Его, случайно, не Крутой фамилия?

— Нет, не Крутой, — рассмеялся Ленчик. — Покруче будет. Лепко. Леша Лепко.

— Ну, все понятно, — Динка прищурила глаза, в которых так и прыгала готовая в любой момент сорваться фраза: «Лепко, самое то... И ты сам лепишь нам горбатого, дорогуша...»

— Значит, все понятно? Тогда перейдем к вам... Вы-то познакомились уже?

— Имели счастье, — высказалась за нас Динка.

— И как?

— Что — как?

— Как вы друг другу?

— А это важно? — Мой вопрос был вполне нейтральным. Вежливым и нейтральным.

— Важнее, чем если бы вы тусовались в барокамере в течение месяца. Тест на психологическую совместимость... Так как?

— Поживем — увидим, — философски заметила Динка. — Не могу сказать, что я от нее в восторге...

— Я тоже кипятком не писаю, — огрызнулась я.

— Брейк, брейк, девчонки, — рассмеялся Ленчик. — С сегодняшнего дня вы должны любить друг друга. Иначе проект рухнет.

— Угу... Они любили друг друга, как сестры... — совершенно неожиданно Динка пнула меня ногой под столом. — Тебя как зовут, сестренка?

— Ее зовут Рената, а любить друг друга вы должны больше, чем сестры.

— Это как?

— Потом объясню. Ну что, вы готовы проснуться знаменитыми?

— Не забудьте только будильник завести, — Динка за словом в карман не лезла, факт.

Ленчик снова рассмеялся — он оценил шутку по достоинству.

— Не забуду, не забуду. Вот только это будет не будильник, а бомба с часовым механизмом... Я вам обещаю...

...Бомба разорвалась ровно через три месяца.

Эти три месяца полностью изменили нашу жизнь. Настолько, что я даже позабыла, какой она была до «Таис». Захотела позабыть — и позабыла. Школа, прыщавый Стан и папахен — все это теперь казалось страшным сном, бумажкой из-под вокзального чебурека, которую я выбросила в урну. Даже не вытерев об нее пальцы. Главным был проект, сумасшедший проект, который мог прийти в голову только сумасшедшему человеку. Но только теперь, когда я стала умненькой-разумненькой и к тому же мертвой девушкой-убийцей, я смогла по-настоящему понять сумасшествие проекта. И его смертельную, холодную красоту.

Ленчик был гением.

Он был гением, сумасшедшим гением, даже теперь, убив его, я могу это сказать.

Он был гением.

Он вылепил меня, так же, как вылепил Динку, он был Пигмалионом, отрыжкой древнегреческого одержимого типуса, о существовании которого я, прожив тогда неполных шестнадцать, даже не подозревала. Как не подозревала о многих вещах, хранившихся в сумрачных книгах, в сумрачных картинах, в сумрачных черепах давно ушедших людей... Он, Ленчик, сделал меня другой.

Иной.

Способной на убийство.

Но все это случилось потом, спустя два года, а тогда...

Тогда я не знала о Ленчике почти ничего. И узнала позже, много позже, в коротких промежутках между гастрольными турами, записями альбомов и съемками клипов; в коротких промежутках между нашей с Динкой взаимной ненавистью: той самой ненавистью, которая сильнее любви и которая заставляет людей держаться друг друга. И ревниво следить, и, увязая в песке, шастать друг за другом по самой кромке времени...

Ленчик был недоучившимся историком, недоучившимся психологом, недоучившимся оператором, единственное, что он с грехом пополам закончил, был тухлый «кулек» в Николаеве, с такой же тухлой специализацией — «Режиссура массовых праздников». Как он вышел на алюминиевого магната Пинегина — осталось тайной, покрытой мраком. Такой же тайной были и сто тысяч долларов, выделенные господином Пинегиным на раскрутку проекта. Сумма для шоу-бизнеса ничтожная, я поняла это уже потом, два года прожарившись на попсовых сковородках, но Ленчик бы сумел обойтись и гораздо меньшими деньгами, с него сталось бы. Троица, которую он приволок за собой в проект, тоже была недоучившейся. Недоучившейся и недолечившейся. Поэтесса Вика, она же — Виксан для близких друзей, крепко сидела на игле, музыкальная гениальность Леши Лепко проистекала из тихой и нежной шизофрении, с сезонными обострениями, во время которых композитор «Таис» с гиком и воплями отправлялся в дурдом. Самым приличным из всей компашки был Алекс Мостовой, кроткий Алекс, шестикрылый серафим с безнадежным раком поджелудочной.

Героиновая запирсингованная истеричка, шизофреник и сумасшедший гений — такой коктейль кого угодно с ног собьет.

Так и получилось.

Сбил. Свалил с копыт. Снес крышу.

После дурацкого «Офсайда» мы снова вернулись под сень Девятой пятилетки, в ту же комнату. И застали там все ту же троицу. Виксан валялась на диване, Алекс сидел на подоконнике, а тихушник Лепко, посверкивая очками, терзал «Красный октябрь».

Наше появление было встречено вялыми виксановыми хлопками и таким же заторможенным, но довольно смешным матерным четверостишием. Позже я узнала, что, обдолбавшись, Виксан обожает на ходу сочинять частушки с матами, прикол у нее такой, хобби.

— Ну что? — спросила Виксан. — Как культпоход?

— Лучше не бывает, — отозвался Ленчик. — Девчонки просто молодцы.

— Ну-ну... А главное ты им сказал?

— Главное? — Ленчик яростно поскреб заросший подбородок. — Не будем торопить события...

— А чего? Ничего дурного в этом нет... Не с гамадрилами же трахаться им придется... Все очень симпатично и даже эротично... Не побоюсь этого слова... М-м-м...

— Лучше бы уж с гамадрилами, — хрюкнул композитор Лепко. — Лучше бы уж с гамадрилами, честное слово... Извращенцы...

— Сам ты извращенец, — Виксан захихикала. — Сам ты гамадрил, Лешенька... Ни хрена ты не понимаешь в эротизме. В гомоэротизме... Не побоюсь этого слова... М-м-м...

— Вот что, господа хорошие, — пресек дебаты Ленчик. — Давайте-ка не будем пугать девчонок раньше времени.

— А че происходит-то? — встряла Динка, до сих пор молча переводившая взгляд с Лепко на Вику и обратно. — В чем дело?

— Ни в чем... — Виксан вытянула губы в трубочку. — Ни в чем... Ух ты, нимфеточка моя сладенькая... Ути-пути...

— Чего это она?

— Тетя шутит, — спокойным голосом сказал Ленчик. — Не обращайте внимания, тетя немного не в себе, но она хорошая и милая... Местами... Она вам добра желает...

— Ага-ага... — поддержала Ленчика Виксан. — Солдат ребенка не обидит!

— Заткни пасть, — миролюбиво посоветовал наш новоиспеченный продюсер. — И вообще...

— А с какими это гамадрилами мы должны трахаться? — Динка уцепилась за глупую фразу поэтессы, как щенок за комнатный тапок, и теперь вовсе не желала с ней расставаться.

— Да не с гамадрилами, а друг с другом...

После этой фразы в комнате повисла тишина. Даже Леша перестал измываться над клавишами.

— Чего? — спросила Динка. — Я че-то не поняла...

— Встала и вышла, — голос Ленчика упал до яростного шепота. Такого яростного, что у меня побежали мурашки по спине.

— Ой-ой, какие мы нежные... — промурлыкала Виксан, но ноги с дивана все же спустила.

— Встала и вышла...

— Да ладно тебе, Ленчик... Подумаешь... Чего из себя целку корчить-то...

По смертельно побледневшему лицу Ленчика стало ясно: Виксан, каким-то непостижимым для нас образом, испортила ему всю обедню. Всю малину. Весь малинник, тщательно подрезанный, политый и удобренный.

В тот день разговор удалось замять, а на следующий мы подписали трехстраничный контракт, китайскую грамоту, — не глядя и высунув языки от осознания ответственности момента. А даже если бы и взглянули, то все равно ни черта бы в нем не поняли, жалкие дуры-малолетки. «Жалкие дуры-малолетки» — исподтишка называла нас Виксан в необдолбанном состоянии. В обдолбанном — «нимфеточки мои сладенькие». Леша Лепко, схоронившийся за толстыми стеклами очков, никогда не подавал голоса, он почти не общался с нами, предпочитая посредников в лице Алекса или Ленчика.

Зато Ленчик проводил с нами двадцать четыре часа в сутки. Двадцать пять, двадцать шесть, сто сорок восемь.

После того как чертова китайская грамота была скреплена нашими корявыми подписями, он откупорил шампанское: прямо в подворотне, куда выходили двери нотариальной конторы. И вооружил нас пластиковыми белыми стаканчиками.

— Ну, за вас, девчонки. За проект «Таис»...

Шампанское перелилось через край — Ленчик плеснул от души, он был рад, он даже побрился по поводу подписания контракта: и я впервые увидела его кожу: северную, не очень чистую, слегка прибитую мелкими, почти незаметными оспинками — такая кожа бывает у людей, торопящихся жить. Или одержимых, сжираемых одной-единственной, но глобальной идеей.

— До дна! — благословил нас он.

— А я не люблю шампанское... У меня от него изжога, — закапризничала Динка.

— Ах, изжога... Пиво лучше? — Ленчик хищно облизал пересохшие губы.

— Лучше.

— Пиво — лучше. Но сейчас ты выпьешь шампанское.

— Не буду, — для вящей убедительности Динка разжала пальцы, и стаканчик с шампанским шлепнулся на землю.

Она, видно с самого начала решила для себя: если уж мы овцы, то я буду кроткой овцой, глупой и кроткой. А она — умной овцой. Умной и строптивой.

— Не будешь?

В голосе Ленчика не было никакой угрозы, напротив — веселое любопытство. Он вытащил из бездонного кармана куртки еще один стаканчик и снова наполнил его шампанским. И снова протянул его Динке.

— Ну как? Выпьем? Такое событие...

— Нет. Шампанское не буду.

— Будешь.

У Ленчика неожиданно задергалась щека. Да и Динка побледнела. Только я, потягивая предательское теплое шампанское, чувствовала себя в относительной безопасности. И... И была на стороне нашего странного продюсера. Вернее, я только сейчас поняла, что перебежала на его сторону. И мне вдруг до жути захотелось, чтобы Ленчик ударил задаваку Динку по надменной, независимой щеке, ткнул кулаком по зубам, ну, в крайнем случае, — выплеснул бы шампанское ей в рожу... А оно бы стекало по Динкиному подбородку, по дурацкой футболке с высокоморальной надписью «Together in Christ»[1], как раз такой, какую партиями отправляют в секонд-хэнды телевизионные проповедники. Да, потеки шампанского на целомудренной христовой футболке смотрелись бы зашибись как! Так же, как и вспухшие лбы обоих — Ленчика и Динки, того и гляди бодаться нач-

---

[1] «Вместе во Христе».

нут. И если Динка сейчас уступит, то ей всегда придется уступать. Всегда, всегда, всегда! И мы с ней будем равны...

Оле-оле-оле-оле, Ленчик впе-еред!...

— Ты будешь делать все, что я тебе скажу. Ты подписала контракт. И с этого дня ты будешь делать все, что я тебе скажу.

— А если вы мне скажете с Петропавловки спрыгнуть? Или с адмиралтейской иглы вниз сигануть?

— Спрыгнешь, никуда не денешься. Сиганешь.

— А если нет?

— Тогда я тебя удавлю, — сказано это было без всякой злости, даже ласково, но я вдруг отчетливо поняла: удавит.

С него станется. И Динка это поняла. И притихла.

— Не для того я затеваю проект, чтобы вы выдрючивались. Ты поняла? У тебя еще будет время повыдрючиваться, обещаю. Тебе это еще надоест. Совсем скоро. А сейчас ты должна закрыть глаза и поверить мне. Просто поверить.

— Ага. Просто поверить и выпить шампанское... — неужели это сказала я? Гаденьким, гиенистым, подлючим голоском.

Динка исподлобья посмотрела на меня. Если бы взгляд мог материализовываться, то я пала бы бездыханной от свинцовой автоматной очереди... Кой черт, автоматной, — зенитный комплекс СС-300 разнес бы мою соглашательскую башку в клочья...

— Ну что, пьем?

— Только не думайте... — не договорив, Динка

взяла шампанское-дубль и, морщась, выпила. Первой из нас троих.

— Вот и лапонька... — Ленчик перевел дух.

А потом вытащил из кармана две связки ключей.

— Подставляйте стаканы, девчонки!

Мы сдвинули свои стаканчики, и на их дно с одинаковым тяжелым стуком упало по связке.

— Это еще что за ботва? — поинтересовалась Динка.

— Это ключи. От вашей квартиры...

— От нашей? — Я заглянула в стаканчик: ключи, как ключи, один маленький, другой длинный, с затейливой бородкой. Ничего особенного, зато брелок мне понравился: маленький потешный котенок серебристого цвета.

— От вашей.

— А зачем нам квартира? — Динка тоже сунула нос в пластмассовое днище.

— Затем. Большую часть времени вы теперь будете проводить вместе, так что удобнее, чтобы вы географически находились рядом. А ездить за вами на Ветеранов, а потом в Веселый поселок мне как-то не улыбается. К тому же на транспорте сэкономим.

— На чем еще собираетесь экономить?

— Не на вас, не беспокойся.

— Ну... не знаю... А где же располагаются апартаменты, Леонид Леонидыч? В гостинице «Невский Палас»? — опущенная трюком с шампанским, Динка запоздало попыталась вернуть свои позиции.

— Пока нет. Пока — скромнее. Жить будете на Северном проспекте.

— Это еще где?

— Гражданка. Не ближний свет, но надо же с чего-то начинать...

Вот хрень! Отродясь не была на Гражданке, а если и была — то забыла как страшный сон. Гражданка с отрезанным метро, удовольствие ниже среднего.

— А квартира двухкомнатная? — Динка неожиданно проявила цепкую пенсионерскую сметку.

— Трех. Трехкомнатная. Со всеми удобствами и телефоном. Еще вопросы будут? Или останетесь при своих халупах?

Конечно, Гражданка — не лучший вариант, западло, между нами девочками... Но, с другой стороны, по сравнению с вечно пьяным папахеном, который так и норовит заехать тебе в глаз... А потом долго плачется и полощет мозги байками из прошлой счастливой жизни... По сравнению с этим и яранга на Крайнем Севере покажется пятизвездочным отелем...

— Ну, я не против... — быстро сказала я.

— Это вообще-то странно... — Динка не собиралась сдаваться так быстро. — Квартира какая-то... Может, кому-то так удобнее... Может, у кого-то напряги с жильем... А мне и дома неплохо.

— Забудь. Теперь дома у тебя не будет еще долго, такая уж специфика, — аккуратно пояснил Ленчик. — Привыкай.

— А я должна буду с ней жить? — Динка даже не смотрела на меня, все то время, пока мы общались с Ленчиком, она ни разу меня не взглянула.

— Еще как жить, — по лицу Ленчика пробежала тень улыбки, смысл которой мы поняли чуть позже. — Но вряд ли вы друг другу помешаете...

— А можно посмотреть на эту квартиру?

— Легко. Прямо сейчас туда и поедем...

...Дом, в котором Ленчик снял для нас квартиру, оказался не затравленным блочным «кораблем» с узкими окнами (а такого от вероломного Леонида Леонидовича Павловского вполне можно было ожидать) — напротив, вполне приличным краснокирпичным комплексом на углу Северного и проспекта Шота Руставели. Окна выходили на Руставели, на симпатичную, как детский конструктор, заправку «Neste». С шестого этажа хорошо просматривалась трасса, забитая фурами и юркими легковушками.

Да и сама квартирка оказалась вполне-вполне, тут даже Динка не посмела рта раскрыть.

Комнат и вправду было три, вот только одна, самая большая, оказалась забитой какой-то музыкальной аппаратурой.

В двух оставшихся все выглядело более-менее прилично: офисные жалюзи на окнах, такая же офисная мебель со стандартным набором из дивана, двух кресел и журнального столика, компьютер, музыкальный центр, большой телевизор и видак. Аппаратура, судя по всему, была только что куплена: в дальнем углу, сложенные друг на друга, стояли коробки.

— Ну как? — поинтересовался Ленчик произведенным впечатлением.

— Не хило, — разбежавшись, Динка прыгнула на диван. — А все работает?

— Хочешь проверить?

— Хочу...

Ленчик кинул ей пульты от музыкального цен-

189

тра и телека, и Динка сразу же врубила их: по телевизору шел какой-то галимый сериал из жизни отечественного криминалитета, а на волнах такой же галимой радиостанции «Русское радио» жировала отечественная попсятина.

— Ну и дерьмо, — поморщилась Динка.

— Дерьмо, — согласился Ленчик. — Ну, ничего. Об этом дерьме все скоро забудут. Потому что появитесь вы.

— Угу-угу... Вот так сразу и забудут.

— Сразу. Вы должны верить мне. Просто — верить и все. Если вы не будете верить — ничего не получится.

— Я вам верю, — быстро сказала я.

Но мое мнение не интересовало Ленчика, в гробу он видел мое мнение, мнение белой овцы, глупой и кроткой. Мнение черной овцы, умной и строптивой, вот что интересовало его больше всего. Короткое «да», вот что он хотел вырвать из ее глотки.

— А ты? Ты веришь мне?...

Вот хрень! Да он просто окучивал Динку! Лицо Ленчика стало яростным и просительным одновременно. И беззащитным, как будто от Динкиного ответа зависела вся его дальнейшая жизнь. И если Динка сейчас скажет ему «нет», то он просто сиганет из окна, повесится на резинке от трусов или перепилит себе вены рашпилем. Он не спрашивал, он умолял.

— Ну-у... Вот если вы станете передо мной на колени, Леонид Леонидыч... И поклянетесь, что так оно и будет... Тогда, может быть...

Ничего себе овца! Вконец обуревшая наглая

190

овца! Сейчас этот цыганистый парень развернет-
ся и так заедет ей по зубам, что придется менять
челюсть... Или...

Додумать показательную порку для Динки я
не успела. Ленчик, до этого довольно жестко прес-
синговавший нашу брюнетистую сучку, просветленно улыбнулся, кивнул головой и упал на колени. Натурально упал, без всякой подготовки, со
всей дури, с оттягом, с громким стуком, на желто-восковой паркет, — я даже испугалась, что он
раздробит себе колени. Но, видимо, Ленчик успел
сгруппироваться — во всяком случае, просветлен-
ная улыбка с его лица не сошла. Наоборот, стала
еще нестерпимее.

— Клянусь... Клянусь тебе, Дина. Если бы у меня
Библия была — поклялся бы на Библии. Ты веришь мне, девочка?

Сколько же она молчала, сучка? Сколько она
молчала, в упор разглядывая Ленчика, с каким-
то веселым ужасом? Три секунды, пять? А может
быть, минуту, две, десять? В любом случае, в самом конце этих бесконечных секунд... минут... Динка прикрыла глаза... и провела по губам кончиком
острого языка. Круто же у нее получилось, надо
запомнить эту фишку...

— Ты веришь мне, девочка?

— Да.

Это ее короткое одинокое «да» было куда весо-
мее моего заискивающего «я вам верю». Вот тут-то
я и поняла, что с Динкой у меня будут сложности.
Похоже, я уже начинаю ненавидеть ее. По-взрос-
лому, по-волчьи. Я начинаю ненавидеть ее, потому
что у меня никогда не хватит смелости быть такой,

как она. Я начинаю ненавидеть ее, потому что ее — строптивую и неуступчивую — всегда будут любить больше. Строптивым и неуступчивым достается все, кому нужна кроткая посредственность?... Проклятая Динка, и почему я не такая, как она?...

Почему, почему?...

Пока я угорала от этих паскудных завистливых мыслишек, Ленчик как ни в чем не бывало поднялся с колен и подмигнул нам.

— Ну что ж, показательные выступления закончены. Вернемся к обязательной программе. Как насчет того, чтобы просмотреть одно кинцо? Си-импатишное кинцо...

— Про любовь? — поинтересовалась Динка.

— В некотором роде... Про любовь.

— А зачем?

— А просто так. Посмотрите и скажете мне свое мнение. Идет?

— Это тест? — осторожно спросила я. Надо же хоть в чем-то проявиться, а заодно и свой умишко продемонстрировать, не так уж он у меня и плох...

Ленчик посмотрел на меня с веселым одобрением:

— Ну-у... Я бы так не сказал... Хотя в некотором роде... Просто — кино хорошее.

— Ладно. Валяйте. Посмотрим, — снизошла Динка.

...«Си-импатишное кинцо» называлось «Тельма и Луиза». И я подошла к просмотру со всей ответственностью: для начала попыталась запомнить имя режиссера и двух актрисулек, которые исполняли главные роли. И даже вроде как запомнила. Вот только к концу обе актрисульки благополучно вылетели у меня из головы, оставив за старшего режиссера. И то только потому, что его сонэйм[1] удачно срифмовалась со словом «скот», — именно так я думала о своем родном папахене после очередного фингала.

Скотт, вот именно. Ридли Скотт.

С душкой Брэдом Питтом дело оказалось проще, хотя в фильме он играл жутко маленькую и жутко противную роль воришки, опустившего героинь на приличную сумму. Брэд Питт мне нравился и раньше, кра-асавчик, если бы Стан был похож на него хотя приблизительно, вопросов с парнем у меня не возникло бы никогда...

А актрисульки от меня ускользнули, их смыло потоком слез, которыми я разразилась в финале, — тихих слез, я всегда была сентиментальной. Вот и над ними всплакнула, упавшими в пропасть в своей открытой машине.

Тельма понравилась мне больше, Луиза — меньше, Тельма была забитой красоткой (почти как я), а Луиза — энергичной дурнушкой, в приличном возрасте и с мешками под глазами. Обе телки отправились на уик-энд — оттянуться, а потом пристрелили по дороге одного парнягу, за дело, я бы тоже пристрелила, — а потом все понеслось как снежный ком, уик-энд превратился в мышеловку, и за ними начала охотиться полиция, и уж тут-то они развернулись по полной. И в этом «по полной» они были крутыми и прекрасными, нужно сказать. Крутыми и прекрасными.

---

[1]Фамилия *(иск. англ.).*

И они выиграли.

Даже когда упали в пропасть. Сами, хотя выбор у них был, чего уж там. Но они выбрали то, чего я точно не выбрала бы никогда, спасибо папахену, научил спину гнуть... Они выбрали то, что редко выбирают в жизни, и почти всегда — в кино. Они просто нажали на газ, взялись за руки — и все.

Они выиграли. Мне даже крышу слегка снесло, от того как они выиграли, как красиво они обставили весь мир, как элегантно они сделали ему ручкой. Вернее, двумя руками, двумя сплетенными, сжатыми руками — рукой Тельмы и рукой Луизы.

Нет, кинцо было не просто симпатичным. Оно было самым настоящим.

— Ну как? — спросил Ленчик, когда просмотр закончился.

Я шмыгнула слегка распухшим носом, а Динка хмуро поиграла натянувшимися скулами.

— Супер, — тихо сказала я.

— А тебе? — Ленчик уставился на Динку.

— Да-а... — Динка снова выдержала паузу, хотя именно в эту секунду я поняла, что она меньше всего думает о том, как бы «выдержать паузу». — Круто. Я бы тоже...

— Что — тоже? — Ленчик прямо зубами ухватился за неоконченную фразу. — Что — тоже?

— Я бы тоже так... Так поступила... Правда... Пошли они все...

— Ну, да... Ну, да, ну да, — почему-то страшно обрадовался Ленчик. — Именно. Пошли они все. Очень хорошо. Я так и думал.

— В каком смысле? — удивилась я.

— В том, что это кино про вас. Про вас, какими я вас вижу.

Заявление было достаточно неожиданным. В любом другом контексте оно бы удивило меня, страшно удивило, телки из фильма были взрослыми, особенно Луиза, почти старуха, но... Это и правда было лучше, для меня — лучше, ведь я выбрала Тельму. Упавшую в пропасть, но не побежденную Тельму. Быть непобежденной — это вам не задницу разъесть через десять лет, как в Динкином сортирном пророчестве.

— Нас?

— Ну, не вас, как Дину и Ренату... Я же не садист, хотя похож, — тихая улыбка Ленчика сразу же убедила меня в обратном. — В пропасть вас никто толкать не собирается. Но именно так я вижу Вас как проект. Как проект...

— Интересно, — протянула Динка. — Может, объясните популярнее?

— Объясню... Одни против всех, как вам такая перспектива?

— А других нет?

— Других — полно. Но эта — самая выигрышная. Поверьте. Одни против всех — это приключение. Самое настоящее. Русская рулетка, в которой барабан заряжен полностью, никаких шансов. И все знают, что никаких шансов. Все знают, что вы не выиграете. Никогда. Выиграть у мира невозможно. Все это знают, но все равно будут на вашей стороне...

— А попроще нельзя? — Динка даже сморщила лоб от титанических умственных усилий.

— Попроще?..

Ленчик осекся, обхватил подбородок ладонью и задумался.

— Попроще... Попроще — только вера. А вы обещали мне верить. Закрыть глаза и верить.

— Все равно не совсем понимаю, — Динка даже обиделась. — А можно еще раз его посмотреть? Кино, в смысле...

— Конечно...

Ленчик отмотал кассету на начало, и Динка снова уставилась в экран. Смотреть по второму кругу о страданиях героинь мне не очень хотелось, фильм был не только хорошим, но и тяжелым, из тех, что смотрятся один раз, а потом долго вспоминаются...

Нет, я все же не люблю плохих финалов.

Не люблю.

Динка — другое дело. Динка снова воткнулась в экран. Будь у нее возможность, она наверняка просто влезла бы в сам фильм, пристроилась на заднем сиденье и благоговейно бегала бы за пиццей и гамбургерами для главных героинь. На заправках. А в перерывах между перестрелками, погонями и тотальным опускаловом всех встречных-поперечных мужичков делала бы им маникюр. И педикюр тоже, с нее станется. Ленчик смылся после первых десяти минут — в дверь требовательно позвонили, и он вышел из комнаты. Да так и не вернулся.

Я посидела с Динкой еще немного. Вернее — не с ней: сама по себе. Динка посчитала нужным меня не замечать, и вообще демонстрировала полнейшее ко мне презрение.

Сука.

Я выползла в коридор как раз в тот момент, когда Тельма с Луизой грохнули насильника на автостоянке, — выползла с заранее заготовленным сакраментальным вопросом для Ленчика: «А где здесь туалет». Но так и не задала его. И вообще, забыла и о туалете, и обо всем остальном: с кухни раздавались приглушенные голоса.

Подслушивать нехорошо, сказала я себе, и на цыпочках двинулась в сторону кухни: тут же, с подветренной стороны, обнаружились сантехнические удобства, для верности снабженные старорежимной крошечной чеканкой: писающий мальчик и моющаяся девочка. Я ухватилась за ручку под мальчиком: какая-никакая конспирация. И выставила ухо.

И через секунду поняла, что Ленчик разговаривает с Виксаном. Я узнала бы голос нашей (хех, уже «нашей», оперативно здесь делают операции!) поэтессы из многих других, довольно специфический, нужно сказать, голос: низкий, вибрирующий и какой-то плывущий. Как будто она хотела сосредоточиться на чем-то. Хотела и не могла.

— ...значит, по второму разу, говоришь? — выдала Виксан.

— Он им понравился. Он не мог им не понравиться, я так и знал...

— Обеим?

— Ну... Главное, что он понравился стриженой хамке. Он ее впечатлил.

— А вторая тебя не волнует?

Вот хрень, они говорили о фильме, точно. О фильме и о нас. Стриженой хамкой, естественно, была Динка, ведь я до самого последнего момента демонстрировала длинноволосую блондинистую лояльность. Оч-чень интересно, что скажет Ленчик обо мне? И будет ли эта моя чертова лояльность по достоинству оценена?

— Вторая... Вторая — нет. С ней проблем не будет. Она сделает все, что я скажу.

— Все ли? — позволила себе усомниться Вика.

— Абсолютно. В рамках проекта, разумеется. Я же не садист...

— Садист, Ленчик. Садист...

Ее голос был спокоен. Слишком спокоен. Абсолютно спокоен. Так спокоен, что я поверила сразу: садист. Садюга. Садюга, каких свет не видывал. Карабас-Барабас на заре туманной юности. Наплачемся мы с ним, ох, наплачемся...

— Это ведь только для тебя — проект. А для них это будет жизнью. И им придется как-то справляться с ней. Девчонкам шестнадцать, а ты хочешь их через колено сломать...

— Шестнадцать — это не так мало... Вполне сложившиеся личности. У них и паспорта теперь с четырнадцати, не забывай... Так что 134-я статья Уголовного кодекса Российской Федерации не прокатит ни при каком раскладе...

— Да статья-то тут при чем? — Голос у Викса на стал совсем безвольным.

— Ну, ты же ведь об этом думаешь?

— Ничего я не думаю...

— Думаешь-думаешь... Этические соображения тебя гложут, мораль опять же покоя не дает — и все прочее христианское дерьмо... Сразу видно — ширяться пора...

— Не твое дело...

— Да ладно тебе... Ну что так переживать из-за этих сосок? Наверняка в полный рост с парнями спят... При нынешней-то вседозволенности... Ну скажи мне... Чего они могут не знать? Чего?!

— Да дело не в этом, — начала было Виксан, но Ленчик перебил ее:

— Не трахай мне мозги! Я сам — психолог...

— Недоучившийся психолог. Недоучившийся...

— Какая разница. Все ключевые принципы человеческой психологии можно выгравировать даже на самом узком лбу... Я знаю, что делаю.

— Кто бы сомневался...

— Но ведь и ты в это ввязалась. И ты... Ведь это была твоя идея, Виксанчик, вспомни!

— Моя? Ты называешь идеей наркотический бред? — тут же открестилась Виксан.

Ленчик расхохотался:

— Да я ноги тебе целовать готов за этот бред. Возить героин караванами... Самолетами, пароходами...

— Ловлю на слове... А вообще и идеи никакой не было... Ты ведь сам ее развил... До абсурда довел.

— А что ты думаешь? Ведь абсурд и есть гениальность. Идея гениальна, потому что она абсурдна. Потому что такого еще не было... Во всяком случае, в нашем сифилитическом шоу-бизнесе...

— Ты забываешь одно, Ленчик. Они — не идея... И даже не проект...

— Пока не проект, Виксанчик. Пока... Но через несколько месяцев...

— Они не проект... Они живые... Я очень хорошо это чувствую... потому что сама уже... уже неживая... Почти...

Я вдруг вспомнила серьги в бровях Виксана и ее проколотую губу. Тоненькие серебряные колечки, на них так легко набросить тоненькие серебряные цепочки. Или — не тоненькие. Или — цепи. Наверняка Ленчик так и делает, когда никто не видит: приковывает к себе героиновую Вику серебряными цепями... А ведь она совсем неплохая, Виксан. Совсем... Хоть и почти неживая... Почти...

— Тебе надо слезть с иглы, — голос у Ленчика был на удивление безразличным.

— Это совет?

— Это пожелание.

— Засунь его себе в задницу.

— Очень культурно... А еще — поэтесса! Тебе надо слезть с иглы, серьезно...

— Уж не ты ли собираешься меня с нее стянуть?

— Нет. Я — нет. Я уважаю свободный выбор человека.

— Вот как! Ты уважаешь свободный выбор человека — и не даешь никакого выбора этим девчонкам?

— Я дам им гораздо больше, чем свободный выбор. Я дам им саму свободу. Славу, деньги... Да они молиться на меня должны, малолетки! Ничтожества... Да на их месте мечтала бы оказаться любая шестнадцатилетняя писюха!...

— Свобода, слава, деньги... Да они нужны прежде всего тебе...

— Я не отрицаю... Мне все это нужно... Нужно... А разве тебе не нужно?

— Нет.

— Ну да... Тебе не нужно ничего, кроме твоей

вшивой дозы. За дозу ты готова душу заложить, только вот никто ее не купит.

— Ну ты ведь покупаешь?

Вот хрень! Писающий мальчик мелко затрясся у самого моего виска: или это тряслась моя побелевшая ручонка, которая крепко ухватилась за косяк?...

— Черт, ты же знаешь, у нас ничего нет, кроме этой идеи и этих девчонок. И ста тысяч на проект. Это гроши, но это — шанс. Наш единственный шанс.

— Твой. Твой единственный шанс.

— Какая разница?

— Никакой, — Виксан перешла на шепот, который змеей заполз мне в ухо, устроился в раковине и зубами впился в мочку. — Нет никакой разницы между фильмом «Тельма и Луиза»... И тем, что ты собираешься им предложить...

— Великий фильм, ты ведь не будешь этого отрицать?

— Значит, не я виновата?... Значит, это фильм тебе навеял?

— И он в частности... Не цепляйся к словам... Совсем неважно, что было первично, что вторично... Важно, что этого еще не было... А быдло любит платить денежки за то, чего еще не было... Быдло обожает новизну и остроту ощущений. Неужели ты не понимаешь, каким может быть триумф?...

— Надеюсь, я подохну раньше, чем он наступит...

— Кто же тебя отпустит, милая моя? Ты — в звездной команде... Добро пожаловать в вечность...

Ни хрена себе пафос! За такой пафос пристреливают недрогнувшей рукой!.. Очевидно, Виксан была того же мнения, что и я: кухню наполнил ее тихий, вытянувшийся в струну смех.

— Надеюсь попасть туда без тебя, милый мой. И гораздо скорее...

— Черт, Вика! Ну почему... Почему с бабами столько проблем! Мало того что мне мотает нервы маленькая дрянь, мало того что развод с этой стервой стоил мне цистерну крови... Так теперь и ты... Мой друг... Мой лучший друг...

— Я была твоим лучшим другом... Была... Пока ты не спятил... Пока ты не сошел с ума, Ленчик...

— Я? Я сошел с ума?...

— То, что ты хочешь сделать, — полнейшее безумие... Да черт, это растлением попахивает...

— Ну, они же не девочки двенадцатилетние...

— Я не хочу больше об этом говорить. Все...

— Хорошо. Согласен. Не будем больше возвращаться к этому разговору. Только скажи мне, ты со мной или нет? Ты мне нужна. Очень... Очень. И я тебе нужен. Или мы вместе подохнем в этой гребаной нищете, или мы навсегда о ней забудем. Навсегда. Ты же знаешь, я все продумал, я убил на концепцию полгода... Я сам буду снимать.

— Как режиссер или как оператор?

— Как то и другое вместе... — нетерпеливо бросил Ленчик. — Я никому не могу доверить это. Никому. Я вижу в них совершенное существо... В них двоих... Какой по счету кастинг это был? Какой?...

— Третий... Кажется... — Голос Виксана звучал неуверенно.

— Пятый. Ты все прощелкала! Пятый!... И только сейчас я нашел то, что мне нужно. Моих Тельму и Луизу...

— Тельму и Луизу? Да ты совсем спятил, Ленчик! Тельма и Луиза никогда не были лесбиянками! А ты хочешь сделать лесбийский дуэт и выпустить его на сцену? Да тебе перекроют кислород сразу же... Пощечина морали, плевок в сторону нравственности... Покажи мне идиота, который позволит двум малолетним лесби безнаказанно прогуливаться по сцене! Никто этого не потерпит... Никто. Ты сумасшедший...

На кухне воцарилась гробовая тишина. Она была такой плотной, такой абсолютной, что я даже испугалась: еще секунда-другая, и они услышат мое сердце, колотящееся как паровой молот... Услышат, обязательно услышат.

— Или я протолкну этот проект, или подохну... Вот увидишь, через полгода эти девочки сделают весь шоу-бизнес. Или я ничего не понимаю в человеческой природе. Ничего. Ты со мной?

Я прикрыла глаза и вспомнила зрачки Ленчика: неподвижные, тяжелые, похожие на закостеневшие плавники какой-то ископаемой рыбы. В этих зрачках притаилась тысячелетняя, впавшая в анабиоз ярость всех когда-либо существовавших хищников. Они без сожаления рвали друг друга в клочья, они сладострастно уничтожали друг друга, они, урча, пожирали зазевавшиеся потроха, от них произошли все крестовые походы и все религиозные войны, и все костры инквизиции... Или Виксан сейчас скажет ему «да», или будет сожжена на одном из этих костров, с маковой соломкой и героиновой дозой в подножии...

— Ты со мной?

Виксан молчала.

— Девочка... У тебя ведь никого не осталось, кроме меня... Никого... Ты держишься на плаву только потому, что я... Я подставил тебе плечо... Это я, я вытаскивал тебя из всех этих чертовых больниц и наркодиспансеров, где тебе мозги промывали по полной... Вспомни... Я... Если бы не я, ты давно бы уже гнила на зоне...

— В могиле, Ленчик. Ты забыл сказать про могилу, это впечатляет...

— Я не хотел об этом... Так ты со мной?

— Да... Да... Черт... Да...

— Вот и умница... Я знал, знал... Только ничего не нужно бояться.

После этого тихого, отчаянного «да» я сразу же потеряла интерес к Виксану. Ее «да» было таким же овечьим, как и мое. Ничем не отличалось. Вот только что там она несла насчет каких-то лесбиянок... Не то, чтобы слово было мне незнакомым, нет... Быть лесбиянкой — означало сосаться не с парнем, а с девчонкой. И даже спать с ней... Весело, ничего не скажешь. Но быть лесбиянкой — это «не есть хорошо», как говорит мой папахен в минуты просветления. Это — плохо, плохо, плохо. И стыдно. И на тебя будут показывать пальцами: «вон, лесбиянка пошла»... И никто не сядет рядом с тобой. Никто. И все будут шептаться у тебя за спиной... А папахен вообще раздавит между ногтями, как платяную вшу... Весело, ничего не скажешь... Вот только при чем здесь фильм? И при чем здесь мы с Динкой?

Не-ет... Нужно делать отсюда ноги. И побыстрее... От этого сумасшедшего парня и его сумасшедшей команды... Пошли вы к черту со своим завиральными идеями. Пошли вы к черту... Пошли вы к черту...

* * *

...«ЗВЕЗДНЫЙ ПАТРУЛЬ»: Как вы относитесь к религии?

ДИНА: Иисус Христос — не мой тип мужчины! *(смеется)*.

РЕНАТА: А Дева Мария — не мой тип женщины! *(смеется)*. Религия напоминает мне натуралку, совратить которую — дело чести, доблести и геройства.

ДИНА: Черт, Ренатка, я тебя уже ревную... *(смеется)*.

«ЗВЕЗДНЫЙ ПАТРУЛЬ»: На что предпочитаете тратить деньги?

РЕНАТА: На книги...

ДИНА: На Ренатку *(смеется)*.

«ЗВЕЗДНЫЙ ПАТРУЛЬ»: А путешествовать вы любите?

РЕНАТА: Наверное... Пока не пробовали. Очень плотный гастрольный график.

ДИНА: Пока не пробовали, но очень хочется куда-нибудь уехать вдвоем. Есть много разных мест, в которых мне хочется ее поцеловать...

«ЗВЕЗДНЫЙ ПАТРУЛЬ»: Например?

ДИНА: У Тауэра, например... Или в Лувре... Или на корриде...

«ЗВЕЗДНЫЙ ПАТРУЛЬ»: Вы — самый громкий музыкальный проект года. Многие называют вас самым скандальным проектом в истории отечественного шоу-бизнеса...

РЕНАТА: Скандальным? Да что вы! Мы — белые и пушистые... Вы же сами видите! Мы — не экстремалки.

ДИНА: Разве что — в любви *(смеется)*.

«ЗВЕЗДНЫЙ ПАТРУЛЬ»: Вы сейчас на гребне популярности. Чем вы можете объяснить столь потрясающий успех?

ДИНА: Мы откровенны в своем творчестве. Так же, как и в любви. А любовь должна быть откровенной. Иначе она умирает.

РЕНАТА: Только любовь делает человека самим собой. Только любовь делает его свободным. Мы просто шепнули это на ухо всем: ничего не бойтесь и будьте собой. И нас услышали...»

...Мы сделали это! Черт, мы сделали это!... Мы, Динка и Ренатка, сделали это!!!

Четыре месяца...

Четыре месяца назад мы были никем. Просто — Динкой и Ренаткой. Никому не нужными шестнадцатилетними соплячками. Но мы сделали это! Мы сделали этот альбом! Мы сделали этот клип!... А в том, первом, клубешнике «Питбуль», куда Ленчик привез нас для обкатки... Да, «Питбуль», набитый жующими челюстями каких-то отморозков... И правда, отморозков, папиков с лоснящимися тупыми затылками... Боже, как я боялась... Неизвестно, чего больше — первого выступления или папиковых челюстей... Или пушек, которые наверняка, припрятаны у них под пиджаками... Под взрослыми пиджаками... Это вам не мой слабосильный папахен со своими кулачишками, эти могли и голову разнести в щепки двум малолетним выскочкам-лесби... Нас выпустили первыми, для разогрева какой-то силиконовой популярной дуры, я сто раз видела ее по телеку, но так и не запомнила фамилии. Другое дело — папики. Папики эту фамилию знали, папики специально пришли на нее, папики всем скопом мечтали затянуть ее в свою постель.

Но силикону ничего не обломилось.

Никто больше не думал о ее стоячей груди и ногах, растущих от основания черепа. Никто. Никто. Потому что на разогрев выпустили нас, Динку и Ренатку... Дуэт «Таис». Соплячек в коротеньких юбочках, заглянуть под которые — самое сладкое преступление из всех самых сладких преступлений... Соплячек в мокрых блузках... Именно в мокрых, Ленчик сам поливал нас водой... В мокрых блузках, застегнутых на все пуговицы... Которые хочется вырвать с мясом... С круглыми коленками, с маленькой грудью без всякого силикона... В беленьких носочках, в тяжелых тупоносых ботинках, Ленчик с Виксаном бились над униформой месяц... Тяжелые ботинки — лучшее, тяжелые ботинки — Виксаново. Тяжелые ботинки — единственное, что держит нас на земле. Если бы не они, мы бы давно улетели... Ушли из этого мира, который — против нас. Против нас двоих...

Нет, силикону не обломилось ничего.

Папики просто обезумели. Я не видела этого, я вообще ничего не видела, кроме Динкиного стриженого затылка, мне нравится смотреть на ее затылок, он примиряет меня с Динкой... Ее затылок я бы целовала гораздо охотнее, чем губы...

Я не видела, как обезумели папики.

Я только слышала тишину. Полную тишину. Абсолютную. Они замерли, папики, они сомкнули челюсти, как смежают веки, когда хотят, чтобы что-то длилось вечно...

Черт! Мы сделали это!

Мы поцеловались!...

Впервые мы поцеловались на публике. По-настоящему. До этого только Ленчик с Виксаном видели наш поцелуй — тот самый, который должен был стать фишкой проекта. За этот поцелуй Ленчик мылил нам холку чуть ли не каждый день.

— Больше чувства, девчонки! Больше чувства! Ну что вы ей-богу, как неродные! Ну, вспомните, как с парнями целовались!

— Мне не нравится с ней целоваться... — обычно говорила Динка.

— Нравится не нравится, спи, моя красавица! — обычно говорил Ленчик.

Я обычно молчала, хотя мне тоже не нравилось тыкаться в Динкины губы. Всегда холодные и всегда надменные. Я боялась их; стоило только мне приблизиться к этому темно-вишневому, покрытому инеем склепу, как у меня тотчас же портилось настроение. Да и что мне было делать в этом склепе? Сметать пыль с надгробий? Менять пожухлые цветы? Гонять ящериц?... В кладбищенские сторожа я не нанималась, так-то!...

— Да она, наверное, и целоваться не умеет, — Динке нравилось макать меня башкой в дерьмо, это было ее любимое развлечение. — У нее, наверное, и парня-то не было!

— Это ничего, — успокаивал Динку Ленчик. —

Не может — научим. Не хочет — заставим. Позорить проект не дадим! Будем тренироваться.

— Пусть она и тренируется... На кошках, — это Динкино «на кошках» повергало меня в ярость. Тихую ярость. Ярость всегда сидела во мне тихо, худенькая, бледная, — не в силах высунуть голову, не в силах поднять глаза. Она была такой же, как и я. Она до сих пор боялась фингалов.

— Девчонки, если вы не будете искренне относиться друг к другу — все рухнет. Неужели не понимаете? Страсть может быть непристойной, но она не имеет права быть неискренней... — страшно вращая глазами, провозглашал Ленчик.

Как только с Ленчикова змеиного языка сползало слово «непристойность», в беседу сразу вклинивалась Виксан. Виксан была специалисткой по непристойностям. Хорошо спрятанным, хорошо упакованным непристойностям. Ее непристойности кочевали в полном обмундировании, касках и маскхалатах, они появлялись внезапно и пленных не брали. Разили наповал. Я ни черта не смыслила в текстах, которые она писала для альбома. Обрывки и ошметки, пригвожденные к коже ее чертовой героиновой иглой. Она и писала их, обдолбавшись, как раз на обрывках и ошметках какой-то оберточной бумаги, на сигаретных пачках, на кусках обоев... Написав, она сразу же теряла к ним интерес, и только Ленчик старательно разбирал все эти завалы и перепечатывал на компьютере. В напечатанном виде они представлялись просто набором ничего не значащих и никак между собой не связанных слов. Ни одно предложение не было дописано до конца, мысли путались, обнимали друг друга и умирали, обнявшись.

Пригвожденные к коже героиновой иглой, вот именно.

Я поняла это, как только произнесла вслух один из текстов. Ленчик, Ленчик заставил меня это сделать. После долгих препирательств, когда Динка, как водится, отказалась зачитывать «эту муру, эту фигню, эту чушь несусветную, проще арабский алфавит выучить и с выражением зачитать, уберите от меня эту муру, эту фигню!!!»... Я с трудом протолкнула сквозь зубы первое слово, тяжелое и отчаянное, как поднятый с вершины горы камень, а потом... Потом оно потащило за собой следующее, а потом — еще и еще... И меня накрыло лавиной, и я больше не могла остановиться. Мне хотелось повторять их бесконечно, до боли в стертых губах, потому что и сами они были — боль.

Да. Тогда мне первый раз снесло крышу. Да.

Я перестала быть кроткой овцой, я была всем, мне хотелось уйти и хотелось остаться, но остаться было невозможно, потому что весь мир был против меня.

Против нас.

Даже Динка притихла. Так же молча она подошла ко мне и вынула листок с Викиными текстами из моих ослабевших пальцев.

— Круто, — сказала она. — Круто. Просто улет.

А потом подошла к Виксану и поцеловала ее в щеку. Я не помню, кто тогда заплакал — Виксан или Динка, но в моих глазах стояли слезы. Стояли слезы, стопудово. Испугавшись этих своих слез, я выскочила в коридор, опустилась по стене на корточки и закрыла глаза. А когда открыла их — увидела прямо перед собой нечищенные ботинки Ленчика.

— Мы сделаем всех. Мы всех сделаем. Я и раньше не сомневался, но теперь... Мы всех их поимеем, Рысенок...

Тогда он впервые назвал меня Рысенком. Из-за глаз, слегка поднимающихся к вискам, просто — такой разрез, довольно необычный, не похожий на Динкин.

У Динки были совсем другие глаза — миндалевидные, карие, но светлеющие у зрачков: этот медовый золотистый цвет отнимал все больше жизненного пространства, Виксан иногда так и называла Динку — «золотоглазая».

Мы упахивались на записи, до чертиков упахивались, к тому же Ленчик приставил к нам Алекса. Кроме пока по-настоящему не востребованной должности арт-директора группы, он имел в запасе еще одну — штатного фотографа. Это потом у нас появились самые настоящие профессионалы, самые раскрученные фотоимена, они в очередь стояли, чтобы залудить с нами фотосессию. А тогда был только Алекс с его стареньким «Зенитом». То, что он отщелкивал, скромно именовалось «летописью «Таис». Таких снимков набралось немерено: мы с Динкой в студии; мы с Динкой дома, поджав голые ноги, — за йогуртом и чисткой апельсинов; мы с Динкой в «Макдоналдсе»; мы с Динкой в Ботаническом саду под пальмой, мы с Динкой на Шуваловских озерах, мы с Динкой на Поцелуевом мосту (а где еще целоваться, скажите на милость?!); мы с Динкой в машине Алекса — потрепанной «девятке»... Это потом у нас появился джип и личная охрана, а тогда была только «девятка»... С Алексом было лучше всего — Алекс не заставлял нас целоваться в диафрагму, обнимать друг друга, сплетать руки и всячески демонстрировать взаимную любовь. За подобную лояльность он иногда получал втыки от Ленчика: Ленчик требовал от нас неприкрытой страсти и такой же прущей из всех щелей «подростковой гиперсексуальности».

— Больше жизни, твари живородящие! Больше жизни! — весело скалился он. — Вы же юные влюбленные девчонки, а не зомби со стажем. Зритель должен вам верить! И сочувствовать. Запретная любовь всегда вызывает сочувствие!...

— Да какая же она запретная? — хмуро скалилась Динка. — Мы чуть перед объективом не трахаемся, а ты говоришь — запретная...

С некоторых пор мы с Ленчиком были на «ты». Я — чуть раньше, из благодарности за «Рысенка»; до этого я была в лучшем случае Ренаткой, а в худшем — «шлюхой и прошмандовкой», как говорил мой папахен в минуты просветления. Динка — чуть позже, в отместку за «сучку» и «тварь живородящую». С Алексом и Виксаном все обстояло еще проще, «ты» приклеилось к их бледным физиономиям сразу и навсегда. И только с гением-шизофреником Лешей Лепко мы были на «вы» и шепотом.

Он и вправду оказался гениальным композитором.

Тогда, в «Питбуле», мы выбросили в притихшую толпу самострелов-папиков самый первый его хит на слова Виксана; он так и назывался — «Запретная любовь». Запретная любовь, короткие юбки, мокрые блузки, белые носочки...

И — поцелуй. В финале, на последних тактах.

Как я дожила до этих последних тактов, я не помнила в упор. Зато навсегда запомнила другое: Динка нужна мне. Нужна до безумия, до обморока. В жизни я не очень-то любила ее, наглую и самоуверенную, капризную, вздорную, ленивую, обожающую чипсы, которые я терпеть не могла... Иногда мне казалось, что проще поладить с нильским крокодилом и стаей пираний, чем с чертовой Динкой. Но теперь, на сцене...

На сцене Динка оказалась моей единственной опорой. Моим ангелом-хранителем в тяжелых ботинках. Должно быть, она боялась сцены гораздо меньше, чем я. То есть она не боялась ее в принципе, она вообще ничего не боялась, кроме Ленчиковых, покрытых известью зрачков. Это я, я была забитой Тельмой. А она — отчаянной Луизой. Я не свалилась только потому, что каждой клеткой кожи чувствовала ее дыхание. Оно обволакивало меня, оберегало и подталкивало вперед.

Так я и продержалась до самого финала песни — только на Динкином дыхании, усиленном микрофоном, на Динкиных руках, которые время от времени касались моих (удачная сценическая разработка Ленчика и Виксана).

А в самом финале... В самом финале, когда дыхание чуть сбилось, а руки чуть подустали, — в самом финале я сама потянулась к ее губам, вот черт... Я сама! Ее темно-вишневые губы перестали быть склепом, не нужно было больше протирать пыль с надгробий, менять засохшие цветы и гонять ящериц. Ее темно-вишневые губы стали простынями в розовых лепестках, на которые опустилось, рухнуло, упало мое уставшее, дрожащее тело. И... Они больше не были надменными, ее губы. И я простила им все — и нелюбовь ко мне, и любовь к чипсам, и ее дурацкое «тренируйся на кошках»... Я простила ей все... Я прощала ей все заранее, даже то, чего она не совершала, но могла совершить... И сумасшедшую идею убийства Ленчика — я простила ей уже тогда...

И только рев обезумевших папиков заставил меня отпрянуть от Динкиных губ. С сожалением отпрянуть. Зал содрогнулся от аплодисментов, воплей, свиста — и они вспугнули нас, как птиц, заставили броситься к силкам кулис. Там нас уже ждали Ленчик, Алекс и Виксан: Алекс и Виксан — смертельно-бледные, с бескровными губами. А Ленчик...

Ленчик торжествовал.

Теперь я видела только его лицо; оно, казалось, увеличилось в размерах, заняло все пространство: монументальный нос, монументальный, высеченный из скалы подбородок; просторный безмятежный лоб и глаза. Гашеная известь глаз зашипела и растаяла, выпустив на поверхность застенчивую, мутную голубизну. Ленчик притянул нас к себе и крепко обнял:

— Да! Вы сделали это! Да!.. Ну, что я говорил?!

К нам потянулись Алекс и Виксан. Поцеловать, приложиться, засвидетельствовать почтение. И мы, маленькие сучки, соплячки, твари живородящие, которые только что примерили на себя дерюгу первой славы — мы снисходительно позволили им приблизиться.

Теперь они были никем, Алекс и Виксан. И даже Ленчик, если разобраться. Теперь никто и не вспомнит о них, теперь они всегда, всегда будут в тени наших с Динкой тяжелых ботинок!... Теперь они были никем, а мы были всем.

Если у меня на секунду и возникло сомнение в этом, его сразу же смели рев, свист и аплодисменты папиков. Папики были покорены сразу и навсегда, две нимфетки-лесби прищемили им хвосты на раз-два; и пистолетные дула, и ножи-серборезы — тоже прищемили.

Динка взяла меня за руку и отвела в сторонку, к каким-то картонным ящикам. Она усадила меня, а потом опустилась на ящик сама: рядом, близко, касаясь меня всем телом. И крепко сжала мне руку, и уткнулась губами мне в волосы.

— Неужели это мы? — спросили Динкины губы у моих волос.

— Мы...

— Мы — «Таис»... Ты веришь в это, Ренатка?

— Верю, — сказала я и закрыла глаза.

...Папики унялись только тогда, когда мы снова выскочили на сцену и снова прогнали свою «Запретную любовь», а потом — еще один, необкатанный шедевр Лешика с Виксаном: «Игла». И — «Твои глаза» на закуску.

После «Твоих глаз» питбульевское отребье снова потребовало «Запретную любовь». И я знала, почему именно «Запретную любовь» — из-за запретного, темно-вишневого поцелуя в финале. Я и сама ждала этого поцелуя, Господи, как же я его ждала!..

А за кулисами нас ждал Ленчик. С новым руководством к действию.

— Обо всем — потом, — обессиленным севшим голосом сказал он. — А сейчас — линяем отсюда. А то они вас в клочья порвут. Или еще чего-нибудь похлеще... Серьезная публика. Тут ко мне уже делегация наведывалась...

— С непристойными предложениями? — снисходительно улыбнулась Динка.

— Да нет... Вполне пристойными. И даже денежными... После поговорим. Вы молодцы, девчонки! Просто молодцы!..

...Мы покинули «Питбуль» через служебный вход, сопровождаемые по-японски почтительно кланявшимся хозяином. И его секьюрити. Секьюрити, три здоровенных, растерянно улыбающихся бугая попросили у нас автографы, первые автографы в жизни. Мы оставили их: два — на манжете белых рубах, и еще один — на гладковыбритой щеке. Сколько же потом у нас было за два года — и щек, и манжет, и плакатов, и постеров, и сигаретных пачек, и блокнотов, и ладоней, и плечей, и животов, и ковбойских шляп, и бейсболок, и лбов, и фотографий... И сколько у нас было служебных входов и черных выходов, надписей в подъездах и надписей в лифтах, афиш и растяжек над центральными проспектами... И цветов, и писем, и безумных телефонных звонков, и самоубийств... Сколько же было всего, сколько...

«ИМЕНА»: Говорят, вы вместе живете... Соответствует ли это действительности? Или это всего лишь досужие домыслы репортеров?

РЕНАТА: Вы же знаете наш принцип: «privacy[1] — железобетонно»...

ДИНА: Да ладно тебе, малыш... Во всяком случае, завтракаем мы точно вместе... *(смеется)*.

РЕНАТА: И иногда сталкиваемся в ванной... *(смеется)*.

ДИНА: И не только в ванной... А еще и... *(смеется)*.

«ИМЕНА»: Ваши интервью часто называют скандальными. Вы всегда так шокирующе откровенны?

ДИНА: Мы просто откровенны.

РЕНАТА: А в том, что называется творчеством, — особенно. Если оно хоть кому-то поможет по-настоящему — мы будем только рады...»

...Ничего не осталось.

«Таис» умер. Он умер вслед за Виксаном и Алексом. Леша Лепко все еще жив, но такая жизнь — хуже смерти. Его больше не выпускают из психушки, а в психушке нет даже раздолбанного «Красного октября». И нас тоже больше нет. Остались только воспоминания. И дневники. Мои дневники, которые Динка рвет с завидной регулярностью. А я с такой же регулярностью начинаю писать новые. Был еще целый рюкзак вырезок с нашими старыми интервью, небольшая часть того, что я насобирала за два года. Вчера Динка сожгла вырезки вместе с рюкзаком — в саду, на вытоптанной площадке между оливковыми дере-

---

[1] Частная жизнь *(англ.)*.

вьями. Костер был недолгим — как и наша чертова окаянная слава. Вырезки сгорели сразу же, а вот рюкзак остался в живых, сильно пострадал, облупился, но остался в живых. Так же, как и мы.

Пока.

Еще в Питере, перед самым отъездом, Динка сожгла все фанатские письма, три или четыре мешка, никак не меньше. Теперь нам больше никто не пишет. Никто. И интернетовский сайт почти умер. Подох. Приказал долго жить. Предсмертные конвульсии — не в счет. Сайт, полный самых отчаянных признаний, самых отчаянных вожделений, самых отчаянных исповедей, самых отчаянных призывов, самых отчаянных проклятий. Кем мы только не были за последние два года! «Ренаточкой-котиком», «Диночкой-солнышком», «вонючими лесбиянками», «любимыми, чмок-чмок-чмок», «дурами-извращенками», «я умру за вас, умру», «малолетними б… «, «ди-ив-чонки, я не могу без вас жить», «эй, шлюшонки, дешево продается вибратор», «пиплы, дайте телефон Дины и Ренаты, оч нужно», «народ, вопрос века: спят они друг с другом или с продюсером?», «смерть гнилым лесби», «я вас люблю-ю-ю-ю», «моя подруга погибла из-за вас», «хочу-хочу-хочу Динку с Ренаткой», «они лесбиянки или нет?», «кто вам больше нравится, Дина или Рената?», «где новый альбом, суки?!»…

Официального фан-клуба тоже больше не существует. Он прожил чуть меньше загибающегося официального сайта. Теперь его нет. Неофициальных — тоже, а сколько же их было, сколько! Чуть ли не в каждом городе, где на наше шоу невозможно было достать билет. Нет, наверняка они где-то остались — те, кто нас любил... Кому-то «Таис» снес крышу напрочь, из таких сумасшедших можно смело было рекрутировать полки и дивизии. И целые военные округа.

Теперь наши части разгромлены. Даже надписей в подъездах не осталось. Их сменили другие надписи и другие кумиры...

Плевать. Суки. Предатели. Плевать. Вы еще вспомните. Вы еще пожалеете. Вы еще будете орать, вытягивая жилы на шее и рыдая от счастья: «Ди-на! Ре-на-та!..» Вы еще будете стоять в очереди за автографами... Вы еще будете подставлять для них свои тупые низкие лбы... Вы еще будете хватать нас за край юбок и хлопаться в обморок. Вы еще будете бить друг другу морды из-за Динкиного платка, брошенного вам на концерте. Вы еще вцепитесь друг другу в волосы из-за моего браслета, брошенного вам в клубе. Вы еще сиганете из окна, потому что мы не ответили на ваше, мать его, письмо. Вы еще попилите в ванных свои дурацкие вены... Вы еще обклеите стены ваших квартир нашими плакатами. Со знаменитым темно-вишневым поцелуем дуэта «Таис»...

Костер давно прогорел, вот только Динка никак не могла отойти от него. Она сидела прямо на земле, подобрав под себя ноги, и молча пялилась на золу. И прямо из горла тянула «Риоху», хреновое вино, нужно сказать. «Торрес» было получше, но придурок Пабло-Иманол говорит, что мы и так ему дорого обходимся. На вполне сносном русском.

Тварь.

Тварь живородящая, как сказал бы Ленчик. Но Ленчика тоже нет, если не считать его одиноких звонков раз в две недели. Эти звонки не утешают нас, скорее наоборот. Ленчик увещевает «своих девочек» из далекого и почти забытого Питера, из далекого и почти забытого прошлого: «Не переживайте, девчонки, это самый обыкновенный творческий кризис, никто от этого не застрахован, никто... Потерпите, девчонки, кажется, я нашел композитора... он ничуть не хуже, чем Леша... кажется, я нашел поэта... он, конечно, не Виксан, но вполне приличный... ну что вы скулите, девчонки, наслаждайтесь Испанией, не будьте идиотками... а папочка приедет и сразу же вас заберет... набирайтесь сил, девчонки, концепция нового альбома скоро будет... почти... уже готова».

Голос Ленчика похож на автоответчик, да и сам Ленчик похож на автоответчик: он всегда говорит одно и то же. И мы всегда делаем одно и то же: вешаем трубку. Он снова звонит — с регулярностью раз в две недели. И мы с такой же регулярностью вешаем трубку. Он звонит — мы вешаем. Он звонит — мы вешаем.

Но...

Вот хрень, мы всегда ждем этого его звонка через воскресенье. В ночь со второй субботы на второе воскресенье мы не спим. Спать невозможно, а вдруг Ленчик скажет что-то совсем другое. А мы будем не готовы к этому другому... К воскресному звонку мы с Динкой готовимся по-разному: Динка отправляется трахаться с придурком Пабло-Иманолом, а я отправляюсь в библиотеку придурка Пабло-Иманола, трахаться с его книгами.

У Пабло-Иманола много книг, что странно: Пабло-Иманол не похож на читающего человека. У Пабло-Иманола много книг и много собак: собаки идут ему больше.

Собаки живут в небольшой пристройке к большому дому Пабло-Иманола. Там есть несколько вольеров и тошнотворно пахнет сырым мясом. Я была там один раз, всего лишь один, и больше никогда туда не заходила. Динка — другое дело. Динка может торчать там часами, глядя в испанские глаза собак. И накачиваясь «Риохой».

Я стараюсь не пить, хоть кто-то из нас двоих должен сохранять ясную голову. И могу часами торчать в библиотеке Пабло-Иманола. Я нашла там множество книг на русском, но ничего удивительного в этом нет: жена Пабло-Иманола была русской, я сама видела ее портрет. Вернее, два портрета: один в рамке, другой в раме. Один — всего лишь любительская фотография, другой написан маслом. Оба портрета сделаны придурком. Совсем неплохие, приходится признать. Особенно написанный маслом: в нем есть настроение, немного грустное настроение, совсем как плотные, забитые цикадами вечера в этом чертовом испанском доме. Даже странно, что портрет написал придурок, но он сам сказал мне об этом.

Теперь я думаю, что он соврал.

Я ни разу не видела его с кистями и красками. Я ни разу не видела его с чем-нибудь. Он ничего не делает. Он может долго сидеть, уставившись в одну точку. Он может долго лежать, **уставившись** в одну точку. Ему все равно, где лежать; ему все равно, где сидеть: в саду, на кухне, забросив ноги на стол (с вечно киснущей на нем жратвой), перед экраном своего ноутбука (он обожает тупые компьютерные игры); перед голой Динкой, перед одетой мной... Иногда (никакой упорядоченной системы в этом нет) Пабло-Иманол, небритый Ангел, играет на саксофоне. Нельзя сказать, что это совсем уж плохо, пассажи бывают удачными, и даже очень удачными, но выражение лицо Ангела не меняется: оно так и остается безучастным. Свои экзерсисы Пабло-Иманол называет на английский манер — «куул-джаз», прохладный джаз, в котором поеживаются прохладные тени, — Майлза Дэвиса, Джона Льюиса, Джерри Маллигэна... Пабло-Иманол любит поминать джазменов: полузабытых и полувеликих. Я услышала их имена от Динки, Динка — от самого Пабло. Динка утверждает, что Ангел играет не хуже самого Ли Конитца, которого ни она, ни я никогда не слышали, да и Пабло-Иманол слышал вряд ли. Прелесть гениальных джазменов в том и состоит, что их мало кто слышал... Возможно, этот самый Ли Конитц и был шикарным саксофонистом, но наверняка уже умер. А сакс у Пабло-Иманола и вправду неплохой... Жару он не разгоняет, но позволяет ее пережить. Что мы и делаем: переживаем сиесту за сиестой. И только джаз вносит в это некоторое разнообразие.

Джаз и собаки.

За собаками Пабло-Иманол следит. И порой исчезает на целые вечера с одной из них. Чаще всего он исчезает с Рико — огромным псом, похожим

222

на ротвейлера, один вид которого вызывает у меня дрожь в позвоночнике. Давно забытую дрожь в позвоночнике, которую вызывал во мне лишь один человек — Ленчик. Динка шепнула мне, что Пабло-Иманол и Рико ходят на собачьи бои, и пока Рико не проиграл ни одного.

Рико завораживает Динку, она ничего не говорит мне об этом, но я знаю. За два года я научилась чувствовать ее. И верить тому, о чем она не говорит мне больше, чем тому, о чем она мне говорит.

«Ангел — шикарный мужик», — говорит мне она. И я ей не верю.

«Ангел — шикарный любовник», — говорит мне она. И я ей не верю.

«Мне хорошо. Испанские члены выбили из меня все эти хреновые два года», — говорит мне она. И я ей не верю.

«Мы вернемся. Вот увидишь, мы вернемся. И еще поставим всех раком, Ры-ысенок», — говорит мне она. И я ей не верю.

Она постоянно думает о Рико. Она думает о нем с тех пор, как придурок взял ее на один из боев. Я такой чести не удостоилась. Она постоянно думает о Рико, но ничего не говорит мне об этом. Ничего. И я ей верю.

Она постоянно думает о Ленчике. Она думает о нем с тех пор, как он привез нас в Испанию, спустя месяц после полнейшего провала последнего альбома, спустя две недели после смерти Виксана, спустя неделю после неудачной попытки самоубийства. Я такой чести не удостоилась. Она постоянно думает о Ленчике, но ничего не говорит мне об этом. Ничего. И я ей верю.

Я сижу в расплавленной полуденной жарой библиотеке и смотрю на корешки русских книг. Каждый день я лениво думаю о том, что не мешало бы мне почитать что-нибудь, иначе я скоро совсем забуду о том что я — «сой руссо»[1]...

Я лениво думаю об этом и лениво знаю, что больше никогда не возьму в руки русскую книгу. Дурацкие буквы, хренова кириллица, которая предала нас, как и все остальные. На ней, этой проклятой кириллице, были написаны все письма — от признаний в любви до предсмертных записок; это ей был украшен подъезд нашего дома — и не только нашего... На ней писала Виксан, умершая от передозировки... Хотя я до сих пор думаю, что это было самоубийство, которое так неудачно повторила Динка. На ней, на этой проклятой кириллице, был наш первый звездный альбом — «ЗАПРЕТНАЯ ЛЮБОВЬ». На ней же был и наш последний провальный альбом — «ЛЮБОВНИКИ В ЗАСНЕЖЕННОМ САДУ»...

Даже я пишу свои дневники на кириллице. Ничего другого я не умею.

И собак Пабло-Иманола я боюсь до смерти. Я не боюсь только испанских книг. Я могу часами всматриваться в тексты, в шрифты, не понимая ничего. Незнакомый язык успокаивает меня. Даже если он грозит мне смертью, я никогда не узнаю этого. Не пойму.

Это — лучше всего. Не понимать, что происходит. Не понимать, что происходит сейчас, а тупо копаться в ране прошлого, так и не позволяя ей

---

[1] Я — русская (исп.).

затянуться... Вокруг этой раны постоянно роятся насекомые; и в библиотеке полно насекомых, они неумолчно гудят в стеклах, но чаще — умирают. И я нахожу их невесомые трупики между страницами. И в невымытых бокалах из-под вина и цветов. Эти бокалы с засохшими цветами на коротко обрезанных стеблях натыканы по всей библиотеке, — так же, как и оплывшие, покрытые пылью свечи.

Должно быть, все это осталось от русской жены Пабло-Иманола. Книги, засохшие цветы и два портрета. С русской женой произошла какая-то темная история, неизвестно даже, жива она сейчас или нет. Пабло-Иманол не любит распространяться об этом. Большую часть времени он молчит. Возможно, он о чем-то говорит с Динкой, но и Динка не любит об этом распространяться. Для меня у Пабло-Иманола существует всего лишь несколько безразличных и ритуальных слов: «Ола, Рената»[1]... «Адьос, Рената»[2]...

Я для него не существую. Вернее, существую, но как довесок к Динке. К тому же я смахиваю на его русскую жену, такую же светловолосую, с глазами, поднятыми к вискам. Совсем немного, но смахиваю. Если смотреть на меня ничего не видящими глазами.

Что придурок Пабло-Иманол и делает: смотрит на меня невидящими глазами.

Я не колюсь, как Динка, я даже почти не пью «Риоху», — я, как мышь, целыми днями сижу в

---

[1] Привет *(исп.)*.
[2] Пока *(исп.)*.

библиотеке, выползая на улицу лишь тогда, когда спадает жара. Ближе к вечеру. Или ночью. Весь день я стараюсь не встречаться ни с Динкой, ни с Пабло-Иманолом, благо, огромный запущенный дом придурка выступает моим союзником. Весь день я не выпускаю из рук испанские книги. Или пишу дневники. С дневниками нужно держать ухо востро: Динка находит их и рвет. Она находит дневники везде, куда бы я их ни спрятала, в самых потаенных, самых непредсказуемых местах. Мы слишком долго были вместе, и она научилась чувствовать меня. Она научилась быть мной.

— Пишешь летопись того, что больше не существует? — орет она мне, сладострастно разрывая клееные обложки. — Лживые басни про «Таис»? Как раз в духе этого козла Ленчика?!... Он был бы тобой доволен, козел!!!

— Почему лживые?...

Моя защита немощна, как прикованный к постели паралитик, под Динкиным напором она трещит и рвется по швам. И из швов начинают вываливаться дохлые кузнечики, полуистлевшие стрекозиные крылья, мумифицированные куколки и прочая энтомологическая дрянь, которая нашла последний приют в библиотеке придурка Пабло-Иманола.

— Почему лживые, Диночка?...

— Почему?! Ты спрашиваешь у меня — почему? — Динкины губы совсем близко, уже не темно-вишневые, знаменитые губы, по которым сходила с ума не одна тысяча человек... Уже не темно-вишневые, а серые, слегка припорошенные струпьями.

— Я прошу тебя...

— Ты просишь или спрашиваешь? Они были близки... Они любили друг друга... Они трахали друг друга... Они спали в одной постели и трахали друг друга до изнеможения... Они сосались как ненормальные, прямо в объективы, потому что любили друг друга... И им было на все наплевать, на все, на все... Вранье!!! Мать твою, какое вранье!!!

— Успокойся... Прошу тебя, успокойся...

— Отчего же... Всем нравились девочки-лесби... Все ими просто бредили... Все хотели с ними переспать... Все хотели быть третьими... А потом девочки-лесби всем надоели... Всех достала их вечная любовь... Любовь должна умирать, только тогда она остается... Любовь должна убивать, только тогда она вызывает сочувствие... Господи-и-и...

Динка захлебывается в словах, и я не знаю — смеется она или плачет. И то и другое одинаково страшно и делает ее одинаково безумной.

— Успокойся... Я прошу тебя, успокойся, Диночка...

— Ты дура! Ты просто идиотка!... Ры-ысенок, мать твою!... Ну что ты цепляешься за прошлое?! Его нет... Его больше нет... Забей на него! Забей, слышишь!...

— Но ведь ты сама говорила... Что мы вернемся... Что мы еще...

Динка никогда не дает мне закончить фразу. Вот теперь она действительно смеется. И я боюсь этого смеха, я никак не могу к нему привыкнуть.

— Я?! Я говорила такое?! Я?!... Да лучше подохнуть здесь, на грязных простынях в грязной Испании, чем вернуться... Мы никогда не вернемся, никогда!...

— Вернемся...

— Кем? — спрашивает Динка, и у меня нет ответа на этот вопрос. — Кем мы вернемся, кем?... Черт, да мы даже уехать отсюда не можем...

Не можем, тут Динка права. Еще в вонючем клоповнике «Del Mar» у нас украли паспорта и кредитки; денег на них было немного, но, во всяком случае, тогда мы были избавлены от жалких подачек Пабло-Иманола. Тогда он только-только нарисовался на нашем с Динкой горизонте, парень под тридцать, в джинсах и черной майке, с такой же черной татуировкой на левой стороне шеи. Татуировка сливалась со щетиной, Пабло-Иманол сливался с общей массой, оттягивающейся в «Pipa Club» под джаз и бильярд. Во всяком случае — для меня. Динка — та сразу на него запала. На то, как он катает шары и как его лиственная татуировка отдается этому — вся, без остатка. «Пипа» была единственным местом, где мы с Динкой изредка появлялись, — когда становилось совсем уж невмоготу от бесконечного телевизора в номере. Ее показал нам Ленчик: на второй или третий вечер после нашего приезда в Барселону. Тогда все было не так уж плохо, если не считать Динкиной рассеянной, впавшей в анабиоз ярости — по поводу неудавшейся попытки суицида. Ленчик поселил нас в «Gran Derby», на тихой, далекой от потрясений Лорето, и номер был просто роскошным: с кондиционером, баром, сейфом, где Динка хранила свои прокладки, и спутниковым телевидением... Вечером того же дня, когда уехал Ленчик, Динка подцепила себе своего первого испанца, красавчика Эйсебио. Тут же, в

«Пипе». Я сама видела, как она положила руку ему на зиппер через две минуты после знакомства, отчаянно пьяная Динка. Зиппер отреагировал так живо, что я сразу же решила: до гостиницы они не доберутся ни при каком раскладе, трахнутся где-нибудь поблизости, в первом же попавшемся укромном месте. Они и вправду сразу исчезли. Исчезать следом за ними у меня не было никакого желания, вот разве что бильярд... Я совсем не умею играть в бильярд, так до сих пор и не научилась, но мне нравится, как шары стукаются друг о друга. Один из немногих звуков, который мне нравится. Один из немногих звуков, который все еще проникает в мое сознание, оглушенное сперва шквальной славой, а потом — такой же шквальной пустотой. Мне нравится звук сталкивающихся шаров, ночной звук, мне нравятся ночные звуки. В ту ночь, оставшись без Динки, уйдя из «Пипы», я долго бродила по ночной Барселоне; в другое время я бы сразу же влюбилась в этот город. В любое другое, только не сейчас... У меня больше не осталось сил — ни влюбляться, ни любить...

Я вернулась в номер под утро, уже зная, что застану в нем.

Динку и испанца. И финальные аккорды их страсти.

Так оно и получилось. Динка выползла из спальни через полчаса после моего прихода: измочаленная, голая, потная, с не выветрившимся запахом случайной страсти, на шее у нее красовались засосы, — ночной красавчик постарался на славу.

— Все в порядке? — спросила я.

— Более чем, — ответила она. — Чико просто великолепен. Не хочешь попробовать?...

— Нет.

— Ну и дура. У тебя есть сигареты? У нас кончились...

— Нет, но... Хочешь, я схожу?

Она уселась против меня, бесстыдно раздвинув колени. Господи, как же я знала ее тело! Как же я изучила его за те два года, в течение которых мы не расставались ни на день. Я знала родинку на животе слева, — в форме оливки; крошечный шрам на бедре, проколотый пупок с маленькой сережкой: сережку она выцыганила у Виксан. За неделю до выхода нашего последнего, провального альбома, «Любовники в зимнем саду». Это была та самая серьга, которая все два года одиноко болталась в Виксановой левой брови...

— Ну что ты на меня уставилась?

— Я схожу за сигаретами, если хочешь...

— Не хочу. Ты мне надоела. Это вечное твое «чего изволите»... Даже если бы тебя насиловал взвод солдат — даже тогда ты бы блеяла «чего изволите»... Скажешь, нет? Ты ведь всегда и со всем соглашаешься...

— Я схожу за сигаретами...

— Не надо...

— Лучше сходить за сигаретами, чем смотреть на подобное бесстыдство, — не знаю, почему я ляпнула именно это, но получилось довольно бессильно. Бессильно и беззубо. И жалко.

Динка расхохоталась злым, отрывистым смехом.

— Из какого монастыря выдвинулась, послушница? И тебе ли говорить о бесстыдстве после двух лет, которые мы провели в одной постели, а?

— Господи, какая чушь...

Она приготовилась ударить меня наотмашь какой-нибудь из своих убийственных, уничижительных фраз, она знала много таких фраз. Но именно в этот момент из спальни выполз испанец. Голый, как и Динка. Он был неплох, совсем неплох, красавчик Эйсебио. Смуглый, хорошо сложенный, с аккуратными кольцами волос в паху, дорожкой поднимающихся вверх. Я даже поймала себя на том, что мне хочется прогуляться по этой дорожке, ч-черт... Эйсебио улыбнулся мне, ему и в голову не пришло прикрыться — хотя бы рукой. Звериная, первобытная красота и стыд несовместимы, и ничего с этим поделать невозможно.

...Я вернулась только вечером, так и не принеся сигарет. Весь день я прошаталась по Рамбле, я и здесь оказалась банальной: куда же еще податься залетной русской птице, как не на Рамблу, кишащую туристами? На Рамбле меня встретили другие птицы, Рамбла кишела птичьими лотками и открытыми кафешками, и крошечными цветочными рынками. Ей и дела не было до меня. И до моих измотанных жарой мыслей об Эйсебио. Вернее, о пахе Эйсебио. Впервые я видела мужской пах живьем, и это благополучно доковыляв до преклонных восемнадцати! Раньше я об этом и не думала, все два года я старательно выполняла условия нашего с Ленчиком контракта: никаких мужчин, мальчиков, парней. Никто не должен видеть нас в двусмысленном мужском обществе, исключение составляют лишь люди, занятые в проекте: от административной своры до голубенькой подтанцовки. Любой намек на адюльтер с какими-нибудь левыми яйцами может разрушить лесбийский имидж «Таис», а ничто так не карается потерей популярности, как отход от имиджа. И я была пай-девочкой, я ни разу не отошла от придуманного Ленчиком образа, и парней я себе не позволяла... Мне и в голову не приходило позволить. Хотя стоило мне пошевельнуть мизинцем... на секунду сомкнуть ресницы... накрутить на палец прядь волос... и мне в ноги тотчас же кинулась бы целая свора обезумевших фанатов. И не пятнадцатилетних прыщавых тинейджеров, хотя и такого добра было навалом, а взрослых, хорошо упакованных мужиков. С портмоне, которые легко могли бы вместить в себя бюджеты краев, областей и дотационных республик... А впрочем, плевать... Плевать. Я и сейчас могу подцепить себе кого-нибудь, прямо сейчас, не сходя с места, посреди Рамблы... У театра «Полиорама»... А лучше — у церкви Вифлеемской богоматери. Да, у церкви будет лучше всего... А еще лучше — заняться любовью где-нибудь на алтаре, мы ведь всегда были скандальным дуэтом... Всегда. Вот интересно, Господь наш всемогущий вуайерист или нет?... А подцепить себе темпераментного мачо, который походя лишит меня девственности, не мешало бы. И привести в гостиницу, и, на глазах у Динки, стянуть с него штаны.

Черт... Я никогда этого не сделаю.

Никогда.

Я никогда не сделаю того, что делает Динка. Два года не прошли даром, я все еще вишу на гвоздях, которые вбил в меня Ленчик, я все еще не могу выпрыгнуть из роли. Я — полная Динкина противоположность. Она — активное начало, я — пассивное; она — задириста, я — нежна. Она — иронична, я — меланхолична. Она — откровенна и бесстыдна, я — целомудренна. Она — сильная, я — слабая. Она нравится молодым парням с упругой подтянутой мошонкой, сексистам-экстремалам и застенчивым начинающим лесби. Я нравлюсь парням постарше с упругими подтянутыми мозгами, сторонникам традиционного секса и лесби со стажем. Мы обе нравимся доморощенным Гумбертам, толстым кошелькам и журналистам...

Черт... Черт, черт... Не «нравимся», а «нравились», пора бы привыкнуть к прошедшему времени. Но привыкнуть — означает смириться. Смириться после того, как мы окучили всех. Всех, кого только можно было окучить. Вернее, Ленчикова гениальность окучила. И собрала плоды. Ленчик, встретивший нас в предбаннике славы в стоптанных башмаках, теперь катается на «бээмвухе» последней модели, прикупил пару дорогих квартир в Москве и Питере, и... наверняка где-то еще... И не квартир... Но мы в такие подробности не посвящаемся. А «где-то еще» всплыло в его последнем разговоре с Виксаном. За сутки до ее смерти.

Тогда я приехала в офис Ленчикова продюсерского центра, шикарный офис нужно сказать: в самом центре, на Рубинштейна. С охраной и евродизайном. И офис, и охрана — всего лишь оболочка, оставшаяся от нашего триумфа, новогодние шары, которые забыли снять с елки. А елку забыли выбросить. У офиса больше не толклись фанаты, и возле нашего дома они не толклись. И потому в офис я прошла беспрепятственно. Мне нужен был Ленчик, чтобы решить, что делать с впавшей в депрессию Динкой. Она беспробудно пила, а напившись, начинала поливать меня матами. И Ленчика заодно, и «Таис», и весь мир. Иногда я боялась, что она совсем спрыгнет с мозгов и убьет меня кухонным ножом, и мне хотелось уйти из нашей опостылевшей двухэтажной квартиры (с видом на Большую Неву и Петропавловку, она очень быстро сменила плебейское гнездо на Северном)... Мне хотелось уйти куда глаза глядят. Но и уйти было невозможно, потому что еще больше я боялась, что Динка убьет себя. Все кухонные ножи были тщательно спрятаны, все режущие и колющие предметы — тоже, от ножниц до пилок для ногтей. В аптечке остались лишь совсем невинные горчичники, термометр и лейкопластырь, но навязчивая идея изобретательна, она легко обходится подручными средствами. Несколько раз я пыталась заговорить об этом с Ленчиком.

— Динке нужна помощь, Ленчик... Может быть...

— Может быть, но не будет... Никогда, — обрубал меня Ленчик. — Никаких больниц. Если об этом прознают журналисты, на вас можно будет ставить крест...

— На нас уже давно можно поставить крест.

— Нет. Все еще вернется, дай мне время. А пока будь с ней, Рысенок. Просто — будь. Она нуждается в тебе, вы близки, как никто...

«Близки, как никто»... Возможно, мы и были близки, — в самом начале триумфа. Когда все сошли с ума, увидев на сцене двух отчаянно целующихся девчонок. Все просто с цепи сорвались. А потом были клипы, увековечившие наш темновишневый поцелуй; наши руки, обвивавшие затылки друг друга, — под дождем, под снегом, под ветром, под чем угодно... Как же это нравилось! И какую ненависть вызывало... А мы тихонько сидели, обнявшись, в самом эпицентре этих двух потоков — любви и ненависти. Мы касались друг друга кожей — и вправду были близки.

Как никто.

Но эту близость выбил бесконечный, непрекращающийся чес по городам, по два концерта в день, презентации, пати, на которых мы должны были не забывать, что беспробудно, запойно влюблены друг в друга... Ночные клубы, закрытые вечеринки, съемки, бесконечные интервью... Домашние заготовки для этих чертовых интервью писала нам Виксан, Ленчик делал окончательную правку. Чем откровеннее — тем лучше; непристойности должны произноситься с невинными улыбками на лице, «плохие хорошие девочки», вот что должно остаться в памяти.

И мы были плохими хорошими девочками. Мы снимались для самых разных журналов, в самых разных позах, нет, не каких-нибудь разнузданных: откровенного порно не было никогда. Только легкий намек, который заводил и вышибал пробки.

Ради чего?...

Теперь, когда «Таис» рухнул, вывалился из всех чартов, из всех топов... Теперь, когда о нас вытерли ноги все те, кто совсем недавно боготворил... Теперь я думаю... Ради чего все это было? Ради

Ленчиковой «бээмвухи»? Ради двухэтажной квартиры с видом на Большую Неву, в которой мы тихо ненавидим друг друга?... Или ради тех уродов, которые поначалу платонически и робко любили нас, потом — мастурбировали на наши плакаты, а потом начали откровенно оскорблять? От матерного ореола, который окружал «Таис», и свихнуться было недолго. Или мы уже свихнулись?

— Я устала, — сказала как-то Динка Ленчику. — Я устала... Дай нам отпуск, Ленчик... Хотя бы на месяц... Иначе я просто не выдержу...

Чуть больше года назад, когда мы еще были на пике популярности, она сказала это после концерта, измотанная, несчастная, лежа на кровати в стылой гостинице какого-то областного центра — то ли Ижевска, то ли Иркутска...

— Потерпи, — ответил ей Ленчик. — Уйти сейчас, когда все только о вас и говорят, уйти даже на время... Это недальновидно. Поверь мне, я взрослый человек, я — знаю...

— Я устала... Я видеть ее больше не могу...

«Ее» — относилось ко мне, такой же усталой, такой же выпотрошенной. Но, в отличие от Динки, у меня не было сил даже на бунт. Даже на ответ. И все-таки я ответила.

— Меня, положим, тоже с души воротит...

— Вот и славно, — тотчас же уцепилась Динка за мои слова. — Мы друг друга не перевариваем на сегодняшний момент, самое время друг от друга отдохнуть... А потом, с новыми силами...

— «Потом» — не будет. Будет сейчас, сегодня, завтра, — Ленчик умел быть жестоким. — И вы тоже будете... Вы будете делать то, что я скажу.

236

— Пошел ты... — даже обычное злое остроумие покинуло тогда Динку. Ее и хватило только на эту детскую фразу.

— Нет, пойдешь ты. Вот только каково тебе будет без этого всеобщего обожания? Без тусовок, без статей, без шепота за спиной?... Без этого быдла, которое готово душу дьяволу заложить, лишь бы иметь возможность к тебе прикоснуться? Хочешь снова стать никем?

— Ну, никем я, положим уже не буду...

— Будешь. Ты еще слишком маленькая...

— Слишком маленькая? Как толпу заводить — не маленькая... Как перед жлобами задницей вертеть — не маленькая... Как журналюг провоцировать — не маленькая... Как пошлости нести — не маленькая...

— Ты еще слишком маленькая и не знаешь, что люди очень быстро все забывают. А уж кумиров — сам бог велел... Соскочишь — и больше не запрыгнешь. Я сам не дам тебе запрыгнуть. Ну что, все еще хочешь соскочить?

Нет, соскочить Динка не хотела. И я не хотела. Мы сорвались сами. Потом, позже.

Сами, сами...

Мы выросли, вернее, — постарели на два года. Мы перестали быть подростками, и наша запретная страсть всех задрала. Надоела, достала, вывела из себя. Страсть должна убивать, а не выводить из себя, так сказал когда-то Ленчик, совсем по другому поводу.

Я даже и предположить не могла, что Динка так быстро сломается.

Сначала были невинные коктейли на вечеринках, потом — рабоче-крестьянское пиво, потом напитки потяжелее. И пошло-поехало. А в ту неделю, впав в депрессию, Динка вообще не просыхала. Я оставила с ней Владика, нашего бывшего охранника, когда-то безнадежно влюбленного в Динку. Влюбленного и теперь — по инерции. Владик — здоровенный детина с устрашающе развитыми мускулами и устрашающе низким лбом, Владик не даст Динке наделать глупостей...

...Я наткнулась на их голоса, стоило мне просочиться в предбанник Ленчикова кабинета; рабочий день для офиса закончился, и его секретарши уже не было. А были — голоса из-за двери.

Ленчика и Виксана.

Когда-то это уже было — Ленчик и Виксан, и я за дверью. Вот только тогда «Таис» только начинался, а теперь от него остались одни воспоминания. Изменилось все. Только Ленчик и Виксан не изменились, они по-прежнему цапались, они по-прежнему хотели что-то друг другу доказать.

— ...я больше не буду писать... Это просто чудовищно... Эти, мать их, тексты... Эти программные заявления... — голос Виксана, и без того давно ставший бесплотным, теперь напоминал шелест крыльев падшего ангела.

— Чудовищно что?

Ленчик, как всегда, был спокоен. Но я-то знала, что это обманчивое спокойствие, что лед может треснуть в любой момент, и тогда вспухшая, мутная вода вырвется наружу. Я знала, два года — достаточный срок, чтобы з н а т ь.

— Чудовищно что, Виксанчик?

— Концовка... Ты не боишься?

— Чего?

— Кого...

— Хорошо, кого? Тебя, что ли? Но ты уже впряглась, ты согласилась... Это — твоя вещь, ты ведь ее начала...

— Нет... Я не буду в этом участвовать... Не могу...

— Мне тоже жаль, — ай, Ленчик, зачем же так неприкрыто врать, жалость в твоих словах и не ночевала.

— Жаль?!! После всего, что ты мне только что сказал, ты говоришь о жалости? Я не подпишусь под этим, не подпишусь...

— Ты уже подписалась. Ты согласилась... Ты сделала половину работы... Кой черт, две трети... Я не могу менять стиль... А финал... Ты представляешь, каким фантастическим он был бы, если бы ты его написала... Ты ведь можешь... Ты ведь его чувствуешь... Так же, как и я... Если бы я обладал хотя бы четвертью того таланта, которым обладаешь ты...

— ...такая мерзость тебе бы и в голову не пришла... Скажи, что ты пошутил, Ленчик... Скажи, иначе жить дальше — бессмысленно.

— Твою мать... Неужели ты не понимаешь... Это — единственный способ остаться... Это — единственный выход для девчонок...

В кабинете воцарилась тишина. Надолго. Наверняка они собачатся из-за текстов, из-за чего же еще... Наш последний альбом провалился с треском, но винить в этом несчастную Виксан... Дело ведь совсем не в ней, даже я в состоянии сообразить, что к чему... Даже я...

— Господи, Леня... Это просто творческий кризис… Нужно подождать… Переждать… Перетерпеть… У любого проекта бывает подъем и бывают спады… Девчонки страшно устали, мы тоже…

— «Таис» — не любой проект! — Ленчик неожиданно перешел на фальцет. — Я вложил в него душу, я вложил в него все… Надеюсь, хоть этого ты не будешь отрицать?

— А сколько ты получил?

— Ну, ты тоже вроде не внакладе… Мы сорвем еще больше, если ты… Если ты останешься со мной, Вика… Если будешь на моей стороне… Ну сколько тебе можно объяснять, какие еще доводы привести?!… Ты же видишь, во что они превратились за два года…

— Превратились? Да ты сам их в это превратил…

— Не без твоего участия, душа моя… Не без твоего. До последнего времени тебя все устраивало…

— Если бы ты знал, как я об этом жалею…

— А я — нет…

— Ты просто психопат…

— Лучшей вещи для них и придумать будет невозможно… Они не только все чарты возьмут, они останутся в них надолго… Ох, как надолго… И перешибить это будет невозможно. Никому… Я бы мечтал об этом на их месте… Ты на моей стороне?…

Сейчас она скажет «да». Свое обычное полузадушенное «да». К чему только копья ломать, у Ленчика звериная интуиция, она никогда его не подводила. Закрыть глаза и верить. И все будет хорошо. Интересно, какой ход придумал Ленчик?… С некоторых пор — с тех самых, когда наша популярность стала заметно подволакивать ногу, я часто закрываю глаза. И каждый день думаю о том, что Ленчик обязательно что-нибудь изобретет. Какую-нибудь фишку, которая снова сделает нас тем, кем мы были.

Кумирами.

Кумирами, из-за которых и расстаться с жизнью не жалко. Он смог сделать это один раз, так почему не попытаться во второй?..

Я с трудом удержалась, чтобы не открыть дверь и не просунуть в нее голову. Пожалуй, я так и сделаю. Вот только дождусь, пока Виксан скажет «да». Как обычно.

— Ты на моей стороне?..

— Нет. На этот раз — нет... Нет...

В тот вечер я так и не открыла дверь в кабинет Ленчика, так и не просунула в него голову. Я вернулась домой, к пьяной Динке и трезвому Владику. Владик терзал Динкино безвольное тело на кухонном столе, распластав его среди бутылок и пустых упаковок из-под чипсов. Я наткнулась на их вещи в зале, значит, начали они оттуда. Потом, скорее всего, переместились в спальню, потом — в душ, и только потом всплыла кухня, которую сто лет никто не убирал. Черт... Это так похоже на «Таис»... За два года Динка срослась с ним, и теперь «Таис» диктует ей стиль. Ведь «Таис» тоже начинался с зала, с дорогой мебели, дорогих картин и невянущих цветов в тяжелых вазах. А закончился на грязной кухне, никому не нужной кухне, среди бутылок и упаковок из-под чипсов...

Я могла бы подняться на второй этаж, чтобы

не видеть взмокшую спину Владика, его дергающуюся узкую задницу, могла бы. Но я вперлась в кухню, на территорию дешевого Динкиного совокупления. Вперлась без всякого стыда, и принялась собирать со стола бутылки и остатки чипсов. Владику не очень это понравилось, он просто прилип к Динке и затих. Но Динка...

— А вот и моя девочка пришла, — спертым голосом сказала она. — Моя любимая девочка... Мое солнышко... Мой котик... Я так его люблю... Владичек, а ты любишь моего котика?

Владик промычал что-то невнятное, а Динка сразу же предложила ему секс втроем... Пикантный такой групповичок с дуэтом «Таис». Для столь радостного случая можно и в комнаты перебраться, ты не против, Ренаточка? Солнышко... Ко-отик...

Больше всего мне хотелось стукнуть Динку бутылкой по башке. И залетного Владика — за компанию. Но ничего этого я делать не стала, а вечером следующего дня позвонил Ленчик и сообщил нам, что Виксан умерла.

Она умерла от передозировки. И ничего удивительного в этом не было. Она могла умереть в любой из дней, в любой из семьсот тридцати дней, которые набежали за два года. Но умерла она только сейчас. Хреновый знак.

С Ленчиком разговаривала Динка. Протрезвевшая и злая. Она долго молчала в трубку, а потом швырнула ее на рычаг. И закусила губу. И принялась меланхолично копаться в пачке сигарет.

— Что-нибудь случилось? — спросила я.

— Случилось. Крысы бегут с тонущего корабля... Сначала Алекс, а теперь...

Я похолодела. Алекс умер всего три месяца назад. Наш тихий бледнолицый арт-директор. Он не ездил с нами в последние полгода, просто не мог — сил, чтобы сопротивляться болезни, больше не оставалось. После безнадежного курса в лучшей клинике, куда его устроил Ленчик, Алекса отпустили домой — умирать. Он и умирал тихо, в Ленчиковом офисе, у всех на глазах. Тогда еще офис был полон людей, телефонных звонков и факсов. Тогда еще в нем толклись журналисты и телевизионщики. Их было не так много, как на пике нашей популярности, но они все же были. И охотно общались с Алексом: волна нашей славы накрыла и его. Но ни журналистов, ни телевизионщиков я не видела в упор — я видела только глаза Алекса.

В них не было ни жалости к самому себе, ни страха перед смертью; в них не было ничего, кроме желания обмануть судьбу. «Девчонки, я с вами, а значит, ничего не изменилось. Вы помните наши первые гастроли в Сургуте, когда фаны снесли милицейский кордон?.. Вы помните окончание записи первого альбома, когда мы обливали друг друга шампанским, а потом протирали пол свитерами?... Вы помните нашу поездку в Сосново, когда мы валялись в снегу и ржали, как ненормальные, и Динка грела руки у меня под курткой?.. И орала, что с сегодняшнего дня мир принадлежит нам, и требовала занести это в протокол... Вы помните?... Вы помните?.. Вы помните?..» Мы не были на его похоронах, чертовы гастроли, а по приезде Ленчик даже забыл сообщить нам об этом. А мы забыли спросить — как там Алекс? Смерть

Алекса всплыла чуть позже — необязательно, в каком-то из наших разговоров с Ленчиком; разговоров, которые все больше походили на грызню. Нынешний директор — откровенный подонок, накалывает с бабками, вот Алекс никогда себе этого не позволял... Кстати, Ленчик, как там Алекс, что-то давно его не было видно...

А-а... Алекс... Черт, он ведь умер, девчонки... А я забыл вам сказать, замотался, сами понимаете. Так что там новый директор?..

И вот теперь...

Сначала Алекс, а теперь...

— Кто? — выдохнула я.

— Виксан.

...На кладбище Ленчик плакал. Неумелыми, злыми слезами. Народу было немного: мы с полупьяной Динкой, которая тотчас же начала строить глазки молодому флегматичному могильщику; пара старых Виксановых друзей, героинщиков со стажем, один вид которых мог вусмерть напугать обывателя. Ее последний бойфренд, экзотичный жиголо с узкими ленивыми глазами и губами цвета черной смородины, полная противоположность белесой Вике. Красивый, черт, такая красота с неба не падает, а приобретается в обменниках по льготному валютному курсу. Что ж, Виксан могла себе это позволить. Такого, совсем недешевого, парнишку-экзота. Даже Динка, оторвавшись от могильщика, заметила его глянцевую, с ног сбивающую красоту.

— Ничего кобелек, — сказала она мне, когда первые комья земли полетели на гроб Виксана. — Может, замутить с ним?

— Пошла ты...

Но пошла я. Я, а не она. Я приблизилась к пла-
чущему Ленчику и тихонько ухватила его за ре-
мень. И услышала то, что вовсе не предназнача-
лось для моих ушей.

— Сука, — шептал Ленчик. — Сука ты, Виксан. Как ты могла так поступить со мной, сука...

* * *

...Происходит то, что и должно происходить: од-
ряхлевший испанский дом потихоньку стирает воспоминания о Виксане и об Алексе, и даже о «Таис».
Мне кажется, что мы жили в нем всегда, что мира
за его высокой оградой не существует. А унылые
звонки Ленчика — через воскресенье — лишь под-
тверждают эту истину. В какой-то момент они
даже перестают меня трогать. Мне даже хочется,
чтобы Ленчик не звонил, чтобы мир и вправду
перестал существовать. Теперь уже окончательно. Меня совершенно не тянет отправиться куда-
нибудь, хотя бы просто прогуляться. Можно было
бы съездить в Барсу, можно — в Сичес, говорят,
Сичес захлебывается от праздников... Можно было
бы наплевать на все и отправиться в Порт-Авен-
тура, говорят, там полно аттракционов, которые
вышибают мозги... В конце концов побережье под
боком... Коста-Дорада, земной рай. А рай бы не
помешал.

Но для рая нужны деньги, а денег у нас нет.

А даже если бы они и были... Мне не хочется
выползать из безалаберной норы Пабло-Иманола, я знаю, что увижу, стоит мне только ее покинуть.

245

Людей.

Огромную массу людей, жаждущую развлечений. Я ненавижу людей, люди меня достали. Я устала от них в России, слишком устала, чтобы терпеть их еще и в Испании. Если Пабло-Иманол не выгонит нас, если он не спустит на нас своих собак... Что ж, я готова прожить здесь сколь угодно долго. Тем более что паспортов у нас нет. Нет ничего, что подтвердило бы мое имя. Захватанное журналами и музыкальными каналами, интернетовскими сайтами, которые больше напоминают сливные бачки... Имя, опостылевшее мне самой до изжоги. Быть может, мне удастся забыть его, и изжога пройдет. И я перестану думать о потерянной славе и превращусь в дохлое насекомое из библиотеки Пабло-Иманола. Или в одну из его книг. Хорошо бы...

Только бы Ангел нас не выгнал! Я готова терпеть и его безразличное «Ола», и его cool джаз, и его собак, и его полуночный громкий трах с Динкой, и полное отсутствие воспоминаний о русской жене. Я хочу остаться здесь навсегда.

Навсегда.

Здесь, за оградой, такой высокой и такой старой, что дом больше напоминает ковчег. Вот если бы еще не было Динки... Но Динка есть, и в этом мое спасение. И единственная надежда. Пока существует эта безразличная испепеляющая страсть Ангела и Динки, я имею право находиться в доме. Я — всего лишь довесок к ней, бесплатное приложение. Странно, что она до сих пор не сказала Ангелу, чтобы он выгнал меня, ведь я ее раздражаю, ведь она меня ненавидит... Должно быть, все дело в Ленчике, он все еще звонит нам каждое второе воскресенье. Это — почти ритуал. Погребальный. Каждый его звонок заставляет нас с Динкой грызться, собачьи бои, да и только...

— Кем мы вернемся, кем?... — орет на меня Динка.

И у меня по-прежнему нет ответа на этот вопрос. И все же я пытаюсь ответить — только для того, чтобы не злить ее лишний раз.

— Какая разница... В конце концов, нам с тобой только восемнадцать...

— Это не имеет никакого значения...

— Имеет... Ты же сама говорила... Ты хотела сделать сольную карьеру, ты ведь хотела... Все возможно...

— Все возможно?! Сольная карьера... Выйти на сцену в одиночестве... Чтобы все спрашивали, куда же я дела свою половинку? Свое солнышко, своего котика, без которого я просто жить не могла?...

— Не говори ерунды, Диночка... — примирительно блею я, от Динкиных вспышек у меня стучит кровь в висках.

— Отчего же? А, впрочем, ты права... Отчего же мне не выйти на сцену, отчего мне не записать, мать его, диск... О несчастной любви к какому-нибудь мужчинке... Или ко всем мужчинкам сразу... Какие там у нас самые распространенные рифмы: «Меня — тебя»? «Любовь — кровь»? «Член — перемен»? О, отличный сюжет! «Твой член так жаждет перемен»!... Лесбиянка, возвратившаяся в лоно гетеросексуальной любви! Еще одна спасенная душа! Зрители будут рыдать...

— Диночка...

— Думаешь, не будут?

— Вот увидишь, Ленчик что-нибудь обязательно придумает.

— Он уже придумал... Два года назад... Будьте вы прокляты... И ты, и твой Ленчик... Будьте вы прокляты...

Я все жду, когда она меня ударит. Это случалось неоднократно, еще в период триумфа «Таис». Тогда Динка легко распускала руки, а я легко мирилась с этим, папашкина школа. Папашка... папахен... Он по-прежнему квасит, но его бесконечные запои перешли теперь в более цивилизованное русло, смоченное хорошим виски. На водку он теперь и смотреть не может. Я купила ему квартиру у Ледового дворца, он сам на этом настоял: оставаться в старой было невозможно, только ленивый не кидал в него камнем, — папаша бесстыжей извращенки, эй, что ж ты так плохо воспитал ее, папаша?!.. Я и сама выслушивала от него тирады позабористее, пока мои деньги не заткнули ему рот. Деньги кого угодно сделают сговорчивым, папахен — не исключение. Грязные оскорбления сменила приправленная виски философия: «Ну что ж, шалава... прошмандовка... и слова тебе поперек не скажу. Рыба ищет где глубже, а человек — где лучше... Делай что хочешь...»

Я все еще жду, когда Динка меня ударит. Но она не делает даже этого. Она и пальцем не хочет меня касаться, прошли те времена, когда мы касались друг друга. Касаться друг друга, по поводу и без повода — в этом тоже была фишка «Таис». Касаться друг друга — в этом тоже было наше прошлое. Которое мы обе хотим забыть.

Динкины вспышки заканчиваются так же внезапно, как и начинаются. И я тешу себя надеждой, что когда-нибудь они и вовсе сойдут на нет, и Ленчик перестанет звонить, и не нужно будет готовиться к этим звонкам. И мы останемся в ленивом доме Ангела навсегда.

А, впрочем, me da lo mismo.

Мне все равно.

Это единственное испанское выражение, которое я знаю. Единственное. Я произношу его без всякого акцента, оно как будто создано для меня: me da lo mismo.

...Но я еще не знаю, что в один прекрасный день, за дешевыми испанскими детективчиками в мягких обложках, найдется фолиант, более приличествующий какому-нибудь старинному университету. Или музею. Но никак не этому грубому, неотесанному дому. И мне перестанет быть da lo mismo. А фолиант найдется и потащит за собой другой фолиант, который так никогда и не будет создан.

«Как мы убивали Ленчика» — его примерное название.

Похожее на испанский детективчик в мягкой обложке. Оно вполне бы вписалось в другие испанские названия: «Errar el camino»[1], «En visperas el asesinato»[2], «Conjurado»[3]... Я не знаю, как это переводится, но потертые картинки на первой странице впечатляют: классическое красное и

---

[1] «На ложном пути» *(исп.)*.
[2] «Накануне убийства» *(исп.)*.
[3] «Заклятый враг» *(исп.)*.

черное, цвет ночи и убийства, цвет матадора и быка, мы до сих пор не были на корриде. А мне бы так хотелось посмотреть на нее, хотя Динка уверяет, что в корриде нет ничего хорошего. Собачьи бои куда лучше, те самые собачьи бои, на которые изредка ходят Пабло-Иманол и Рико.

Испанские детективы утешали меня, хотя я не понимала в них ни одного слова. При желании их можно было бы прочесть, времени у меня много, а от полумифической жены Пабло остался внушительных размеров испано-русский-русско-испанский словарь и куча разговорников поменьше. Совершенно бестолковых — чтобы понять это, мне достаточно было пролистнуть несколько страниц. «Hoy hablaremos sobre de presios...»[1] не имеют никакого отношения ни к нам, ни к Ангелу. А, впрочем... Цена нашего пребывания здесь — Динкино тело, которое так нравится Пабло-Иманолу. Разонравится — мы и лишней секунды здесь не останемся. Честно говоря, я даже удивилась, когда узнала, что Ангел предложил пожить у него, очень великодушно с его стороны. А ведь к тому времени Динка с Ангелом были знакомы не больше трех дней, и все эти три дня Пабло-Иманол исправно отирался у нас в гостинице. Он приходил с утра и так же исправно заговаривал с Динкой на вполне приличном русском.

Со мной он и слова по-русски не сказал, скотина!

А когда какая-то сволочь стянула у нас кредитки и паспорта, он чуть не разнес гостиницу и

---

[1] «Давайте поговорим о расценках» (исп.).

едва не пришиб портье (клявшегося, что никто посторонний номером не интересовался и под сень «Del Mar» не входил, как неприятно, бедные русские сеньориты!). Потом Ангел переключился на управляющего (клявшегося, что такой конфуз произошел впервые, а репутация гостиницы... я, конечно, не смею настаивать... но полицейские... вы понимаете, милые русские сеньориты?)... С подачи не в меру суетящегося хозяина заявлять в полицию мы не стали, а позвонили Ленчику на мобильник, прямо из кабинета. Ленчик обещал все уладить, когда приедет в Барсу, а пока... Он отправит некоторое количество денег, чтобы мы могли продержаться до его приезда.

Деньги он действительно выслал. На имя Пабло-Иманола Нуньеса.

Этих денег мы не увидели, во всяком случае большей их части. Зато Ангел предложил пожить у него, пока не разрешится ситуация с паспортами. Ситуация могла разрешиться одним-единственным способом: Ленчик.

Ленчик приедет и все устроит. Как устраивал всегда. Нужно только закрыть глаза и верить.

Так в нашей жизни и появился этот дом. Дом Пабло-Иманола Нуньеса. Дом Ангела. К дому примыкает маленький запущенный сад: оливки, апельсины, несколько крошечных миндальных деревьев. Оливки и апельсины нравятся мне, миндаль — не очень. Может быть, потому, что Динкины глаза все привычно называют миндалевидными. А Динку я терпеть не могу. Вернее, раньше не могла.

А теперь... Теперь — me da lo mismo.

И все равно, мне не нравится миндаль.

А дом Пабло-Иманола нравится. И мне хотелось бы в нем остаться. Я люблю бродить по нему. Я брожу по нему с закрытыми глазами. И — не верю.

Я не верю ему до конца.

В нем есть что-то пугающее и притягивающее одновременно. Какая-то тайна. Эту тайну невозможно потрогать, пощупать, попробовать на вкус. Я не знаю, с чем она связана — со старыми стенами (Динка говорит, что дому лет двести, никак не меньше); с самим Пабло, с его русской женой, с его собаками, которых он иногда стравливает друг с другом на выжженной солнцем площадке в глубине сада... Я не знаю.

Но по дому я могу перемещаться свободно. Дом открыт для меня, он весь — как на ладони. Но я помню, помню, что однажды сказал Ленчик, правда, совсем по другому поводу: «Все самые страшные тайны лежат на поверхности».

Но никаких особых тайн в доме нет. Его комнаты запущены и полны старых ненужных вещей; они явно никогда не принадлежали Ангелу. И Ангелу нет никакого дела до них. Ему есть дело только до собак, саксофона, ноутбука с компьютерными играми... И Динки.

Он не терпит моего присутствия в своей комнате, дверь в комнату Пабло прикрыта, чаще всего — плотно, и я могла бы предположить, что это и есть тихая пристань Синей Бороды... Если бы... Если бы в ней каждую ночь не отрывалась Динка.

Они с Ангелом трахаются почти без перерыва, с двенадцати до четырех утра, по ним можно часы сверять. Впрочем, я этим особо не озабочиваюсь, я просто сижу в библиотеке — она находится как раз под комнатой Ангела. Я даже приспособилась ночевать тут, на старой кушетке, хотя Ангел великодушно выделил для меня комнату — самую отдаленную, с отдельным выходом в сад: с тем расчетом, что мы будем встречаться с ним как можно реже.

Звуки любви не мешают мне, они давно перестали меня раздражать. Я перевидала столько случайных Динкиных любовников, что впору составлять донжуанский список. Эта идея не кажется мне такой уж бредовой, учитывая мою страсть все записывать и все классифицировать. Она развилась во мне благодаря Ленчику. Это Ленчику пришла в голову идея сделать меня чем-то вроде интеллектуального божка «Таис». Потому что чувственным божком, без сомнения, являлась Динка. Ленчик же подсадил меня на умные книжки. И на цитаты из умных книжек. Ленчик сделал меня другой.

Вот только Динку он не смог сделать другой. Ничего у него не получилось.

Динку получилось только сломать. Или она сломалась сама. Теперь это не имеет никакого значения. Мы обе сломаны. Вот только Динка еще сохраняет подобие жизни и страстей. Мне же остается только пялиться в тексты, которые я не понимаю.

Собачьи бои я тоже не понимаю.

Настоящих боев я не видела никогда, разве что их бледную копию — на маленькой площадке в глубине сада. Окно и дверь моей комнаты выходят именно на эту сторону, но площадку скрывают деревья, и ее не видно. Зато хорошо слышны душные хрипы собак. Иногда смутное черно-белое мелькание между деревьями заканчивается жутким предсмертным скулом, и на следующий день в саду можно найти свежеперекопанные прямоугольники земли.

Но Рико, любимец Ангела, жив и здоров, он никогда не проигрывает.

Рико вхож в дом, ему это позволяется, в отличие от других собак. Я даже подозреваю, что, пока не появилась Динка, Рико жил в комнате хозяина; возможно, — спал с ним в одной кровати. Но появилась страстная русская chiquilla[1], и Рико пришлось потесниться. Вряд ли он простил это Динке, скорее всего затаил злость: уж слишком он к Динке ластится, этот чертов ротвейлер, такое заискивание не может кончиться добром.

Именно так я думаю, когда не вижу Рико. А когда вижу...

Вот хрень, лучше бы мне с ним не встречаться, лучше бы никогда не видеть его желтых потусторонних глаз. Я могу столкнуться с ним на кухне, или в коридоре, или на лестнице на второй этаж, итог всегда бывает одним и тем же: Рико начинает скалиться и угрожающе рычать, а я закрываю глаза и жмусь к стене. Я жмусь к ней до тех пор, пока жаркое дыхание собаки не опаляет мои колени. Я так и вижу, как Рико вгрызается в них, как рвет меня на части, чего еще ожидать от бой-

---

[1]девчонка *(исп.)*

цового пса? А ведь я не сделала ему ничего дурного, я не крала у него хозяина, он мне и даром не нужен. И все же — Рико ненавидит меня. Меня, а не Динку.

Обычная картина. А может, он считает, что мы одно существо, лишь временно разделенное на две половинки? Просто одна часть существа не боится собаки, а другая — боится. И пес это чувствует, потому что он — пес.

До сих пор наши случайные столкновения с Рико заканчивались бескровно. Рядом с Рико и мной всегда оказываются либо Пабло, либо Динка. Пабло обычно что-то говорит ему на испанском, Динка же ничего не говорит, просто кладет руку ему на холку, показывая полное свое превосходство надо мной и полный контроль за ситуацией. После этого успокаивающего жеста Рико отлипает от меня и царственно удаляется, помахивая обрубком хвоста.

— Прекрати его бояться, — советует мне Динка.

— Не могу.

— А-а… Я совсем забыла. Ты всегда и всего боишься, Рысенок. Тогда просто посмотри ему в глаза. Собаки этого стесняются…

— Не могу…

— Черт, и это тоже я забыла, — она откровенно издевается надо мной. — Ты не умеешь смотреть в глаза. Ты привыкла их закрывать… А что, если меня в один прекрасный день не окажется рядом?

— Быть может, это будет лучший выход для нас для всех…

— Я подумаю…

Она отправляется думать в комнату Ангела, а я — в библиотеку, к испанским книгам, которые даже не стремлюсь понять. Я вытаскиваю их по одной из стеллажа напротив окна, все эти детективчики в сальных обложках... И в одну из ночей, ближе к четырем, когда русско-испанская страсть над моей головой вступает в завершающую стадию, я нахожу Фолиант.

Черт, встречу с ним я помню до мельчайших подробностей — до сих пор.

Он стоял в самой глубине стеллажа, прислоненный к задней стенке, отделенный от всех остальных книг куском провощенной бумаги. Стоило мне увидеть эту бумагу, как сердце у меня учащенно забилось. Сквозь нее проступала смуглая кожа книги; кожа, к которой мне хотелось прикоснуться — до безумия, до исступления, до дрожи в похолодевших пальцах. Что-то подобное я испытала только один раз в жизни, только один: на нашем с Динкой первом выступлении в «Питбуле», тогда мне тоже хотелось прикоснуться, опереться — на ее руки, ее подбородок, ее темновишневые губы...

Едва не теряя сознание, я осторожно вынула книгу и освободила ее от бумаги. Одного взгляда было достаточно, чтобы понять: фолиант никогда не принадлежал ни этому дому, ни этому веку, ни всем другим векам, выстроившимся в затылок. Он явно был не испанским, но точно определить язык я так и не смогла, разве что — древнероманский или латынь... Да, латынь — ближе всего. Латынь и готический шрифт. Сама книга оказалась довольно внушительных размеров, а пергаментные листы были украшены миниатюрами. Уже потом, изучив книгу лучше, чем линии на собственных ладонях, я сосчитала и миниатюры — их было ровно 123; их красочный слой кое-где стерся, а золото — осыпалось. На последней странице едва просматривалась надпись «His liber attient ad Franciscum Laborde». И дата — «1287».

Книга начиналась с пространного текста — «Quocienscumque peccator vult factorem suum placere»[1] — все та же буквенная готика, от которой невозможно было оторваться; готический строй нарушался лишь изредка, торопливыми выцветшими заметками на полях, из всех многочисленных наслоений я признала только греческий, что-то вроде «ἀπό τώυ χεράτωυ»... Я просидела над ними довольно долго, зачарованная совершенством письма, и только потом приступила к миниатюрам.

Все они изображали животных.

Существующих и совершенно фантастических. Ничего подобного я в жизни не видела, миниатюры зачаровали меня, забили собой все поры тела, забрались в ноздри, залепили уши и жарко совратили глаза. Каждую из них сопровождал текст, перед которым я была бессильна, но названия... Названия я еще долго перебирала как четки, катала во рту, пробовала на язык, — кой черт, они просто поселились во мне, свили гнезда, выкопали норы, разлеглись, подставив ночи бока...

«SCITALIS»

«AMPHIVENA»

---

[1] «Каждый раз, когда грешник хочет понравиться Творцу...» (лат.).

«MANTIKORA»
«HALCYON»
«CINNAMOLGUS»
«VIPERA»
«ASPIDOCHELONE»...

И еще — 116... Ровно 123... Сто двадцать три имени, врезающиеся в сердце... У меня никогда не было способностей к языкам, я не смогла бы воспроизвести и простенькой испанской фразы, но эти имена я запомнила сразу же, как будто всегда их знала, просто забыла... Забыла — а теперь вспомнила... Они легли мне в душу просто и естественно, хотя я ничего не знала о них, — просто и естественно, как нож в ножны, как молитвенник в ладонь настоятеля, как тела влюбленных в раскрытую постель... На самой первой странице книги было выдавлено украшенное орнаментном название:

«DE BESTIIS ET ALIIS REBUS»[1].

И только тогда я поняла, что это — бестиарий. Средневековый бестиарий, цена которого несоизмерима ни с этим старым испанским домом, ни со всеми домами в округе. Домами и их смуглыми, темноволосыми, морщинистыми обитателями... Один год чего стоит — 1287... Вот только как попала сюда эта книга, как она могла потонуть среди дешевого криминального чтива? Похоже, что ее никто не прятал, иначе нашли бы уголок поукромнее, эти стены могли поглотить не только книгу, но и целую библиотеку. Похоже, о ней просто забыли...

_____

[1] «Животные и другие вещи» (*лат.*)

А если не забыли и еще вернутся?

Как бы то ни было, с той ночи мое существование стало осмысленным. Теперь я ждала двенадцати, la medianoche[1], ждала условного сигнала сплетающихся тел наверху, — только для того, чтобы вытащить из стеллажа бестиарий и до полного опустошения перелистывать пергаментные страницы. Я по-прежнему ничего не понимала в текстах, отдельные буквы не складывались в слова, но миниатюры все искупали. Я даже не знаю, сколько ночей провела за бестиарием, скорее всего — не так много, но какое это имело значение?...

«De bestiis et aliis rebus», надежно спрятанный в коконе восковой бумаги, преследовал меня и днем. Яркие испанские краски неожиданно поблекли перед тускло-золотым великолепием бестиария, а я вдруг перестала бояться Рико. Ну не то, чтобы совсем перестала... Его приближение по-прежнему вызывало дрожь в коленях и неприятные ощущения в желудке, вот только теперь я смотрела на него другими глазами. Пусть закрытыми, но все равно — другими. В моем (уже моем, Господи!) «De bestiis et aliis rebus» Рико и все собратья Рико именовались просто — «canis». Я определила это по миниатюре, идущей под номером 19. Собаки из бестиария мало походили на свирепого Рико, но что-то общее в них прослеживалось. Круглые и тяжелые глаза, желто-медовые, пристальные. Не знаю почему, но я вбила себе в голову, что, если бы мне удалось прочесть текст под миниатюрой или хотя бы иметь пред-

---

[1]Полуночи (исп.).

ставление о том, что говорится в главе, — я бы поняла Рико.

И сумела бы его укротить, ведь бестиарий был мудрее меня, хотя бы в силу возраста.

Но я так и не укротила Рико. И книгу не укротила тоже. Напротив, это она вдруг приобрела таинственную власть надо мной. Черт, черт, может, это и есть главная тайна дома и предчувствие не обмануло меня?... Чертов «De bestiis et aliis rebus» выжирал изнутри, а спросить о его происхождении у Ангела я боялась. А что, если Пабло-Иманол не знает о его существовании? А узнав, вознамерится продать его, и я останусь без главного своего утешителя. А что, если это — семейная реликвия Нуньесов и я сунула свой нос в чужие дела? Но и на семейную реликвию это не тянуло: слишком уж небрежно хранился бестиарий. Так же небрежно, как и последняя плошка на кухне. А что, если Ленчик прав и все самые страшные тайны и правда лежат на поверхности?...

Самым странным, непостижимым для меня образом бестиарий примирил меня с Динкой, отвлек от затянувшейся усталой ненависти к ней, усталого безразличия. Он действовал как опытный искуситель, мой бестиарий, я ждала ночного свидания с ним, как ждут встречи с возлюбленным.

Вот чертова извращенка, я втрескалась в него по уши!..

Глаза на это открыла мне Динка, когда мы столкнулись с ней у ванной комнаты, больше похожей на заброшенную гримерку, таких заброшенных гримерок во времена «Таис» мы перевидали сотни. Но эта, испанская, была лучшей: огромная, вся в замысловатых трещинах, ванна, медные, давно не чищенные тазы и кувшины, причудливые драпировки на стенах, старинное зеркало, — такое же растрескавшееся, как и ванна...

— Что это с тобой происходит, Рысенок? — спросила у меня Динка.

— А что?

— Ты изменилась...

— Правда? А я ничего такого за собой не замечала...

— Да нет же, ты в зеркало загляни! Глаза блестят, румянец... Ты влюбилась, что ли? — Черт, в ее голосе вдруг проскользнула плохо скрытая ревность!

Или это мне только показалось?...

— Интересно, в кого это я могу влюбиться? Здесь же никого нет, кроме меня, тебя и твоего парня...

— Вот именно... Положила глаз на Ангела?

— Да нет... Он совсем не в моем вкусе... Мне не нравятся испанцы...

Я не солгала Динке: испанцы не нравились мне, ни оптом, ни в розницу. А вот прохладный готический Franciscum Laborde — совсем другое дело.

— Ну и дура! — снисходительно огрызнулась она, на секунду возвращая меня в полудетские и полузабытые времена предчувствия «Таис».

— Сама дура, — ответила я в стиле прежней Ренатки. — У тебя одни члены на уме...

— У меня хотя бы члены... А у тебя что?

Что? Canis, vipera, halcyon...

Оставшись одна в ванной, я приподнялась на цыпочки перед зеркалом и заглянула в него. Полностью собрать лицо не удалось, мешали трещины, но и то, что открылось мне — впечатляло: щеки и правда горели огнем, а глаза были влажными, глубокими и .шальными. Неужели это мои глаза, Господи?... Неужели все это сделал тайный и такой желанный «De bestiis et aliis rebus»?

С того памятного разговора у ванной комнаты Динка начала следить за мной. Вполглаза, не особо напрягаясь, но следить. Она хотела ухватить меня, застукать на порочной страстишке к какому-нибудь почтальону, работнику социального страхования или продавцу из соседней бакалейной лавки. Но я не давала никаких поводов, я вообще не выходила за ограду дома, я не знала языка, так что простейший расчет в лавке был бы для меня делом проблематичным.

Целыми днями я сидела либо в саду, либо в библиотеке, лениво флиртуя с книжонками калибром помельче. А ночью наступало время бестиария. Я все еще ничего не знала о нем, но мне так хотелось... так хотелось узнать!

И в одну из ночей, когда любопытство мое стало уж совсем непереносимым и натянулось как струна, мне пришло совсем уж неожиданное откровение. Никак не вязавшееся с датой создания бестиария, но все же — откровение.

Ноутбук Ангела.

Я знала, что он подсоединен к Интернету, а в интернетовской помойке можно найти все, что угодно. Это я тоже знала, недаром я была интеллектуальным божком «Таис». Динка не особенно жаловала виртуальный мир, она считала его профанацией, надругательством над человеческими отношениями. Еще во времена нашей недолгой славы она терпеть не могла онлайновые конференции с фанатами и фанатские же тупоголовые «чаты с «Таис», на которые мы время от времени вынуждены были отвлекаться. Под присмотром Ленчика.

Без Ленчикова присмотра мы тоже иногда баловались Инетом. Не часто — часто не позволяли обстоятельства, но когда позволяли... Динка с завидным постоянством шастала на наш официальный сайт, где с утра до ночи заседали возбужденные и сексуально озабоченные поклонники и противники. Поначитавшись глупейших признаний в любви и таких же глупейших хулиганских проклятий («....... этих .... лесбиянок»), Динка бросала в народ отборную порцию мата.

И на этом успокаивалась.

И я успокоюсь.

Наберу в «поиске» свой бестиарий, свой «De bestiis et aliis rebus», — и успокоюсь. Я должна, должна знать хоть что-то о том, кто скрасил мне тусклое времяпровождение в этом никому не принадлежащем испанском доме...

Мысль об Интернете гвоздем засела у меня в башке, оставалось лишь добраться до него. Это только на первый взгляд идея казалась легко осуществимой, ведь у Ангела был ноутбук с выходом в Сеть. Но чертов Пабло-Иманол терпеть не мог, когда кто-то подходил к его вещам на расстояние вытянутой руки. И эти его холодные, совсем не испанские зрачки, которые время от времени прошивали меня... Нет, впрямую попросить его о чем-то... Попросить — не представлялось никакой возможности. Можно было, конечно, отправиться в какое-нибудь интернет-кафе, но денег у меня не было. Так, пара монет, годных разве что на сувениры. А клянчить их у Пабло означало только одно: нарвешься на стенания о том, что подруга его девушки обходится дорого... И он вовсе не собирается оплачивать ее прихоти...

Случай подвернулся неожиданно.

Вернее, он существовал всегда, я просто не обращала на него внимания.

В тот вечер Пабло в очередной раз стравливал собак, на площадке, в саду. Это был тихий неподвижный вечер, жара еще не спала, совсем не спала, к тому же ее усиливали песьи хрипы и треск клоками вырываемой шерсти. Эти звуки — такие яростные, такие плотские, такие беспощадные — вступали в явное противоречие с распятием, висевшим над кроватью в моей комнате. Этими распятиями дом был просто наводнен; распятиями, свечками, скорчившимися гирляндами искусственных цветов и аляповатыми фигурками святых, на которые можно было наткнуться в самых разных местах. А на кухне, среди банок и надорванных коробок с кукурузными хлопьями, вообще стояла всеми позабытая Дева Мария. Скорее всего, и Дева Мария, и прочее добро достались Ангелу от людей, живших здесь когда-то, сам он никаким праведником не был.

Кто жил здесь раньше?

И не им ли принадлежал бестиарий?...

Нет, нет... «De bestiis et aliis rebus» — книга мистическая, прохладная, страстная, самодостаточная; обладателю ее не нужны церковные атрибуты, не нужны... Их можно выбросить за ненадобностью, чтобы лишний раз не заморачиваться, протирая пыль с тернового венца Иисуса...

...В тот вечер Пабло стравливал собак, распятие на грубой, небрежно вытесанной стене, укоризненно поблескивало, а сквозь раскрытую дверь балкона мне хорошо была видна Динкина спина. Динка сидела прямо на земле, напряженная, подавшаяся вперед, с отросшим затылком... Я знала к у д а она смотрит.

На собак, которые мне не видны.

Я столько раз обнимала этот затылок, столько раз смыкала на нем пальцы, ничего не чувствуя, что теперь даже удивилась... Удивилась тому, как неожиданно и резко заныло сердце. Никогда еще такого не было, никогда. Отросший затылок, несчастная девчонка, мы обе — несчастные девчонки, ничуть не лучше псов, которые сейчас рвут друг друга на части... Жалость к Динке, жалость к самой себе, жалость к нам обоим была такой острой, что я не выдержала и выскочила из комнаты. Вот сейчас... Сейчас я пойду к ней, сяду рядом, обниму за шею... Просто так, не перед дурацкими объективами, не перед дурацкими камерами, как было когда-то, — просто так. Может, Динка ответит на мою немую мольбу о перемирии, о большем и мечтать не приходится, да мне и не надо большего. Может, мы даже поплачем вместе, сладкими слезами никому не нужных детей... Нельзя же вечно ненавидеть друг друга... Нельзя, нельзя... Это «нельзя» бежало впереди меня, оно уже готово было скатиться по лестнице и выскочить в сад, когда...

Когда я увидела приоткрытую дверь в комнату Пабло-Иманола.

И мысль о Динке сразу же свернулась, поникла, уступив место мысли о бестиарии. Я по-прежнему не знала о нем ничего, но когда влюбленные хоть что-то знают друг о друге (а о том, что я втрескалась в этот кусок прошитого пергамента и расстанусь с ним только под угрозой расстрела (и то не факт) — тут и гадать не нужно)...

Сам черт потащил меня в комнату Пабло, святая святых испанской ночной любви, куда девственницам вход воспрещен. Но я вошла, на цыпочках, трусливо вжав голову в плечи и так же трусливо оставив щелку в двери: чтобы никто не заподозрил меня в порочных намерениях. Я впервые оказалась в обители Ангела, в их с Динкой обители, и, нельзя сказать, что она так уж активно мне не понравилась. Комната и комната, чуть более жилая, чем все остальные. Широкая кровать, утыкающаяся лбом в стену, внушительных размеров шкаф, комод с безделушками (рассматривать их у меня не было ни времени, ни желания), продавленное кресло и стол с ноутбуком. Стол был самой модерновой вещью среди полуантикварного старья, у его подножия валялся Динкин рюкзак со сбившимися в комок шмотками. Кемкем, а аккуратисткой Динка никогда не была, я вечно ходила за ней и, сжав зубы, собирала небрежно сброшенное белье...

Бросив еще один взгляд на дверь, я уселась в кресло у стола и включила ноутбук. Точно такой же был и у нас, вот только раскладки клавиатуры не совпадали.

Но это не помешало мне включить компьютер, и спустя минуту я уже была в Сети. Стараясь не путаться в пальцах и латинских буквах, я набрала в «search»[1] «De bestiis et aliis rebus» и принялась ждать. Как и следовало ожидать — ничего обнадеживающего: прогрессивное человечество и слыхом не слыхивало о бестиарии 1287 года рождения. И о Franciscum Laborde — тоже. И слава богу, слава canis, слава псам господним, тайна так и останется тайной... Да и глупо было бы предположить, что умудренный веками «De bestiis et aliis rebus» доверился бы такой легкомысленной штуке, как Интернет... Покончив с поисками нигде не зафиксированного бестиария, я набрала ссылку на наш с Динкой официальный сайт. Привычка, оставшаяся от прошлых времен, когда о «Таисе» говорили все кому не лень. Кем мы только ни были: «Открытием года», «Скандалом года», «Лицом новой раскрепощенной сексуальности России», «Ненормативным дуэтом» и прочей легко запоминающейся дрянью. Сайтом одно время занималась Виксан, и при Виксане он цвел махровым цветом скандалов и сплетен. Сплетни тоже распространяла Виксан, одна другой забористее и невероятнее. Она же продавала их в жаждущую клубнички желтую прессу. Идеи этих сплетен, выдававшиеся за информацию из надежных источников, приходили к ней после приличной дозы, она сама нам об этом рассказывала. Нисколько не стесняясь их чудовищной глупости и пошлости. Динка пару раз даже пы-

[1]Поиск (англ.).

талась поколотить нашу поэтессу и пиарщицу за подобные трюки.

— Ну что за бредятина, Виксан?! «Дина и Рената обвенчались в Дании»!... И это на обложке... Аршинными буквами! Ты хоть соображай!...

— Ути-пути, мои сладенькие! — отбивалась Виксан. — Для вас же стараюсь. Рейтинги вам поднимаю, неблагодарные!...

— Рейтинги, как же! А это что за фигня — «Женщины в политике очень сексуальны: дуэт «Таис» был замечен в обществе Ирины Хакамады»... Кто такая Ирина Хакамада?... Идейный вдохновитель отечественных сексменьшинств?

— Господь с тобой!!! Как ты только подумать могла такое?! Это политик, Диночка... Довольно известный... Нельзя же быть такой дремучей, право слово, киса моя...

— Нельзя быть такой дурой, Виксан! Причем наглой! Завтра ты вообще запустишь, что мы приставали с глупостями к первой леди государства...

— Н-да? Хорошая идея... Я подумаю... А вообще, чего кипятиться, девчонки? Главное, что ваше имя на слуху. Какая разница, как о вас говорят... Главное — говорят...

Сайт все еще существовал. Но теперь на нем не было столпотворения и толчеи. На нем вообще никого не было. Остался только логотип, товарный знак «Таис», стыдливо загнанный в верхний правый угол. А в середине болталась информашка... Черт... Что-то новенькое...

Информашка начиналась с того же бесстыжего лозунга, который выдернул нас с Динкой из нашей привычной жизни и сделал дуэтом «Таис» со всеми вытекающими: «СТАНЬ ЗВЕЗДОЙ». Он даже не удосужился сменить его, этот лозунг, Ленчик, подонок! Чуть ниже шло сообщение: «Продюсерский центр Леонида Павловского «Колесо» объявляет кастинг для нового проекта...» Далее шло Ленчиково (а чье же еще!) блеяние о том, что он-де ни за что не выпустит из своих рук достойный материал... И просьбы присылать резюме и демо-кассеты. Вот так. Тело еще не погребено, «Таис» еще не загнулся окончательно, а он уже пляшет на наших костях. На нашем родном, хоть и заброшенном сайте. И еще врет нам по телефону, подонок, что все хорошо, ситуация под контролем... Базара нет... Мог бы и не притворяться, сучий потрох! Выжал нас по максимуму, срубил свою деньгу — и теперь... А Динка и не удивится вовсе, она всегда считала Ленчика дрянью... Ну, не всегда, но все же...

Хотя... объективности ради... Он ведь продюсер...

Поймав себя на этой мысли, я нисколько не удивилась. Динка — та бы впала в ярость, а я — не удивилась. Соглашательство у меня в крови. Да еще стремление все объяснить... А впрочем, me da lo mismo, вот только полета в этой Ленчиковой объяве нет никакого, не мудрено, идею «Таис» трудно переплюнуть, почти невозможно... Разве что он возьмет солисткой какую-нибудь овцу Долли и приплюсует к ней двух гомосеков-эскимосов в качестве бас-гитариста и ударника...

Динка права... Пошел ты, Ленчик...

Я уже готова была отключить ноутбук и выскользнуть из комнаты, когда раздался этот сигнал: коротенький призывный звук, похожий на зов рожка — Пабло-Иманолу пришла почта.

Странно, никогда бы не подумала, что Ангел разменивается на электронную почту. Он производил впечатление затворника, ни с кем не общался, кроме Динки и своих псов; во всяком случае, я не видела рядом с ним ни одного человека, даже случайного. Да и ноутбук был для него всего лишь полем для игры в бесконечные он-лайновые тетрисы, мочиловки и бродилки, Динка сама говорила мне об этом, ее раздражала привязанность Ангела к игрушкам, даже его саксофон раздражал Динку меньше.

И вот, пожалуйста, электронка!

Мне не было никакого дела до почты Ангела, никакого... Так же, как и до самого Ангела, это — Динкина территория... А я никогда не захожу на чужую территорию, разве что — стою на ее границе, вытянув ухо в трубочку... Вот и сейчас тоже — не зайду... Ни при каких обстоятельствах. Убаюканная этими благородными мыслями, я щелкнула по панели почтовой программы. Она раскрылась, и я, совершенно того не желая, увидела реквизиты пришедшего письма.

И очень удивилась.

То есть — поначалу, не очень; по инерции — не очень. И все потому, что адрес отправителя показался мне знакомым. Черт, он и был знакомым, ничего нового для меня в нем не было.

Ice_dragon@yandex.ru

«Ледяной дракон», у Ленчика это было всегда — страсть к цветастым полувосточным оборотам. «Ice_dragon@yandex.ru» — не что иное, как почтовый ящик нашего продюсера, Ленчика, Леонида Павловского.

Ленчик ни разу не говорил с Пабло-Иманолом, так какого же черта писать письма? А может, письмо адресовано вовсе не Ангелу, а Динке? Или — нам обеим... Но ведь Ленчик звонит нам каждое второе воскресенье, и за то время, что он звонит, он ни разу не поинтересовался электронным адресом Ангела, он вообще не упоминал о нем. Разве что в свой первый звонок, еще в «Del Mar», когда выуживал из нас полное имя и фамилию испанца, чтобы отправить деньги. А потом... Несколько вскользь брошенных фраз: «Ну и что это за чмо, девчонки? Вы там смотрите... особенно не куролесьте... И вообще — держитесь от испанцев подальше»...

И вот, пожалуйста...

Нет... Нет, нет, если бы письмо было адресовано нам обеим... Я бы знала... Динка сказала бы, какой смысл это утаивать? Тем более что их отношения с Ленчиком были из рук вон, за все это время — пара односложных Динкиных фраз по телефону, которые всегда кончались традиционным: «Да пошел ты...»... Нет, Динка отпадает... Я — тоже.

Тогда... Тогда остается сам Ангел. Пабло-Иманол Нуньес...

Интересно, о чем Ленчик мог написать незнакомому человеку? И откуда он узнал адрес? Сжираемая любопытством, я еще раз бросила взгляд на дверь и открыла письмо, проклиная себя за вероломство. Тайна личной переписки должна быть нерушимой, железобетонной... И все же, все же...

Письмо и правда было адресовано Ангелу. Кроме того, оно было написано на испанском, что и вовсе сбило меня с толку: Ленчик пару раз признавался нам, что не знает ни одного языка, кроме ненормативного русского. Да еще нескольких ругательств на восточноевропейской отрыжке романского, и даже одно на суахили.

К тому же письмо начиналось по-простецки: «Angel, mio costoso...»

Знать бы еще, что означает «mio costoso»... Далее следовал текст из шести строчек, разобрать который и подавно не представлялось никакой возможности. Да и черт с ним, какая разница, вот только что теперь делать с письмом? Если Ангел заползет в почту, а он обязательно заползет, — то сразу поймет, что его корреспонденцию читали. Я еще раз пробежалась бесполезными глазами по бесполезному письму, раздумывая, грохнуть его к чертовой матери или нет. И даже предусмотрительно подвела стрелку мыши к универсальному «delete»[1]. Я хорошо знала это слово, и еще лучше — понимала. Мы с Динкой теперь тоже «delete»...

Грохнуть. Поджать хвост и грохнуть. Будто и не было ничего. Иначе тупых разборок с Ангелом не избежать. Мало ли, что ему в голову стукнет... Никому бы не понравилось, что читают его корреспонденцию, а уж мрачному Ангелу и подавно.

Ангел... Ангел-ангел-ангел... Angel. Asesinato. Asesino.

Asesinato.

Черт, кажется я уже видела это слово!... Вернее, два: они шли в связке, они дышали друг дру-

_____
[1] Удалить (англ.) .

272

гу в затылок, симпатяги-слова! Asesinato-asesino. «Asesinato» на третьей строчке странного Ленчикова письма, а «asesino» — на четвертой. Последним в тексте.

Я видела их обоих. Еще до того, как влезла в ноутбук Пабло-Иманола. Я видела и их и не раз, хотя они были безнадежно испанскими.

Вот только где?

Ага, красно-черный фон и несколько... несколько мятых книжонок из джентльменского набора русской сеньориты, девственницы-приживалки, коротающей время в старом испанском доме. Красно-черный фон детективов карманного формата. Несколько названий этих детективов начинались именно с «Asesinato».

Грохнуть письмишко и не заморачиваться!

Но проклятое «asesinato» и не думало меня отпускать. И я с тоской вспомнила словарь, оставшийся в библиотеке. Конечно, можно отправиться туда за словарем, но нет никаких гарантий, что Ангел не вернется в ближайшие пять минут. Просто — по закону подлости, работающему так же безотказно, как и закон всемирного тяготения. А если я удалю письмо, то никогда не узнаю, что именно написал Ленчик Ангелу. Опасность разоблачения, дурацкого, детского разоблачения, была так реальна, что у меня засосало под ложечкой. Но эта же опасность подтолкнула меня к действиям: они были несложны, ведь и само письмо было недлинным, — шесть строк. Порывшись на заваленном всякой всячиной столе Ангела, я выудила обрывок какого-то счета и достала из банки, стоящей тут же, у ноутбука, карандаш. И, высунув язык от напряжения, переписала послание. Это заняло не так уж много времени, несколько минут. После чего я удалила Ленчиков испанский призыв Ангелу и закрыла почту. Хорошая все-таки вещь — электронка. Никаких следов.

Никаких, можно и убираться.

Отключив ноутбук, я поднялась с кресла. И тут же рухнула обратно. Ч-черт, Пабло-Иманолу и впрямь нечего было опасаться за сохранность своей жалкой джазово-компьютерно-постельной требухи. Никто не покусится на нее безнаказанно... Никто, а уж тем более такая бесплотная, такая никчемная личность, как я.

Прямо передо мной сидел Рико.

Вошел ли он в комнату, когда я сидела за компьютером или все это время находился здесь и только теперь обнаружил себя — этого я не знала. Я знала только, что ничего хорошего от пса ждать не приходится. И что мне не выйти отсюда, даже если я хорошенько попрошу его об этом. Даже если я хорошенько попрошу — он не ответит. И все-таки я сделала движение, — и пес зарычал. И тихонько приблизился ко мне, на ходу обнажая клыки. Те самые, натренированные на шерсти и мясе других собак. Неужели теперь настала и моя очередь? Нет Ангела, нет Динки, и он теперь может делать со мной все, что захочет...

Все, что захочет.

Кажется, я на секунду вырубилась, потеряла сознание... А когда нашла его — ничего не изменилось, вот только Рико почти вплотную приблизился ко мне. Теперь я видела все, как в самый последний момент, за секунду до смерти, как же все любят описывать эту чертову секунду. Плюшевый нос пса, прохладный даже на вид; блестящую, угрожающе-черную шерсть; слюну, которая капала с клыков.

И глаза.

Глаза смотрели прямо на меня. В упор. Никакой пощады. Рико больше не рычал, но лучше бы он рычал, ей-богу!... Тогда бы я точно знала, что он — собака, обыкновенная злобная и беспощадная собака, пусть даже и бойцовая... Но Рико молчал, тяжелое дыхание, распиравшее его бока, не в счет. Он молчал, и молчание это было осмысленным, потусторонним. Никакая это не собака, а...

— Вот хрень! — громко сказала я. — Не хватало еще...

Не хватало еще быть растерзанной дурацким псом, в дурацком доме, в дурацкой Испании... И это — после всего, что было у меня в жизни, после ошеломляющей славы «Таис», когда нас с Динкой рвали на части, плакали, забрасывали цветами и проклятьями, что тоже было неплохо, само по себе. Во всяком случае, заставляло кровь играть. Мою не такую уж густую, задумчивую северную кровь. То-то ее будет полно в комнате, когда клыки Рико сомкнутся на моей шее... Или он начнет не с шеи?...

— Динка... — прошептала я. — Диночка... Забери ты этого урода... Забери...

Никто меня не услышит. Никто. Даже Динка. Динка, которая так легко, так спокойно клала руку на загривок пса и улыбалась своей знаменитой, темно-вишневой, хотя и несколько потускневшей улыбкой... И говорила... Что же она говорила?

«Прекрати его бояться... Просто посмотри ему в глаза... Собаки этого стесняются...»

Просто — посмотри ему в глаза. Посмотри...

Неужели я сделала это? Неужели я посмотрела Рико в глаза? Невыносимо, ужасно, пугающе было только в первую секунду. В эти желтые, слезящиеся от ненависти глаза, невыносимо, ужасно, пугающе было входить только в первую секунду. Как в ледяную воду. Но стоило в них только войти, как я сразу же поняла, на что похож их желто-восковой цвет.

Пергамент. Пергаментные листы, из которых состоял мой «De bestiis et aliis rebus». Казалось, Рико выпрыгнул прямо оттуда, из девятнадцатой главы бестиария, «canis». Эту главу я знала вдоль и поперек, и миниатюру к ней — тоже. Три пса, сидящие у ворот средневекового города. Четвертый выглядывал из-за бойницы. Этот четвертый и был Рико...

— Quocienscumque peccator... — тихо произнесла я. Просто потому, что мне давно хотелось произнести эти слова вслух. «Quocienscumque...», а потом — еще несколько слов, следующих за этими, непонятными мне, словами. Я не знала, что это — молитва или заклинание. Но молитва, или заклинание, или заговор, или крестное знамение — они сработали.

Сработали!

И Рико прикрыл веки. И отступил от меня, поджав обрубок хвоста. И не просто отступил, он рухнул, упал на бок, и я легко переступила через него, как через никому не нужную и уж точно не опасную шкуру. Я переступила через него и выскользнула из комнаты. И только теперь поняла, до чего испугалась: внутренности слиплись и намертво приклеились к позвоночнику. Позвоночник тоже вел себя не лучше — он вибрировал и исходил потом, пот проступил и на висках, ничего себе — испытаньице, не для слабонервных сеньорит, ха-ха... Ха-ха, я сбежала, вернее сползла, по лестнице и толкнула дверь в библиотеку. Так и есть, все мои испанские детективчики лежали там, где им и положено было лежать, прикрывая своими тщедушными тельцами бестиарий. Целая стопка глупейших текстов. Так и есть, самая верхняя книга в стопке начиналась с «Asesinato»; под заглавием в три слова было нарисовано тело, лежащее в луже крови, вернее, только контуры тела, черные. А кровь была красной, как и положено. Точно такой же красной была обложка испано-русского-русско-испанского словаря.

Asesinato я нашла сразу же. Так же, как и asesino.

Слова и здесь следовали друг за другом, иначе и быть не могло. Первое переводилось как «убийство». Второе — как «убийца». Кто бы мог подумать, а как нежно они звучат, прямо как китайские колокольчики, подвешенные на ветру... У нас с Динкой в нашей квартире с видом на Большую Неву тоже висят колокольчики...

Черт... При чем здесь колокольчики? И при чем здесь убийство? Что такого мог написать Ленчик испанцу, с которым даже не был знаком?... Или —

был? Мы познакомились с Ангелом в «Пипе», совершенно случайно, но в «Пипу» нас привел Ленчик. И совсем не случайно... Он рекомендовал ее как самый лучший клуб, в котором можно на славу оттянуться.

Да уж... Оттянулись. На славу.

Ленчик давно сидит в России, он и носа сюда не кажет, бросил нас с легким сердцем, отделывается обещаниями, звонит раз в две недели... А в промежутках собирается запустить новый проект и пишет письма некоему Пабло-Иманолу Нуньесу, о существовании которого узнал только от нас. Вот хрень. И зачем нужно прошивать письма такими очаровательными словами как «убийство» и «убийца»? И что это может означать? Или все дело в собаке? Собака напугала меня, а в таком состоянии любая ботва в башку полезет. Собака едва меня не убила, но какое это имеет отношение к Ленчикову «asesinato»?.. Мысли в голове путались, мне слишком дорого дался поединок с пергаментными глазами Рико. Ч-черт... Вот именно, черт. Может, не так страшен черт, как его малютки, как любила говорить покойная Виксан. Стоит только перевести шесть строк, скопированные мной на обрывок счета, — и все сразу прояснится, и весь смешной и невинный смысл послания выползет наружу...

Но переводить откровения Ленчика у меня не было никаких сил. Во всяком случае — сейчас. Потом, позже, «asesino» подождет, он всегда ждет, он умеет ждать, он все делает грамотно, это только дилетантки Тельма и Луиза срывались, палили в белый свет как в копеечку... Тельма и Луиза,

Динка и Ренатка... Не получилось из нас Тельмы и Луизы, не прав оказался Ленчик. В пропасть мы рухнули, это точно. Вот только за руки взяться забыли...

...Динка по-прежнему сидела в саду, прямо на земле, поджав под себя ноги по-турецки. Это была любимая ее поза. Она смотрела прямо перед собой, на собачью площадку, хотя ни псов, ни Ангела там уже не было. Скорее всего он ушел — завести собак и вымыть их после тренировки, больше похожей на бойню.

Я тихонько присела рядом. Рядом, но чуть в стороне: отсюда, с моего места, с нагретой земли, был хорошо виден отросший Динкин затылок. Но прикоснуться к нему, обнять его мне больше не хотелось.

— Mio costoso, — тихонько сказала я.

Динка неожиданно вздрогнула. И повернулась ко мне. Но — не сразу. И глаза у нее... Глаза у нее вдруг на секунду стали такими же, как тогда, после нашего первого выступления в «Питбуле», когда она прижалась ко мне и сказала: «Неужели это мы? Мы — «Таис»?... Ты веришь в это, Ренатка?»...

— Что? Что ты сказала?

— Mio costoso... Как это переводится?

— А-а... Зачем тебе?

— Просто... ты ведь знаешь испанский...

— Моя дорогая... Мой дорогой...

Произнеся это, Динка снова отвернулась.

Вот оно что! «Ангел, мой дорогой...» Совсем неплохо для письма незнакомому человеку. Совсем неплохо. Мой дорогой... Убийца... Убийство... Я с трудом отвела глаза от Динкиного затылка. И по-

вернула голову. В отдалении сидел Рико. И смотрел на меня пергаментными глазами, в которых
больше не было угрозы.

— Mio costoso... Рико... — я подмигнула псу.

Девятнадцатой по счету миниатюре в моем бестиарии...»

ЧАСТЬ ТРЕТЬЯ
ДЖАНГО

Сентябрь 200... года

...Известие об убийстве жены главы пивной компании «Корабельникоff» попало в телевизионные репортажи и на страницы прессы в сильно урезанном виде. И вполне щадящем. Никаких намеков на тело в ванной, никаких намеков на двусмысленно обнаженную телохранительницу, найденную в супружеской постели. При мартини и мандаринах. Совсем избежать огласки не удалось — уж слишком масштабной была фигура Корабельникоffа, и выразить соболезнования несчастному вдовцу поспешили такие же масштабные личности. При таких масштабах сообщение о смерти Мариночки выглядело неоправданно куцым: «В собственной квартире застрелена жена известного бизнесмена. Следствие склоняется к бытовой версии происшедшего». Подобным комментарием отделалась «Телевизионная служба безопасности». Комментарий перепечатали несколько городских газет, после чего историю благополучно замяли. Во всяком случае, больше она ни в одном из изданий не всплывала. И грязное белье семейства Корабельникоffых никто особо не полоскал.

За столь благополучный (если вообще можно было назвать его благополучным) исход Корабельникоff должен был благодарить Джаффарова. Хоть здесь начальник службы безопасности оказался на высоте, оперативно надавил на нужные рычаги в нужных ведомствах — тех самых, в которых проработал большую часть жизни. Собственно, именно Джаффаров и обнаружил тела обеих женщин. В ту же ночь и почти в то же самое время, когда Никита заседал у Левитаса со своим скорбным рассказом о трупах на Пятнадцатой линии.

Корабельникоff позвонил жене, как только приземлился в аэропорту Мюнхена. Мариночкин мобильный молчал, и Ока Алексеевич метнулся во всеволожский особняк, где ему сообщили, что молодая хозяйка вместе с телохранительницей уехала в город. Пятнадцатая линия, как и следовало ожидать, тоже ничем Корабельникоffa не порадовала, оставалась надежда на Эку, но и Эка по мобиле не ответила. Последний звонок Корабельникоff сделал уже Джаффарову и попросил его разыскать легкомысленную женушку... Нет, это не прихоть, не яростный порыв ревнивца-мужа, у которого руки коротки, но все же, все же... Джаффаров откликнулся сразу же и начал прямо с Пятнадцатой линии.

И ею же и закончил.

Дурацких Никитиных комплексов в Джаффарове и не ночевало, к тому же он много лет занимался оперативно-следственной работой. И моментально сообразил, что к чему. Впрочем, тут любой бы сообразил: уж очень красноречивым был труп, плавающий в ванной. И другой — в постели. Звонить в милицию Джаффаров не стал, а сразу же вышел на руководство ГУВД, в котором у него имелась пара-тройка влиятельных друзей. Им же он и сообщил о неприятностях с женой Корабельникоffа и попросил прислать оперативную группу. Без особой помпы и слива информации в алчущую криминальных сенсаций прессу. Деликатность Джаффарова спасла реноме Корабельникоffа, поскольку картина преступления вырисовывалась довольно пикантная. Вслух это не проговаривалось, но и без того было ясно, что между Мариной Корабельниковой и ее грузинкой-телохранительницей существовали отношения, далекие от служебных. И даже просто дружеских.

Все это всплыло позже, много позже, когда оперы прошерстили небольшую квартирку бодигарда у метро «Академическая» и обнаружили несколько видеокассет весьма фривольного содержания. А проще говоря, то, что в среде известного рода профессионалов проходило под кодовым названием «веселые картинки». Эка и Мариночка напропалую занимались любовью. Прямо перед камерой. Неизвестно, узнал ли Корабельникоff о существовании кассет, просматривал ли он их, — или его самолюбие пощадили. Или сам не захотел травить себя подобными, не очень приятными для околпаченного рогоносца вещами. Зато эти незабываемые кадры лицезрел Митенька Левитас, которому в свою очередь их показал старший опер убойного Калинкин. Именно Калинкин, сослуживец и приятель Левитаса, занимался делом покойной Корабельниковой.

Никита пару раз видел Калинкина у Митеньки и даже выпивал с ним, но особого впечатления на Никиту Калинкин не произвел. Никите вообще не нравился подобный тип мужиков: с наглыми, навыкате, глазами; наглыми, навыкате, мышцами; наглым, навыкате, пахом. Все разговоры таких деятелей, как правило, вертятся вокруг одного: какой-я-зашибись-хороший-трахальщик-бабы-ко-мне-в-очередь-стоят. Калинкин был одним из вариантов самого Митеньки Левитаса, записного холостяка и бабника. Вариантом почти экстремальным, почти карикатурным, доведенным почти до гротеска. Что, впрочем, не помешало ему сделать удачную карьеру в органах и раскрыть несколько довольно громких убийств. Нельзя сказать, чтобы Калинкин отличался таким уж выдающимся умом, и его IQ[1] вряд ли превышал IQ садовой улитки, но хватка у Калинкина была бульдожьей. Вот только в деле Мариночки Корабельниковой пришлось разжать зубы. И, недовольно поскуливая, отойти в сторону. О чем Калинкин и распинался за второй бутылкой коньяка, когда Никита в очередной раз заглянул к Митеньке.

---

[1]Интеллектуальный коэффициент.

Это был хорошо подготовленный экспромт. Со времени убийства жены Корабельникоffа он виделся с Левитасом довольно часто. С той самой ночи, когда они расстались неподалеку от дома на Пятнадцатой линии: Митенька тогда и вправду настоял, чтобы они съездили на место происшествия. Но им даже выходить из машины не пришлось: Никита вовремя заметил джаффаровскую «Ауди», припаркованную неподалеку от особняка.

— Думаю, здесь и без нас обо всем побеспокоятся, — глухо сказал он Митеньке, глядя прямо перед собой.

— Откуда такая уверенность?

— Начальник службы безопасности пожаловал. Этот разберется. Ну, теперь убедился, что я тебе не соврал? И не придумал ничего... Иначе зачем Джаффарову здесь торчать?

— Н-да... Интересно вот только, кто ему-то на ухо шепнул...

— Не знаю, — Никита пожал плечами.

— Но ночь ты мне все равно измахратил капитально. Может, того... по пивку?... Пока будем ждать известий? Пока кто-нибудь не прорежется... С твоей или моей стороны...

— Да нет... Я домой поеду. Башка раскалывается...

— А с нервишками в порядке?... Интересный ты все-таки тип, Никита... Не каждый день трупы, как грибы, находятся... И почему сразу нельзя было заявить? Ведь это ты их нашел, как ни крути... Непонятно...

— Мне тоже... Это долго объяснять...

— Н-да... — Митенька пристально посмотрел на друга и снова — в который уже раз — затянул привычную волынку. — С головой у тебя и вправду не совсем то... Совсем не то, прямо скажем... А все змеища твоя...

— У нее сегодня день рождения...

— Поздравления не передаю. Перетопчется... А ты завтра жди гостей.

— Каких гостей?

— Ну, не на просроченный день рождения, ежу понятно... В контору к вам пожалуют... Если там и вправду что-то серьезное произошло, — Митенька кивнул в сторону особняка, он до сих пор так до конца и не верил в рассказанное Никитой. — Ладно, отвези-ка меня к Тучкову переулку, раз такое дело...

— К Тучкову?...

— У меня там знакомая живет. Очень приличная женщина... А какую любовь практикует... французскую... Не пропадать же ночи...

Никита подбросил Митеньку до Тучкова, больше пяти минут это не заняло. Зато обратный путь показался ему невероятно длинным, и все из-за Пятнадцатой линии, его родной Пятнадцатой, подложившей ему такую свинью. Со Съездовской он свернул на Большой проспект и снова уткнулся в убийство. Теперь, спустя несколько часов после происшедшего, оно наконец-то получило достойное обрамление: у заброшенного особнячка толклось несколько милицейских машин с мигалками. Так и есть, теперь от этого не отмахнешься: смерть Мариночки стала свершившимся фактом. Теперь она будет запротоколирована и станет достоянием широкой общественности. И о ней узнает хозяин, и... Даже трудно предположить... Впрочем, не так уж трудно, для этого нужно просто знать Корабельникоffа. А Никита знал. Раздумывая над этим, он даже скорость не сбросил, проскочил выключенные мигалки на бреющем. И через минуту уже парковался возле своего парадного.

Все было как обычно, как было все дни, все недели, все месяцы: никто его не ждал, хотя Инга не спала. Никита точно знал, что — не спала. Теперь, когда они стали смертельными врагами, Никита научился чувствовать ее. Чувствовать так сильно, как никогда не чувствовал, — даже когда любил. Она не выйдет из комнаты Никиты-младшего ни при каких обстоятельствах, пустой холодильник, пустой кухонный стол, она давно ничего не готовит, а уж на свой день рождения и подавно. Ну не торт же покупать, ч-черт...

Никита включил маленький свет в прихожей и уселся возле вешалки, прямо на полу. И расстегнул сумку. Орхидея, цветочек-лапочка, вот глупость, надо же!.. Теперь, в теплом свете ночника, его идея с цветком, украденным у теперь уже мертвой женщины, отогрелась и оттаяла. А, оттаяв, шибанула ему в нос полной своей несостоятельностью. Лучшим подарком для Инги было бы, если бы он остался лежать на дне озера.

Вместо Никиты-младшего.

И ничто этого не изменит, ничто. А цветок и вправду красивый. Даже более красивый, чем ему показалось на первый взгляд. Да, так оно обычно и бывает, когда вещь таит в себе двойное дно. А может, и нет никакого двойного дна, и орхидея куплена мимоходом, у метро, у вокзала... Только чтобы успеть отметиться... Успеть всучить подарок... Никита раскрыл коробочку. Машинально, просто потому, что ему хотелось прикоснуться к лепесткам.

Как и следовало ожидать, на самом дне, под цветком, лежала маленькая смешная открытка, такие везде продаются, штука — десять рублей. Или пятнадцать. Пошлейший анимационный котенок, из тех котят, что призваны умилять школьниц и старых дев. Никита вытащил открытку и развернул ее. Ни приветствия, ни пожеланий, одна лишь строчка, написанная небрежным, почти детским почерком:

«Quocienscumque peccator ☺☺☺»...

Интересно, что это может означать?

Пока Никита размышлял над странной и непонятной фразой, никак не вязавшейся с приторной открыткой, дверь из комнаты Никиты-младшего приоткрылась, и в коридор проскользнула Инга. Она не обратила никакого внимания на Никиту. Демонстративно не обратила.

— Привет, — тихо сказал Никита. — С днем рождения тебя... Дорогая...

— Ты еще помнишь? — Инга, вопреки ожиданиям Никиты, даже остановилась напротив, и оперлась спиной о стену. Как будто ждала, что Никита с ней заговорит.

— Конечно...

— Надеюсь, и все остальное... ты тоже помнишь...

«Все остальное» — это Никита-младший... Так

вот для чего она заговорила с ним, вот почему… Чтобы снова запустить заледеневшие кончики пальцев ему в раны, чтобы снова напомнить о сыне. Он должен был быть к этому готов.

— Вот, возьми… Это тебе…

Никита протянул цветок жене, но Инга не взяла его. Не взяла, но принялась пристально рассматривать.

— Что это? — спросила она.

— Цветок. По-моему, красивый…

По лицу Инги пробежала тень. Едва заметная тень: сейчас скажет что-нибудь сбивающее с ног… Хорошо, что он сидит… Никита вжал голову в плечи и даже прикрыл глаза.

— А по-моему, не очень, — наконец произнесла она. — В любом случае, меня он не интересует.

— Я понимаю… понимаю… просто я хотел… я думал…

— Ты думал?!…

Она сказала это убитым шепотом, а потом произошло и вовсе невероятное: Инга опустилась на колени, рядом с цветком, рядом с Никитой, и… И положила руки ему на плечи… Он не ожидал этого, совсем не ожидал: она не касалась его тела уже больше года, и вот теперь… Плечи, не привыкшие к этой — когда-то родной — тяжести напряглись. И моментально повлажневшие глаза — тоже: Никита слишком давно не видел ее лица.

Так близко.

Он как будто вернулся в дом, где не был очень долго; вернулся — и нашел его в полнейшем запустении: ее глаза, когда-то такие яркие, выцвели; веки набрякли, у рта залегли скорбные морщинки, а губы истончились...

— Бедная моя... Бедная... — пробормотал Никита и так крепко сжал Ингу в объятьях, что у нее хрустнули кости. — Бедная моя... девочка...

Кажется, она заплакала... Или нет? Нет, скорее всего нет, уж слишком сухими были всхлипывания. А потом? Что она сказала потом?

— Верни мне сына... Пожалуйста... Верни... Верни... Хотя бы в день рождения... Что тебе стоит его вернуть?... Пожалуйста...

Справиться с навалившейся на него истиной было невозможно, Никита даже руки разжал: Инга безумна. Все это время, весь этот год, за стенкой, в комнате его сына, сходила с ума его жена... И он, он тоже виноват в этом... Только он.

— Инга... Я прошу... Успокойся... Успокойся...

Теперь и она отстранилась. И глаза у нее были сухими. И — трезвыми. Безумие в них и не ночевало или... Или удачно умело уходить вглубь, скрываться от погони.

— Я спокойна, разве ты не видишь? Ведь я уже давно умерла...

Произнеся это, Инга взяла в руки цветок и принялась рассматривать полосатые тигровые лепестки.

— Мои любимые цветы...

— Правда? — Никита ухватился за эту непритязательную и такую банальную фразу так, как утопающий хватается за соломинку.

— Мои любимые... Разве я никогда не говорила тебе об этом? Разве ты никогда мне их не дарил?...

— Теперь буду...

Господи, зачем только он сказал это, зачем только позволил втянуть себя в этот, внешне невинный, разговор о цветах? Проклятое болото, оно только с виду безопасно, а под веселенькими зелеными кочками и изумрудным вереском скрывается топь...

— Теперь точно не будешь, — Инга улыбнулась.

И принялась аккуратно и методично обрывать лепестки. А потом собрала их в ладонь и крепко сжала ее. И поднялась с колен.

...Инга уже давно скрылась в комнате Никиты-младшего, а Никита все еще сидел в прихожей, раздавленный и опустошенный сегодняшней бесконечной ночью. Инга, Инга... Ее пальцы, сжимающие лепестки орхидеи, напрочь выбили из головы воспоминания о двух трупах в квартире Корабельникоffа.

Но они стали реальностью, стоило только Никите появиться в офисе.

Утром, в одиннадцать.

Компания едва заметно, но ощутимо вибрировала. То есть внешне все было как всегда, никаких лишних телодвижений, никаких кучкующихся в курилках сотрудников, никакого скорбного многозначительного молчания в лифтах — вот только что-то такое было разлито в воздухе. Какое-то напряжение, смешанное с отчаянным, до вытянутых на шее жил, любопытством. Так и должно быть, смерть всегда вызывает жгучее детское любопытство, если, конечно, не касается тебя самого.

В предбаннике его встретила Нонна Багратионовна, притихшая и торжественная. На щеках секретарши гулял прелестный молодой румянец, глаза блестели, как у впервые поцеловавшейся девчонки, а губы вспухли, как у впервые поцеловавшегося нападающего юниорской сборной по гандболу. Даже от волос, обычно пахнущих средством для мытья посуды «Пемолюкс», исходил одуряющий запах каких-то экзотических духов. Вернее, Никита насчитал сразу несколько запахов: бергамот, белый мускус, шафран, ваниль и даже — о, Господи! — иланг-иланг и звездчатый анис. Положительно, кончина Мариночки пошла Нонне Багратионовне только на пользу, кончина Мариночки вдохнула в секретаршу вторую жизнь.

— Никита, слава Богу... Вы пришли... А я вам дозвониться не могу... С самого утра, — Нонна бросилась к Никите как к родному.

— Превосходно выглядите, — со значением произнес Никита.

— О чем вы?... Тут такое произошло... Мариночку-то нашу... того... — Секретарша натужно и лживо всхлипнула и закатила глаза.

— Чего?

— Убили. Вот так.

— Значит, убили, — Никита даже не дал себе труда удивиться, слишком уж он был измотан и ночью, и Ингой, и лепестками орхидеи.

— А что это вы так... реагируете... а, Никита?

И правда, уж очень он спокоен. Нужно взять себя в руки и хотя бы немного удивиться, черт возьми!...

— Вы шутите, Нонна Багратионовна? — сказал Никита, впрочем, без особого выражения.

— Какие уж тут шутки, когда Сам вернулся?! Прилетел тем же рейсом, которым улетел... Вы ведь должны были вчера проводить его...

— Я и проводил...

— А он вернулся... Кстати, а почему вы... — Нонна Багратионовна хотела сказать еще что-то, но тут же оборвала себя сама. — Совсем забыла... Его же Джаффаров встречал... Вы понимаете... Ее убили... У-би-ли!!!

— Кого?

— Да Мариночку же, царствие ей небесное... Хотя... Хотя я думаю, что царствия небесного ей не видать... Мариночку и ее телохранительницу... Вот так вот!... Вы только представьте себе... Еще вчера была жива-здорова, поздравления принимала, а сегодня... Даже не представляю, что теперь будет с Окой Алексеевичем... Хотите кофе?

— Хочу...

— Если успеете. Они уже здесь. С самого утра..

— Кто?

— Да следователи же... Со мной уже беседовали. Вас, наверное, тоже дернут. Вы ведь личный шофер, как-никак... Были вхожи в семью...

Нонна Багратионовна заметно суетилась, заискивала и даже пыталась заглянуть Никите в глаза, что было на нее совсем непохоже. Должно быть, она хорошо помнила их летние кофейные посиделки и тот энтузиазм, с которым перемывались кости молодой жене. И про латинского любовника наверняка не забыла. И про завиральные и совсем уж трудно реализуемые планы по выводу стервы-Мариночки на чистую воду. Она помнила, и теперь хотела узнать — помнит ли об этом Никита.

— И всего-то двадцать четыре года, — Нонна Багратионовна, забывшись, бросила в Никитину чашку лишние три куска сахару. — Всего-то... Я хоть и не знала ее хорошо, но все равно... Слезы на глаза наворачиваются... Такая молоденькая!...

Никаких слез в цепких птичьих глазах секретарши не было — одно лишь трусливое желание вырвать из окаменевший памяти личного шофера Корабельникоffа всех латинских любовников, стерв, нимфоманок и стяжательниц. Все те эпитеты, которыми шустрая ненависть Нонны Багратионовны успела наградить покойную Марину Корабельникову.

— И о чем они спрашивали?

— Большей частью о Мариночке... Ну и Корабельникоffе, соответственно... И еще об этой... О ее телохранительнице. Но вы же знаете, с ними я почти не общалась... Только на свадьбе и была... Ведь знаете, Никита?

— Да, конечно...

— Ужас... Просто ужас... И зачем было такую телохранительницу нанимать?...

Действительно, зачем?...

— Даже не представляю, что теперь с ним будет, с Окой Алексеевичем... Не приведи господи никому такого испытания...

— Да, не приведи господи, — отделался общей фразой Никита.

Нонна Багратионовна сунула чашку кофе Никите под нос, выкатилась из-за своего стола, подбежала к двери и выглянула в коридор. Удовлетворившись произведенной инспекцией, она вернулась и уселась против Никиты. Теперь, фривольно забросив нога на ногу, она больше не казалась юдолью всех скорбящих, а запах, исходящий от нее (звездчатый анис помноженный на белый мускус и иланг-иланг), стал и вовсе непристойным. И живо напомнил Никите веселые кварталы в Амстердаме, куда он впервые попал много лет назад, еще не будучи знакомым с Ингой. Если бы сейчас секретарша сбросила платье, щелкнула застежкой лифчика и провела образцово-показательный сеанс стриптиза, Никита нисколько бы не удивился. Но стриптиз в планы Нонны Багратионовны не входил. Она всего лишь заговорщицки вытянула нос в сторону Никиты и пропела:

— А вообще, скажу я вам...

«Неужели, собаке — собачья смерть? — грустно подумал Никита, — Нонна Багратионовна, Нонна Багратионовна, нужно быть великодушной...»

— А вообще, скажу я вам, Никита... Что-то подобное я предполагала... Говорят, у нее были шашни с этой ее телохранительницей...

— Шашни?

— Ну да... Шуры-муры... Хоть в этом я не ошиблась...

— В чем?

— В том, что ей нравятся темненькие... А брюнетка или брюнет — это уже детали. Нюансы...

Тип-то один... Бедняжка Ока Алексеевич... Такой удар, такой удар... Пригрел же змею на груди... Извращенку...

Кофе в глотку Никите не полез. А все потому, что не в меру возбудившаяся Нонна переложила сахару.

...Никиту вызвали лишь к часу дня. Обходительный молодой человек, представившийся «следователем городской прокуратуры Кондратюком», задал ему несколько вопросов, на которые получил четкие и исчерпывающие, хотя и слегка подмороженные ответы.

— Вы хорошо знали Марину Корабельникову?

— Нет. Я — шофер ее мужа, а его машиной она пользовалась редко. У нее была своя.

— Когда вы в последний раз видели ее?

— Вчера вечером, перед отъездом шефа. Я отвозил его в аэропорт. На мюнхенский рейс.

— Значит, Корабельников улетел именно этим рейсом? В ноль пятнадцать?

— Ну, если человеку нужно в Мюнхен, он ведь не будет лететь в Объединенные Арабские Эмираты, правда же? — не выдержал Никита.

— Понятно. Значит, вы проводили шефа и вернулись в город?

— Да. Я проводил шефа и вернулся в город.

— Но на стоянку компании машину так и не поставили?

— Нет. Я не всегда оставляю ее на стоянке. Ока Алексеевич достаточно демократичный человек, он позволяет мне пользоваться машиной... В... скажем, неслужебное время.

По брезгливо-юному безволосому лицу следователя Кондратюка змеей проползла сардоническая улыбка. А желваки на скулах заходили ходуном: приступ классовой ненависти, не иначе. Э-э, братан, да ты якобинец, и, доведись тебе родиться в другое время, ты исправно бы отправлял на гильотину зажравшуюся аристократию...

— Шестисотый «Мерседес» в нерабочее время... И зачем же вам нужен «Мерседес»? Девочек катать? — сострил следователь.

— Я женат...

— Одно другому не мешает... Значит, вчера вы в компанию не вернулись... А куда направились после аэропорта?

— Это важно?

— Вопросы здесь задаю я.

— Посидел в кафе...

— Каком? — Щенок из прокуратуры решил отыграться на Никите по полной программе.

— «Идеальная чашка». Средний проспект Васильевского острова.

— Неподалеку от Пятнадцатой линии, так?

— Неподалеку, — с готовностью подтвердил Никита. — Я и сам живу неподалеку. На Пятнадцатой угол Малого...

— Сколько вы просидели в кафе?

— Время я не засекал... Может быть, час... Может, больше.

— А потом? Отправились домой?

— Не совсем. К приятелю. Он живет рядом с «Прибалтийской». На Морской набережной.

— К приятелю в столь поздний час? У вас нелады с женой? — топорщащиеся волосики Кондратюка потрескивали (очевидно, от осознания собственного величия), а крылья носа вздрагивали, как у гончей, почуявшей добычу.

Но добыча так просто сдаваться не хотела. Она бесхитростно путала следы и смотрела на следователя пустыми, равнодушными глазами.

— Почему нелады? Лады... Просто я обещал приятелю заехать. Вот и заехал...

— А в квартире Корабельникова вы бывали?

— Бывал... И даже довольно часто. Пока шеф не женился.

— А потом?

— Потом — перестал бывать. Так, заезжал пару раз с поручениями от хозяина. И все.

— Почему?

— Не знаю. Корабельников меня не приглашал.

— А раньше приглашал?

— Раньше приглашал.

— А когда вы были там последний раз?

Последний раз... Он еще не скоро выветрится из головы, этот последний раз. И еще долго его будет преследовать тело Мариночки, так похожее на тело Инги... Тело Мариночки в стоячей розовой воде.

— Так когда вы были там последний раз? Затрудняетесь вспомнить?

— Почему же... Вчера. Вчера и был. — Господи, неужели это было лишь вчера?...

— После того как отвезли Корабельникова в аэропорт?

— Зачем?... Днем. Я отвозил подарки. Вчера у хозяйки был день рождения, если вы не в курсе.

Подарков набралась целая гора... От подчиненных Оки Алексеевича. Он попросил меня отвезти, и я отвез.

— А потом?

— А что — потом? Оставил презенты в прихожей и вернулся за шефом. Вместе мы поехали в его загородный дом, на вечеринку в честь дня рождения Марины... Жены Корабельникова...

— Вы оставили подарки в квартире...

— Да, в прихожей. Просто сбросил их в кучу, и все. Не успевал по времени, а шеф не любит ждать. А сейчас везде пробки...

— Когда вы приехали, в квартире никого не было?

— Никого... Мариноч... Жена Корабельникова была за городом... Наверное, уехала раньше...

Следователь почему-то обрадовался, даже веселенькими свекольными пятнами пошел.

— А если никого дома не было, кто вам открыл? — почти любовным голосом проворковал он.

— Никто. Я сам открыл...

— У вас есть ключ от квартиры?

— Да, — сознался Никита, препираться было бессмысленно. — Корабельников сам мне его дал. Уже давно... До женитьбы...

— И не забрал, даже когда женился?

— Нет.

— Почему?

Действительно, почему? После появления Мариночки Корабельникоffу было уже не до ключей. Ни до каких ключей, кроме ключей от Мариночкиного сердца. А сам Никита... Сам Никита оставил ключи себе. Невинно оставил, без всякой задней мысли. В память о так и не сбывшейся последней реплике из нежнейшей черно-белой «Касабланки»: «Я думаю, это начало большой дружбы...» Но объяснять это следователю городской прокуратуры Кондратюку было так же бесперспективно, как объяснять зайцу-русаку теорию бесконечно малых величин.

— Я же говорил... Я иногда заезжал на Пятнадцатую... По поручению хозяина.

— Ну хорошо... Что вы можете сказать об отношениях Корабельникова и его жены?

— Я не могу это комментировать.

— Почему?

— Это — частное дело двух людей. Его и ее.

— Может быть, вы знаете что-то, что поможет следствию?

— Они любили друг друга. — Голос Никиты прозвучал не очень убедительно. Любовь в общепринятом смысле слова вряд ли смогла бы выдержать корабельникоffский напор. Даже страсть с ним не справлялась. Любовь Корабельникоffa больше напоминала душевную болезнь, лавину, которая погребала под собой и сметала все на своем пути.

— Н-да, — многозначительно крякнул Кондратюк. — Значит, любили... Он ей делал подарки, да?

— Ну... Делал, наверное...

— Какие именно?

— Откуда я...

— Драгоценности, например, да? — Вопрос что-то значил для Кондратюка, определенно что-то значил. У него даже рот округлился, а кожа на скулах натянулась, как на турецком полковом барабане. И Никите не понравился этот округленный, по-женски любопытный рот.

Очень не понравился. И натянутая кожа — тоже.

— Драгоценности? Наверное...

— Да что вы все ей-богу, — сорвался Кондратюк. — На свадьбу Корабельников подарил жене колье. Так?

— Меня это мало волновало.

— Но... Вы видели колье?

— Видел... Она его особенно не скрывала.

— А вчера... Вчера она тоже его надела?

Тело, плавающее в ванной, и крепко пристегнутый драгоценный ошейник. Эта картина так явственно нарисовалась перед Никитиным внутренним взором, что он едва сдержал стон.

— Вчера?

— Ведь вчера у нее был день рождения... Вы были у нее на дне рождения? Вы ведь должны были отвезти Корабельникова в аэропорт...

— Был.

— И видели колье?

Сейчас... Сейчас Никита оттянется!

— Видите ли... Как вас зовут? Запамятовал...

— Эдуард Григорьевич, — шепнул Кондратюк, тихо ужасаясь величию собственного имени.

— Видите ли, Эдуард Григорьевич... Я ведь обслуга... Обслуживающий персонал. И особого доступа к телу не имею... Так, наблюдаю из хлева в полевой бинокль...

— Какой полевой бинокль? Что значит — полевой бинокль?

— Господи... ну, это шутка... неудачная...

— Шутить будете с... обслугой... Следствие же — дело серьезное... А что вы можете сказать о телохранительнице покойной?

— Об Эке? Ничего. Я мало ее знал.

— Ее нанял сам хозяин?

— Да.

— Когда?

— Я точно не помню... По-моему, в начале лета... Недели через две после свадьбы...

— А у самого Корабельникова была личная охрана?

— Нет.

— Странно... Фигура такого масштаба — и без телохранителей... Вам самому не казалось это странным? В конце концов, он — глава крупного концерна... Ему по статусу положено.

— Я не могу это комментировать. А вы... Вы можете поинтересоваться этим вопросом у него самого. Или у начальника службы безопасности компании.

— Поинтересуюсь, — клятвенно заверил Кондратюк. — А вам не казалось странным, что, не имея телохранителей, Корабельников нанял их для собственной жены?

— Я не могу это комментировать.

Чертов Кондратюк сменил сардоническую улыбку на ироническую. Он бы и сам прокомментировал сей прискорбный факт, будь его воля. Еще как бы прокомментировал! Почтенный старец О. А. Ко-

302

рабельникoff, как и положено почтенному старцу, был по-старчески немощно-ревнив. И наверняка боялся, что его молодая жена наставит ему рога с более молодыми самцами. Потому-то и был нанят телохранитель. И телохранителем оказалась женщина, уж с этой стороны пивной барон никакой подставы не ожидал. И, очевидно, не был знаком с пословицей «Пусти козла в огород». Или — позабыл за ненадобностью. Вот она и напомнила о себе.

Остальные вопросы были гораздо более невинными (общалась ли Мариночка с кем-нибудь из подчиненных Корабельникoffa, где вообще преуспевающий бизнесмен отрыл себе та-а-кую жену и чем она занималась до встречи с Корабельникoffым); вопросы были невинными, но от Кондратюка Никита вышел как выжатый лимон. И тут же снова попал в крепкие, заискивающе-дружеские объятия Нонны Багратионовны.

— Ну как? — тут же поинтересовалась она исходом беседы. — О чем вас спрашивали, Никита?

— Думаю, о том же, о чем и вас...

— Понимаю, понимаю... А...обо мне разговора не было? — тихонько завибрировала секретарша. Очевидно, летние шаловливые откровения с Никитой все еще не давали ей покоя.

— О вас? Нет.

— Несчастье... Несчастье... Вы только подумайте, какое несчастье... Все-таки она дрянь...

— Да кто же, Нонна Багратионовна?

— Мариночка... Мало того что заставила его так страдать... Так теперь за его спиной еще и шептаться будут... Нет, не зря она мне не нравилась с самого начала... — не удержалась Нонна Багратионовна. Хотела удержаться — и не удержалась. — Вот ведь говорила, что гиена... Гиена и есть...

— Да... «Мудрому дано знать еще одно качество гиены: камень драгоценный у нее в глазу...»...

Черт, как давно он не вспоминал этот проклятый стишок, навязанный Мариночкой и навсегда осевший в его мозгу. Давно не вспоминал, а теперь вспомнил. Что-то еще было в этом стишке... Что-то про ворожбу. Тогда Мариночка сказала ему, что не умеет ворожить. Видно, и вправду не умела, если так и не смогла просчитать свой собственный и такой быстрый финал...

— Что? Что вы сказали, Никита?

Занятый своими мыслями, он даже не заметил, как изменилась в лице секретарша. Звездчатый анис, белый мускус и даже иланг-иланг, так настойчиво выпиравшие из Нонны Багратионовны, стушевались и поникли, а за ними следом потянулись бергамот, шафран и ваниль. Теперь Нонна Багратионовна пахла не разухабисто-заголенными кварталами Амстердама, а спертым библиотечным хранилищем.

— Что? — еще раз повторила Нонна Багратионовна.

— А что? — удивился Никита.

— Откуда вы знаете этот... м-м... стих?

— Это Мариночка... Она как-то прочитала его мне... А я вот... запомнил...

— Странно...

— Что именно?

— Странно, что безмозглая певичка... какая-то

304

легкомысленная фря... процитировала вам Филиппа Танского.

— А кто такой Филипп Танский?

Глупый вопрос, тут же посчитал про себя Никита, наверняка это один из любимчиков Нонны Багратионовны, растущий на соседней грядке с Гийомом Нормандским. Столько лет работая у Корабельникоffа на хлебной должности секретарши, Нонна так и не смогла отказаться от своего голоштанного, но такого упоительного научного прошлого.

— Кто такой? Средневековый поэт. А... почему она вдруг вам его прочитала, этот стих?

— Не помню. Наверное, был повод.

— И на кого же она намекала?

— Что значит — намекала?

— Ну... Подобные стихи всегда аллегоричны... О ком вы говорили с ней?

— Я бы не хотел... Нонна Багратионовна... — и до этого разговор не нравился Никите, а теперь разонравился и вовсе. Если уж кто и похож был сейчас на гиену, так это сама Нонна, питающаяся падалью воспоминаний. Средневековых и не очень.

— Да, наверное... Не надо бы... В такой день... А полный текст знаете? — секретарша не удержалась и хихикнула.

— Откуда?

— А напрасно... Иногда нужно прикладываться к груди мировой культуры, милый мой Никита... Хотите послушать?

Никите было все равно, полная версия стиха, так же, как и краткая, уже не могли вдохнуть

жизнь в мертвую Мариночку, но Нонна Багратионовна... Нонна Багратионовна расправила грудь,
прочистила горло и выдохнула прямо в лицо Никите:

> В ней совмещено
> Естество мужское —
> Диво-то какое! —
> С женским естеством.
> Так что мы зовем
> Эту тварь двуполой.
> Всякою крамолой
> Этот зверь чреват.
> Адский в нем разврат.
> Человек растленный
> В образе гиены.
> Для нее двойник —
> Пакостный блудник.
> Похотлив, как шлюха.
> Только твердость духа
> Мужеская в нем.
> Баба в остальном,
> Он везде и всюду
> Предается блуду!...

Закончив декламацию, Нонна Багратионовна по-
бедоносно уставилась на Никиту.

— Ну что скажете, молодой человек?

— Я под впечатлением, — вытягивать из себя
слова приходилось клещами. Больше всего Никите хотелось уйти, остаться наконец одному. Или —
не одному, но уж не с Нонной Багратионовной, во
всяком случае.

— Да-а... Если бы она рискнула прочитать это
мне... Хотя бы фрагментарно... Хотя бы четыре
строки, вырванные из контекста... Я бы сразу ее

раскусила... Нет, не может, не может человек удержаться. Все только потому и любят загадывать загадки про себя, что втайне мечтают быть разгаданными...

...Разгадать эту загадку, впрочем, не составило особого труда — даже следствие по делу об убийстве М.В. Палий в этом преуспело. Во всяком случае, все стало ясным на вечерних мужских посиделках с Митенькой и Борей Калинкиным. Никита влился в компанию, когда Левитас и Калинкин уже приняли на грудь изрядное количество коньяка.

— Вы знакомы, Боря? — спросил Митенька у Калинкина, кивая на Никиту.

— Физиономия внутреннего протеста не вызывает... Вроде виделись... По отпечаткам пальцев определил бы точнее.

Никита даже поежился: теперь он часто думал об отпечатках пальцев. Где их было полно — так это в квартире Корабельникоffа. Но, с другой стороны, он честно признался в этом следователю.

— Никита Чиняков, мой друг... И к тому же... Тебе будет интересно, Боря... Он — личный шофер Корабельникова.

— Да ну! — лениво удивился Калинкин. — Надо же, как тесен мир. Читал, читал ваши показания... Легко отделались, доложу я вам... При другом раскладе... Не столь очевидном... И-эх... Не пили бы вы здесь коньячок. А меня ваш Корабельников достал, если честно... Тот еще тип...

Никита хотел ввернуть что-то приличествующее случаю, что-то типа: «Если бы у вас погибла жена, вы бы еще не таким типом предстали». Хотел ввернуть — и не ввернул. Вместо этого он опрокинул в себя полную рюмку коньяка и светски спросил:

— Ну и как продвигается расследование?

— А вы, значит, не в курсе дела? Расследование, собственно, уже завершилось. Да и копать там особо было нечего, скажу я вам.

— Значит, нечего? — не унимался Никита.

— Вот только не хватайте меня за язык, — Калинкин осклабился. — Дело уж больно щекотливое. С душком-с, знаете ли... Кому угодно челюсть набок свернет...

Под «кем угодно» Калинкин явно подразумевал Корабельникoffa.

— Шеф-то ваш как? Оклемался?

— Он в порядке, — соврал Никита.

С Корабельникoffым все было не в порядке. Далеко не в порядке. После смерти Мариночки он потух и почти совсем отстранился от дел, переложив их на плечи вице-директоров. В квартиру на Пятнадцатой он так и не вернулся и почти все время проводил в загородном особняке во Всеволожске. От услуг Никиты он тоже отказался, сам гонял свой джип, изредка припарковывая его у «Amazonian Blue» — места, где впервые встретился с Мариночкой. И раз в неделю обязательно звонил Никите и бросал в трубку хриплое: «Приезжай».

Вслед за «приезжай» следовала пьяная ночь в особняке. Вернее, абсолютно трезвая, стылая и окаянная ночь.

Корабельникоff не пьянел. Точно так же, как не пьянел сам Никита в первые месяцы после смерти Никиты-младшего. Корабельникоff же не пьянел фатально, он мог вливать в себя дикое количество водки, виски и слегка разбавленного спирта, приправляя все это коллекционным вином (бешеные сотни долларов за одну-единственную вшивую бутылку) — и все равно, смотрел на Никиту трезвыми больными глазами. Никита старался держаться, манипулировал с содержимым рюмок, — только бы не свалиться с копыт, — и молчал. Ему нечего было сказать Корабельникоffу, ну, не банальные же соболезнования выражать, ей-богу!

Впрочем, Корабельникоff вовсе не нуждался в соболезнованиях. Его горе было абсолютным, его горе было неприкрытым, и Никита очень хорошо понимал патрона. Какие уж тут к черту «мы скорбим вместе с вами»!.. Никита мог голову дать на отсечение, что сейчас Ока Алексеевич не прощает себя так же, как не прощал себя Никита. Ведь если бы ему не пришла в голову блажь нанять для Мариночки телохранительницу, она бы до сих пор была жива.

Но Мариночка была мертва, и Эка — тоже.

Именно об Эке распинался теперь опер Калинкин. Эка к запретными темам не относилась, она не была членом семьи, и заговор молчания на нее не распространялся. Тем более что Калинкин к месту и ни к месту упоминал лучшую в группе выпускницу школы телохранителей Эку Микеладзе. Очевидно, телохранительница поразила заросшее грубым волосом воображение Бориса Калинкина.

— Та еще штучка, — сказал он, пристально глядя в глаза Никите.

— В каком смысле?

— Во всех... Во всех смыслах. Послужной список у нее будь здоров, рекомендации — зашибись, отзывы — только хвалебные. И от инструкторов, и от опекаемых ею бизнесменов. И жен бизнесменов, — не выдержав, подпустил шпильку Калинкин. — Словом, баба с башкой...

— И с яйцами, — теперь не удержался Митенька.

— В некотором роде... В некотором роде...

После этого меланхоличного замечания последовала тирада о сомнительной сущности покойной. Судя по всему, эта самая сущность не давала покоя Борису Калинкину. Эта самая сущность и заставила опера заняться Экой вплотную. Калинкин говорил о ней с такой плохо скрываемой ревнивой страстью, что Никита сразу понял: без банальных самцовых разборок (пусть и постфактум), а также упирания рогами не обошлось. Мужественная Эка оказалась даже более мужественной, чем можно было предположить. И грешила отнюдь не платоническими связями с женщинами. Установить это не составило большого труда: телохранительница засветилась везде, где только можно было засветиться. Уже несколько лет она паслась в лесбийском клубе «Сапфо» (бильярд, сауна, танцы до упаду, спецобслуживание, мужчинам вход категорически запрещен).

— Дискриминация, блин, — мечтательно произнес Калинкин. — Прорваться удалось только с удостоверением наперевес. И то они его чуть ли не в микроскоп изучали... Вы бы видели, как они на меня смотрели, эти бабы! На части бы разорвали, будь их воля. Голову на кол, как в древней Японии. Экстремистки чертовы... Куклуксклановки!... А знаете, какое у них там фирменное блюдо?

— Яйца всмятку? — предположил Митенька.

— Угу... Что-то вроде того... Яичница с беконом...

— Тогда уж с сардельками... Сублимироваться так сублимироваться!...

— Во-во... — поддержал Митеньку Калинкин. — А вообще зрелище не для слабонервных. Такие телки попадаются, просто волосы вовнутрь расти начинают. Не поймешь, не то баба, не то мужик. Затылок стриженый, татуировки чуть ли не на глазном яблоке, ботинки армейские, штаны, челюсти как у бультерьеров. Буч по-научному. Зазеваешься или не так посмотришь — все, кранты, в момент выпирающие части тела отгрызут. Лучше уж сразу — помолиться и под автомобильный пресс.

— Что, так все безнадежно? — Митенька неожиданно проявил живейший интерес к брутальной лесбийской экзотике.

— Ну не все, — вздохнул Калинкин. — Кроме этих чертовых бучей такие цыпочки попадаются... Господи прости! Дивы, ангелы, фотомодели!... Дайки и клавы по-научному...

— Клавы-фотомодели?

— Не придирайся к словам!... Это же образно говоря.

— Так образно или по-научному? — не отставал весельчак Митенька.

Вместо ответа Калинкин так беспомощно заскрежетал зубами, что Митенька снисходительно похлопал его по плечу.

— Ладно, не напрягайся... А ты что, даже не попытался увести ни один образ? Даже не попытался никого наставить на путь истинный?

Задубевшее, как подошва кирзача, лицо Калинкина покрылось юношеским, робким и мечтательным, румянцем.

— Попытался... Положил глаз на одну крохотулю... Херувим, чистый херувим, только без крыльев... Но с роскошным бюстом... размера эдак третьего... Так что вы думаете? Ее подружка мне чуть яйца не открутила... вызвала на пару слов в интеллигентный такой предбанник. И совсем неинтеллигентно на меня наехала. Да еще и за грудки схватила.

— А ты?

— А что я? Блеял да мотню прикрывал. Ну, не драться же мне с ней, в самом деле... Нет уж, лучше с трупаками возиться, чем с этими гребаными сексменьшинствами. Вони уж точно меньше...

Все рассказанное Калинкиным дальше тоже пахло не бог весть как. С опросом возможных свидетелей у старшего оперуполномоченного вышел полный облом, после чего в «Сапфо» было решено заслать его коллегу, Леночку Жукову, примерную мужнюю жену и мать двоих детей. С Леночкой персонал клуба и его же завсегдатаи вели себя не в пример приветливее, и результаты рейда не заставили себя долго ждать. Да, Эка пощипывала травку в «Сапфо» с завидным постоянством, чего нельзя было сказать о ее герлфрендз: они менялись как перчатки. Правда, в последние несколько месяцев она почти не появлялась. А если и появлялась, то всего лишь раз или два. И оба эти раза ее видели в обществе довольно симпатичной длинноволосой блондинки. Оперативно сработавшая Леночка Жукова тотчас же сунула в нос свидетелям фотографию покойной Марины Корабельниковой. И получила утвердительный ответ: да, это та самая блондинка.

Но и это было не все.

Вернее, этой информацией Леночка бы и ограничилась, если бы на нее не запала барменша «Сапфо», «хренов буч», если следовать унылой классификации Бори Калинкина. Свое приключение в лесби-клубе впечатлительная Леночка переживала довольно бурно, а воспоминание о потухшей сигаре барменши, приклеенной к уголку рта, заставляло несчастную праведницу понижать голос до шепота. Барменша, отрекомендовавшаяся «Ники», кочевряжиться не стала, Марину Корабельникову по фотографии опознала сразу же и даже присовокупила несколько сочных характеристик, касающихся не только Мариночки, но и Эки. Грузинка в интерпретации Ники выходила «ревнивой секси, такая и к мошонке, не приведи господи, приревнует, и к бильярдному шару, не завидую я ее подружкам, ой, не завидую. С ней жить, все равно что под ковровыми бомбардировками маяться...». Мариночка же удостоилась эпитета «бисексуалка-неврастеничка, сама не знает, чего хочет. Я таких по глазам определяю, по лживым, двуличным глазам. И нашим, и вашим за копейку спляшем, вот как это называется...».

После этого, подмигнув мнущейся и жмущейся сотруднице органов, Ники предложила пропустить рюмашку текилы. Под звуки лесбийской песни Sophie B. Hawkins («тащенный соул, моя дорогая, тащенный соул... Вам нравится соул, или вы предпочитаете ритм-энд-блюз?»). Насмерть перепуганная таким неприкрытым съемом, Леночка просипела нечто среднее между «это не совсем удобно» и «на работе не пью». На что последовал незамедлительный ответ: «я тоже, но ради такого случая... Сердце мне подсказывает, что это — не последняя наша встреча». Заявление было столь безапелляционным и недвусмысленным, что Леночке, по ее словам, сразу захотелось бежать куда глаза глядят, а заодно и исповедаться в церкви — именно это подсказывало ей ее собственное сердчишко. Но никуда она не побежала, напротив, дала уговорить себя на текилу. Сначала на одну порцию, а потом и на вторую. И от Sophie B. Hawkins Леночка не отказалась, а потом и от K. D. Lang, хотя всю свою сознательную жизнь провела под сенью убаюкивающе-гетеросексуальной Софии Ротару.

И все потому, что злодейка-Ники туманно намекнула, что имеет еще кое-что сообщить «прелестнице from police[1], кстати, вам говорили, что у вас дивные глаза?». Леночка проглотила и это, и

---

[1] Из полиции (англ.).

даже улыбнулась барменше кривой улыбкой. И даже позволила взять себя за руку, а потом и за подбородок. И в конце концов была вознаграждена. Ники поведала ей о том, что в последний свой визит в «Сапфо» Эка и блондинка поссорились, причем довольно основательно. Они сидели за стойкой, недалеко от Ники, так что вся ссора произошла непосредственно на глазах у барменши.

— Опущу вводную часть, милая, — ухмыльнулась Ники, перекатывая во рту сигару. — Склоки из-за взглядов, брошенных не туда и не вовремя — обычное дело... Лесби страшно ревнивы... Но они ссорились по-настоящему. Они ссорились смертельно...

— По-настоящему? Смертельно? Это как?

— Как? Тихо и беспредметно. На Эку это непохоже, честно вам скажу... Эка — девушка темпераментная, она здесь такие сцены устраивала... из семейной жизни... А тут... полная безнадега... Робкий шепот. Хотя и угрожающий... Из чего я делаю вывод, — Ники выдержала мхатовскую паузу. — Из чего я делаю вывод, что она была влюблена по-настоящему... А вы верите в любовь, девочка?...

«Девочка», предусмотрительно оставившая дома не только детей и мужа, но и китель с погонами капитана, едва не поперхнулась остатками текилы.

— В общем, да... А что?

— Я тоже... Верю... И не в какую-нибудь разнузданную игру страстей, нет... В ту самую, когда вы точно знаете, что проживете с человеком всю жи...

— Мы несколько отвлеклись, — пресекла поток ненужной лирики Леночка. — Так что гражданка Микеладзе?

— Вы неподражаемы... Но вам это идет, честное слово... Так вот, Эка и блондинка ссорились. Эка говорила ей что-то вроде: «Зачем было все начинать?... И кому принадлежит это чертово имя?... Если ты не прекратишь меня им называть...» Тут блондинка ее перебила. Сказала... опять же... что-то вроде: «Я не могу обещать тебе этого...» Вот здесь и началось самое интересное...

— Что именно?

— Она изрядно набралась, Эка. Уж не знаю, насколько серьезными были ее угрозы... «Мы не разойдемся просто так. Ты совсем меня не знаешь... И не дай тебе бог меня узнать... Все кончится плохо... очень плохо... Вот это я тебе обещаю..».

— То есть вы хотите сказать, что... гражданк... что Эка Микеладзе намекала своей пассии на некий пессимистический исход их отношений?

— Можно сказать и так. А эта блондинка... Хорошенькая, правда... Ну. Не такая, как вы...

Тут, по словам Леночки Жуковой, барменша перегнулась через стойку и провела («ужас, ужас, ужас!») тыльной стороной своей свинской ладони по ее щеке.

— И знаете, ее лицо показалось мне знакомым... Как будто я уже видела ее где-то, эту блондинку.

— Она бывала у вас раньше?

— В том-то и дело, что нет... А, впрочем, я могу и ошибаться... Кстати, если покопаться в моей биографии, там наверняка найдутся моменты, которые могут заинтересовать правоохранительные органы. Вы не хотите меня арестовать?... С вами я согласна и на пожизненное...

— Ну, до этого дело, я думаю, не дойдет, — Леночка таки решилась осадить зарвавшуюся барменшу. — Но письменные показания вам дать все-таки придется.

— Я дам вам все, что угодно, моя прелесть...

После столь изысканного приглашения к путешествию Леночке не оставалось ничего другого, как бежать из срамного клуба, плюясь и на ходу осеняя себя крестным знамением. Информация, принесенная ею в клюве, лишь укрепила следствие в версии, которая и без того была очевидной. И подтвержденной заключениями экспертизы. В квартире на Пятнадцатой линии произошло не два убийства, а одно убийство и одно самоубийство. Оба выстрела были совершены из одного и того же оружия, а именно — пистолета ПСМ, калибр 5,45.

Лицензию на него имела Эка Микеладзе.

Она же скорее всего застрелила свою подругу в ванной, а потом покончила с собой.

— Н-да... История, — подвел скорбный итог Боря Калинкин. — Местами, конечно, весьма сомнительная...

— Сомнительная? — не удержался Никита, чувствуя предательский холод в животе.

— В квартире полно левых отпечатков... Даже на бокале, который стоял рядом с покойной грузинкой... Имеются два образца пальчиков... Ни Микеладзе, ни Корабельниковой не принадлежащие.

— Ну, у Мариночки всегда толклось множество народу, — выдавил из себя Никита.

Ай-ай, дурилка картонная, это ведь он притаранил бокальчик в спальню, эстет... Совсем из ума выжил...

— Вы тоже были вхожи в дом?

— Я?... Какое-то время, — слава Богу, хоть здесь не приходится лукавить. — Какое-то время, пока хозяин не женился... Потом бывал реже... Так, по случаю...

— Понятно. Но в общем картина достаточно ясна.

— Ты полагаешь? — неожиданно вклинился Митенька. И, шмякнув очередную дозу трехзвездочного махачкалинского разлива, завернул такое, отчего у Никиты сперло дыхание. — А что, сымитировать самоубийство нельзя? У нас бывали такие случаи... Сам должен помнить...

— Ага... Точно. Тянем одну версию, а потом окажется, что убийцей был... личный шофер, — Калинкин подмигнул притихшему Никите. — Шустряга шофер. Который дружбу с операми водил, да конину с ними хлебал.

— Да ладно тебе, — вступился за приятеля Левитас. — Не пугай честного обывателя...

— А чего пугать... Хотя и для обывателя кое-что найдется. В день свадьбы Корабельникoff подарил своей жене колье. Стоимостью двести пятьдесят тысяч долларов. И за меньшее убивают, уж поверьте... Гораздо меньшее... А за такое не грех и пару деревушек напалмом выжечь... И вот этого самого колье на покойнице не оказалось. И в квартире его не нашли, и в особняке, хотя те, кто были на вечеринке, утверждают, что на дне рождения безделушка... — Калинкин хмыкнул, — безделушка была при ней. А серьги и кольцо — из того же гарнитура — при ней и остались. А вот чертово колье не нашли. Вы его случайно не видели, это колье, Никита?

Конечно же он видел колье: оно было при Мариночке, когда ее застигла смерть. Странно, что свадебную драгоценность не нашли. А может... Никита живо вспомнил двух жиголо-авантюристов, которые покинули дом в оперативном порядке. Но предположить, что этот слабосильный молодняк занялся банальным мародерством... Хотя, кто ее знает, эту современную молодежь? Вполне возможно, что он добросил до «Приморской» не насмерть перепуганных щенков, а насмерть перепуганных расхитителей гробниц...

— Колье? — Губы у Никиты предательски пересохли. — Когда?

— Когда-нибудь...

— А-а... Видел. На свадьбе. Это был свадебный подарок шефа.

— Человек со вкусом, — заочно одобрил Корабельникоffа Боря Калинкин. — Так вот, этого колье обнаружено не было. Не факт, что его сняли с мертвого тела, что его вообще сняли... Но найти его сейчас не представляется возможным. А Корабельникоff вообще отказался обсуждать эту тему... Видать, денег куры не клюют.

— Значит, есть и еще одна версия? Ограбление?...

— Ну не думаю, что это именно тот случай, —

успокоил Никиту Калинкин. — Все дело в этой, мать ее, грузинской крале.

— Ты полагаешь?

— Я знаю. Материала на нее достаточно. Такая застрелить себя не позволила бы ни при каком раскладе. Мало того что боевые характеристики превосходные, она еще и мастером спорта по стендовой стрельбе была. А о такой невинной вещи, как дзюдо, я и вовсе промолчу. Дорого она стоила, дорого, эта дамочка... Три предотвращенных покушения на подопечных, не баба, а голливудский боевик. И чтоб такая позволила вплотную приблизить к своему виску пистолет... Вплотную, заметьте, вплотную... И спокойно наблюдала, как ей разносят башку... Это, извините, туфта.

После этого устраивающего абсолютно все стороны заявления разговор плавно сместился к теме женщин вообще. Женщин, всю прелесть которых не смогла скомпрометировать даже такая вопиющая частность, как Эка Микеладзе. Женщины-то, обильно политые коньячишкой, и подрубили бедолагу Калинкина. Он заснул на полуслове, в обнимку с присмиревшим Цыпой, а Митенька и Никита плавно переместились на кухню.

— Вот и все, — констатировал Митенька. — Вот и все дело, Кит. Не такое уж сложное. Неприятное, конечно... Особенно для твоего шефуле. Но не сложное.

— Ты полагаешь?

— Я? Я к нему касательства не имею. У меня своих тухляков полно. Вот только он тебе не все сказал, Никита.

— Не все? — Никита насторожился. Больше всего ему хотелось забыть о Мариночке навсегда. Захлопнуть за ней дверь и забыть.

Жаль только, что Корабельникoff всегда будет напоминать о ней. Но и с Корабельникoffым все теперь было предельно ясно. Не сегодня завтра, выйдя из алкогольного клинча, Корабельникoff уволит Никиту к чертовой матери. Но тогда... Тогда ему придется уволить и весь мир в придачу. Потому что весь мир будет напоминать Корабельникoffy о покойной жене. Так обычно и бывает с людьми, погребенными под обломками абсолютной любви. Кто бы мог подумать, что пошлая и циничная двустволка Мариночка утянет Корабельникoffa в абсолюты?...

— Тут не все так просто, Кит... Видишь ли... Этой твоей... или его... уж не знаю как... Этой Мариночки не существует...

— То есть как это — нé существует?

— А вот так. По грузинке они собрали все, что могли, включая информацию о детских и юношеских годах у подножия горы Мтацминда. А вот Мариночка... О ней не известно ничего. То есть — вообще ничего. Ни родственников, ни родителей. Никого, кто мог бы, заливаясь горючими слезами, поведать о том, как она училась в школе и как рыбок разводила. Правда, о последних двух годах худо-бедно удалось наскрести, а все остальное — тайна, покрытая мраком. Как будто она не существовала никогда, а потом вдруг материализовалась. Так сказать, в половозрелом возрасте. Вот так-то...

— И что последние два года?

— Работала в разных кабаках, все больше не-раскрученных. Львиную долю, конечно, сожрал этот самый... — Митенька щелкнул пальцами, вспоминая.

— «Amazonian Blue», — подсказал Никита.

— Во-во... Тамошние латиносы тоже кое-что шепнули на ухо... Мариночка не зря Лотойей-Мануэлой называлась... Тьфу ты... Имечко... Язык сломать можно... Фишку в испанском она рубила — будьте-нате...

— Ну и что? Это преследуется в уголовном порядке?

— Да нет, в знании языка ничего криминального нет... Невиннее вещи и придумать невозможно... А вот когда знание языка скрывается... да причем без всяких на то оснований... Ты что по этому поводу думаешь?

Никита пожал плечами: он ничего не думал по этому поводу. Он вдруг вспомнил ресторанную коронку Мариночки — «Navio negreiro». Уж очень старательно она выговаривала испанские слова, до отвращения старательно. Они и тогда показались Никите записанными русскими буквами на обрывке бумаги и тщательно зазубренными. Но человек, знающий язык, никогда не будет практиковать такой метод запоминания... Никогда.

— Это кто же вам настучал? Про язык?

— Во-первых, не мне. Во-вторых, латиносы и настучали. Она никогда не общалась с ними на испанском, они даже не подозревали, что девица его знает... А потом она сорвалась. Не выдержала... Ответила на какую-то их сальность. Причем на сленге. А чтобы знать сленг, нужно в нем поvariться. Видать, варилась она прилично, уж очень неизгладимое впечатление на этих музыкантишек произвела...

Да, что-что, а производить впечатление Марина-Лотойя-Мануэла умела. И Корабельникоff, скорее всего, был далеко не самым первым в списке, сраженных наповал.

— Твой-то хмырь... Хозяин... Видать, тоже попался. То-то копытами землю рыл.

— В каком смысле? — удивился Никита.

— В общем, с его подачи... Или по его личной просьбе вышестоящему начальству... Через какие-то влиятельные руки переданной... Короче, дело остановлено в той стадии, в которой остановлено. Закрыто, одним словом.

— Вот уж не думал, что следствие так сговорчиво...

— Да не в следствии дело... Выводы однозначны, так что никто на горло расследованию не наступал. Убийство, самоубийство, любовная бытовуха, такое случается... Просто много чего еще можно было нарыть...

— Чего, например?

— Например, тебя... С твоей ночной экскурсией... Как бы ты все объяснил, если бы тебя за задницу прихватили?

— И весь улов?

— Наверняка не весь... И мертвая женушка поведала бы о себе гораздо больше, чем живая... Но я вот что думаю: он просто не хотел ничего знать о своей жене... Корабельников... М-м... сверх того, что узнал. Но и этого ему хватило. А разрушать светлый образ дальше... И потом это чертово колье...

— А что — колье?

— Ты понимаешь... Ведь оно всплыло только в показаниях его секретарши...

— Нонны Багратионовны?

— Уж не знаю, как там ее зовут...

— А почему это она его упомянула?

— Ну откуда же я знаю?... На каком-нибудь банальном вопросе споткнулась... По типу «что вы знаете об отношениях супругов...».

Вот оно что... Значит, следователь Кондратюк не случайно перемывал камешки в тазике, кладоискатель, мать его за ногу... Значит, Нонна Багратионовна расстаралась. Не удивительно, если и стишки присовокупила... этого... как его... Филиппа Танского... Ай, Нонна-Нонна, ненависть к Мариночке оказалась сильнее любви к Корабельникоffу. Ну, да ненависть всегда сильнее любви, всегда румянее, тут и удивляться ничему не приходится...

— Но самое интересное... Самое интересное как раз то, что сам Корабельников о колье и не заикнулся. Пока у него напрямую не спросили... Уж не знаю, может запамятовал... Может, для него двести пятьдесят тонн потерять — это все равно что два рубля на общественный сортир потратить... Но...

— Да ладно тебе, Митенька... Человек в таком состоянии... Он ведь действительно ее любил.

— Ну да... Двести пятьдесят тонн на шлюху со Староневского палить не будешь. И на жену, которая тебе воздух в постели портит двадцать лет к ряду... Любил... Слушай, Кит, — Митенька прищурился и хитро посмотрел на Никиту. — А может, это ты прихватил камешки, а? Ну мало ли, какие цацки на мертвой шее болтаются...

Кухня Левитаса поплыла у Никиты перед глазами. А заодно и сам Митенька — родной, плохо выбритый, со всклокоченными волосами.

— Ты... Ты...

— Да ладно, шютка! Шютка, — тотчас же разулыбался Митенька. — Что сразу бычиться-то?... Я к тому... что могли заложить — и на Канары с Балеарами... Хотя... Хрен... Повяжут с такими камешками... Нет. Будем по ночам любоваться. Из подштанников доставать — и любоваться.

— Дурак ты, Митенька...

— Я же сказал... Шютка! А если эти двое... Ну, парочка. Которых ты подвозил?

— Не знаю...

— Ладно... А Корабельников и вправду странный тип. Готов на что угодно закрыть глаза, лишь бы не трепали имя его жены... Это что, и есть любовь? Никогда не женюсь, никогда... Не нужно мне никакой любви... Пусть меня мой кобель любит... Вот уж кто мне сюрпризов не преподнесет. И не окажется на склоне лет утконосом. Или ехидной какой-нибудь. Доберманом родился — доберманом помрет... А Корабельников, видать, еще тот пес... Так тело защищать... Которое, может, ему до конца и не принадлежало...

Митенька крякнул и обхватил пятерней лохматый затылок: нельзя сказать, что ему без труда давались такие изысканные формулировки. Но Никита понял его, а поняв, восхитился: ай да Митенька, ай да философ хренов, и кто бы мог подумать, что под таким простецким, грубо скроенным черепом ютятся подобные мысли. Впрочем, это и мыслями-то назвать нельзя, по большому счету, так, предутренние ощущения, когда Господь Бог отправляется перекурить, и всяк, кому не лень, может посидеть в его руководящем кресле... Ну конечно же, Корабельникоff слишком любил свою жену, слишком. Настолько, что готов был принести в жертву ее прошлое. Прав, прав Митенька: он хотел знать о жене только то, что подтверждало бы ее привязанность к нему, Корабельникоffy. Подтверждало, а не опровергало. И теперь, лишившись Мариночки...

Лишившись живой, вероломной и похотливой Мариночки, ты только выиграл, Ока Алексеевич! Если ты выберешься — а ты должен, ты просто обязан выбраться, — Мариночка превратится в воспоминания. И любовь к ней — тоже... Любовь, переведенная в воспоминания, всегда абсолютна, а именно к абсолюту ты всегда и стремился по большому счету. Любовь, переведенная в воспоминания, никогда не предаст тебя, потому что воспоминания никогда не предают. Напротив, они утешают, они кладут легкую щенячью голову на колени и требуют ласки. Они готовы поиграть с тобой в тихие игры, они готовы соврать во благо, они готовы убедить тебя в чем угодно. Например, в том, что те, кого ты любил, любили только тебя... И если в эту благостную картину не вписывается какой-то там сомнительный жаргон — долой жаргон. И если в эту благостную картину не вписывается какая-то там сомнительная грузинка — долой грузинку. А заодно и сомнительное прошлое. Ты всегда будешь помнить только о ее легких руках и тяжелых волосах... И в твоих воспоминаниях ее руки станут еще легче, а волосы — еще тяжелее. И они...

Они — будут только твоими...

— Эй... Ты совсем меня не слушаешь... — будничный и такой прозаичный голос Митеньки донесся до Никиты как из бочки.

— Почему не слушаю? Слушаю...

— Это хорошо, — неизвестно чему обрадовался Митенька. — А вот теперь слушай внимательно. Об этом не знает никто. То есть — вообще никто. Я бы и сам предпочел об этом не знать... Хотя, если честно, то мне от этого знания ни холодно ни жарко. Тем более что следствие уже прихлопнули.

— Что ж не сообщил? — поинтересовался Никита, с трудом отрываясь от мыслей об абсолютах.

— Меня это не касается... У меня своих геморроев полно. А тебя это позабавит... Помнишь ту ночь, когда ты приволокся ко мне с Пятнадцатой?

— И что?

— А вот что...

Митенька открыл ящик кухонного стола, доверху набитый всяким хламом: вилки, ложки, консервные ножи, полиэтиленовые крышки, мумифицированные тушки тараканов, ссохшиеся головки чеснока, противоблошиные ошейники, заляпанные жиром брошюры самого провокационного содержания: от сектантской «Сторожевой башни» до устава Партии пенсионеров. Никиту всегда умиляли эти залежи, он был просто уверен: стоит хорошенько покопаться в этой куче барахла — и на свет явятся неизвестные фрагменты давно утерянной Янтарной комнаты. А так же отбитый нос Сфинкса из Гизы, унесенный в неизвестном направлении наполеоновскими солдатами...

Интересно, что на этот раз извлечет на свет божий Митенька?

Пока Никита размышлял об этом, Митенька вытащил из стола крошечный прозрачный пакетик и повертел им перед носом приятеля.

— Ты знаешь, что здесь?

— Понятия не имею...

— А ведь это твоя вещица... С Пятнадцатой линии...

Сколько Никита не вглядывался в содержимое пакетика, он так ничего и не увидел. Пакетик был восхитительно, обворожительно, сногсшибательно пуст.

— Оригинальная вещица, — осторожно заметил Никита. — Очень оригинальная...

— Я тоже так подумал... Учитывая место, где она к тебе прицепилась...

— И где же она ко мне прицепилась? — Никита все еще не понимал, куда клонит Митенька.

— Я так думаю, что в спальне... Той самой... Где ты нашел второе тело...

Он наконец-то раскрыл пакетик, Митенька. И, покопавшись там неуклюжими пальцами, вытащил самый обыкновенный волос. Светлый и длинный, теперь понятно, почему он не просматривался в крошечном куске целлофана.

Митенька повертел волос в руках, расправил его и даже подергал за концы.

— Узнаешь? — спросил он.

— Нет.

— А зря. Его я снял с твоей куртки. А знаешь, что самое интересное?

— Что?

— Это ведь искусственный волос.

— Что значит — искусственный?

— Искусственный — значит ненастоящий... Волос из парика, одним словом. Мариночка носила парики?

— Не знаю, — стушевался Никита. — Вроде нет... Вроде у нее были свои волосы...

— У нее были свои волосы. Я навел справки. У нее была роскошная шевелюра... Густая... почти львиная... И-эх, не мне досталась...

— Что ты хочешь этим сказать?

— Ничего. Просто хочу уточнить. Ты ведь в тот вечер нигде больше не был, я так понимаю? Кроме этой гребаной Пятнадцатой линии...

— Нет, — Никита все еще не мог сообразить, к чему клонит Левитас.

— И знакомых трансвеститов у тебя нет, так?... И плешивых воздыхательниц ты к «Прибалтийской» не подвозил...

— А кто такие трансвеститы?

Левитас метнул на Никиту полный иронии взгляд.

— Ладно, проехали... деревня!.. Так что, по всему выходит, что эту бациллу ты подцепил у Корабельникова. А теперь смотри... Марина Корабельникова была почти натуральной блондинкой... Ее... уж не знаю как назвать... подружка... телохранительница... коротко стриженной брюнеткой... Ты у нас тоже... коротко стриженный брюнет... Из трех возможных вариантов ни один не сработал... Тогда чье же это добро, позволь тебя спросить... А?..

Литературно-художественное издание

Виктория Платова

ЛЮБОВНИКИ В ЗАСНЕЖЕННОМ САДУ

Роман

Книга 1

Художник *И. Сальникова*
Технический редактор *Т. Тимошина*
Корректор *М. Сиротникова*
Компьютерная верстка *А. Попова*

ООО «Издательство Астрель»
143900, Московская обл., г. Балашиха, пр-т Ленина, д. 81

ООО «Издательство АСТ»
368560, Республика Дагестан, Каякентский р-н,
сел. Новокаякент, ул. Новая, д. 20
Наши электронные адреса: www.ast.ru
E-mail: astpub@aha.ru

При участии ООО «Харвест». Лицензия ЛВ № 32 от
10.01.2001. РБ, 220013, Минск, ул. Кульман,
д. 1, корп. 3, эт. 4, к. 42.

Республиканское унитарное предприятие
«Полиграфический комбинат имени Я. Коласа».
220600, Минск, ул. Красная, 23.

По вопросам оптовой покупки книг
«Издательской группы АСТ» обращаться по адресу:
г. Москва, Звездный бульвар, д. 21, 7 этаж
Тел. 215-43-38, 215-01-01, 215-55-13
Книги «Издательской группы АСТ»
можно заказать по адресу:
107140, Москва, а/я 140, АСТ — «Книги по почте»